W9-CBM-809

Даниэла СТИЛ

Жить дальше

РОМАН

МОСКВА

издательство
ЭКСМО
ПРЕСС

2000

УДК 820(73)
ББК 84(7 США)
С 80

Danielle STEEL
ACCIDENT

Перевод с английского *С. Зинина*

Разработка оформления художника *Е. Савченко*

Ранее книга выходила под названием «Авария»

Стил Д.
С 80   Жить дальше: Роман / Пер. с англ. С. Зинина. —
М.: Изд-во ЭКСМО-Пресс, Изд-во ЭКСМО-МАРКЕТ,
2000. — 384 с.

ISBN 5-04-004524-7

Спокойная и благополучная жизнь Пейдж Кларк в один день по-
терпела катастрофу: в автомобильной аварии едва не погибла дочь,
муж ушел к другой женщине. Неизвестно, выдержала бы все свалив-
шиеся на нее несчастья эта хрупкая женщина, не окажись рядом с ней
верного друга. Она нашла в нем поддержку, понимание, он подарил
Пейдж надежду на счастье.

УДК 820(73)
ББК 84(7 США)

ISBN 5-04-004524-7

Глава 1

Стоял один из тех чудесных теплых апрельских дней, когда ветерок так ласково овевает кожу, что не хочется возвращаться домой. День был длинным и солнечным, и у Пейдж просто захватило дух от красоты залива, когда она ехала по мосту Золотые Ворота.

Потом она взглянула на своего сына, свою маленькую белобрысую копию — с той только разницей, что у мальчика на голове была бейсбольная кепка, под которой упрямо ершились волосы, а лицо было перемазано в грязи. Эндрю Паттерсону Кларку в прошлый вторник исполнилось семь. Теперь он развалился на сиденье машины, отходя от игры, и любой посторонний наблюдатель легко увидел бы, как близки мать и сын. Да, каждый мог бы сказать, что Пейдж Кларк хорошая мать, отличная жена и прекрасный друг: она любила, заботилась и работала, вкладывая в эти занятия всю душу, делала все для своих близких. Она поражала друзей своей артистичностью, ее любили за внутреннюю красоту, за то, что с ней никогда не было скучно.

— Ты был сегодня в отличной форме, — улыбнулась она сыну и, на миг оторвав одну руку от руля, сдвинула кепку и взъерошила его и без того спутанные волосы. У Энди были такие же густые пшеничные волосы, такие же большие голубые глаза и такая же светлая кожа — только у него веснушчатая. — Я не могла поверить, что ты поймаешь этот мяч на дальнем конце поля. Я думала, что он уже потерян. — Она всегда ходила на его игры, на все соревнования и на выездные игры с его классом. Она знала, что он это любит, а она любила его. И по тому, как он смотрел на нее, было ясно, что он это знает.

— Я тоже думал, что проиграл, — ухмыльнулся он, обнажая дырки от недавно выпавших молочных зубов. — Я думал, Бенджи точно успеет... — Он хихикал до тех пор, пока они не доехали до другого конца моста, у Марин-Каунти. — ...Но он не успел!

Пейдж тоже засмеялась. Отличный сегодня день! Жаль, что не было Брэда, но по субботам он всегда играл в гольф со своими деловыми партнерами. Для них это была единственная возможность расслабиться и оторваться от того, чем они занимались всю неделю. Так что они редко теперь проводили субботы вместе, а если такое и случалось, то всегда находились какие-нибудь дела вроде игр Энди или соревнований по плаванию у Алисон, которые обычно проводились в каком-нибудь богом забытом месте. Если не это, так собака резала лапу, выпадала пломба, протекала крыша или что-то еще, чем приходилось срочно заниматься. Уже много лет у них не было свободных суббот. Она к этому привыкла, так что приходилось урывать время для себя, когда только это удавалось: когда дети засыпали, в промежутках между его командировками и на редких уик-эндах, когда им удавалось-таки оторваться. Да, нелегко было найти время для личных дел при такой сумасшедшей жизни, но все-таки у них это получалось. Несмотря на шестнадцать лет брака и двоих детей, Пейдж еще страстно любила мужа. У нее было все, что она хотела от жизни, — любимый и любящий муж, обеспеченная жизнь и два чудных ребенка. У них был дом в Россе, не слишком шикарный, но уютный и милый, в хорошем месте. А при своих способностях наводить уют Пейдж сделала из него конфетку. Очень кстати пришлись ее художественное образование и опыт, приобретенный, когда она работала помощником дизайнера в Нью-Йорке. Теперь-то она использовала свои таланты в основном для того, чтобы расписывать стены дома у себя или у своих друзей. Особенно хорошей получилась роспись в россокой гимназии. Благодаря ее росписям их собственный дом, обычный маленький коттедж, превратился в предмет зависти всех знакомых и гостей. Он стал произведением искусства Пейдж, и все, кто видел его, сразу понимали это.

На одной из стен в комнате Энди она изобразила момент бейсбольного матча в полную величину — подарок сыну на прошлое Рождество. Он был в восторге. Когда Алисон увлекалась Францией, Пейдж изобразила на одной из стен сцену из парижской жизни, а потом — серию портретов балерин, навеянных картинами Дега. А недавно ее волшебная кисть превратила комнату дочери в подобие плавательного бассейна. Она даже раскрасила мебель под обстановку бассейна, чтобы создать полную иллюзию. Наградой ей было восхищенное «класс!» Алисон и ее друзей в отношении комнаты и «ух ты!.. Вот это предок!» — в отношении ее самой. Неплохая оценка для этой банды пятнадцатилетних подростков.

Алисон была уже на втором курсе колледжа. Глядя на ее друзей, Пейдж жалела, что у нее всего двое детей — ей хотелось больше, но тут Брэд был непоколебим. «Один или двое», — с ударением на слове «один» отрезал он. Брэд обожал маленькую дочку и не понимал, зачем им еще дети. Потребовалось целых семь лет, чтобы переубедить его. Именно тогда они переехали из города в пригород, купили дом в Россе, где и родился Энди, их чудо-ребенок, — он родился на два с половиной месяца раньше срока, после того как Пейдж упала с лестницы, когда рисовала на стене детской Винни-Пуха. Ее привезли в госпиталь со сломанной ногой, и одновременно начались схватки. Энди провел два месяца в инкубаторе, но в конце концов оказался совершенно здоров. Она улыбнулась, вспомнив, каким он был крошечным и как они боялись потерять его. Она бы этого не пережила, хотя... пришлось бы, ради Алисон. И ради Брэда. Но без него она, наверное, утратила бы интерес к жизни.

— Хочешь мороженого? — спросила она, поворачивая на Френсис-Дрейк.

— Ага! — откликнулся Энди и рассмеялся, когда она заглянула ему в рот, — еще бы не рассмеяться при такой дыре.

— Ну, Эндрю Кларк, когда вы соберетесь обзавестись хотя бы парочкой зубов? Может быть, купить вам подходящие протезы?

— Ну... — протянул он и снова захихикал.

Было так славно ехать с сыном. Обычно она везла домой всю команду, но сегодня эту честь оказали другой мамаше, однако Пейдж все равно приехала на игру, она ведь обещала. Алисон поехала к друзьям, Брэд играл в гольф, а Пейдж раздумывала над своими планами — она хотела начать новую роспись для школы и посмотреть, что можно сделать с гостиной друзей. Впрочем, это все было не к спеху.

В кафе они взяли для Энди двойную порцию сливочного мороженого «Скалистая дорога», посыпанного шоколадом, а для нее — порцию замороженного кофейного йогурта, на вкус такого сладкого, что страшно было подумать, сколько в нем могло быть калорий. Они сели за столик на улице и ели до тех пор, пока Энди весь не вымазался и не перепачкал форму, но это, сказал он, ерунда — все равно ее стирать, так что немного мороженого не повредит. Так они сидели и наблюдали за прохожими и посетителями, наслаждаясь теплыми лучами заходящего солнца. День был отличный, и Пейдж стала строить планы относительно завтрашнего пикника.

— Вот это порядок, — сказал он, добравшись наконец кончиком носа до донышка стаканчика, так что растаявшее мороженое залило подбородок, и Пейдж вдруг ощутила острый прилив любви к сыну.

— Ты прелесть... ты знаешь это? Ладно, мне бы не следовало тебе говорить, но ты просто прелесть, Эндрю Кларк... из тебя выйдет отличный бейсболист... Разве могла бы я быть счастливей?

Он расплылся в улыбке, и теперь мороженым было перепачкано все, даже кончик ее носа, после того как она поцеловала сына.

— Ты отличный парень!

— Ну, ты тоже ничего... — Он нырнул в остатки мороженого и, когда вынырнул, посмотрел на нее вопросительно. — Мама?..

— Ну? — Она уже почти покончила со своей порцией, но его «Скалистая дорога» грозилась перемазать все окружающее в радиусе метра. Почему-то, попав в руки детям, мороженое начинает увеличиваться в объеме.

— Как ты думаешь, у нас будут еще дети?

Пейдж замерла от изумления — мальчики таких вопросов обычно не задают. Алисон-то уже несколько раз ее спрашивала, но Пейдж в свои тридцать девять решила, что с этим скорее всего покончено. Не то чтобы она чувствовала себя слишком старой, просто ей не уговорить Брэда на третьего ребенка.

— Вряд ли, мой дорогой. А что? — Неужели его это в самом деле волновало или это было простое любопытство?

— У Томми Силверберга мама на прошлой неделе родила двойню. Это просто прелесть! Они такие одинаковые, — оживленно начал он. — Они весят по семь фунтов каждый — больше, чем я.

— Это верно. — Он-то весил от силы три фунта, потому что родился слишком рано. — Да, наверное, они прелесть... но не думаю, что у нас тоже будет двойня... или хотя бы еще кто-то. — И почему-то ей стало грустно. Она всегда горячо поддерживала Брэда, что два ребенка — это как раз столько, сколько нужно для идеальной семьи, их семьи, но иногда совершенно неожиданно она почему-то начинала тосковать по новому ребенку. — Вот поговори об этом с папой, — поддразнила она сына.

— О близнецах? — поинтересовался он.

— О третьем ребенке.

— Это так забавно... Ну, конечно, с ними вроде довольно много хлопот. У Томми в доме такое творится! Повсюду разбросаны эти штуки... ну кроватки там, корзинки... и пеленки... и всего по два... Приехала его бабушка помогать. Начала готовить обед и все сожгла. Его папа так ругался!

— Мне это не кажется столь уж забавным, — улыбнулась Пейдж, представив себе появление близнецов в доме, где и так было мало порядка и еще двое детей. — Но вначале всегда так, пока не освоишься с этим.

— Когда я появился на свет, был такой же беспорядок? — Он доел наконец мороженое и вытер губы рукавом, а руки о шорты своей бейсбольной формы. Пейдж рассмеялась.

— Нет, но зато теперь беспорядка предостаточно, парень. Давай-ка поедем домой и переоденемся.

Они забрались в машину и покатили домой, болтая по дороге, но у нее из головы не выходил его вопрос о ребенке. Ее сердце снова сжала тоска. Может быть, дело было просто в теплом солнечном дне? Или это просто весна? Но почему-то ей захотелось еще детей... еще поездок с Брэдом вдвоем... и чтобы можно было лежать с ним в постели днем, и никуда не нужно было спешить, и нечем заниматься, кроме как любовью с ним. Как бы ей ни нравилась ее жизнь сейчас, ей хотелось иногда обратить время вспять. Сейчас она только и занималась, что домашней работой, уроками детей, дележкой машины с Брэдом и детьми, так что им с Брэдом удавалось поймать друг друга разве что на лету или в конце дня, когда оба уставали. А ведь, несмотря ни на что, у нее оставались желания и любовь... но не было времени, чтобы насладиться всем этим. Единственное, чего им постоянно не хватало, так это времени.

Через несколько минут они подъехали к дому, и, пока Энди собирал свои вещи, Пейдж огляделась и заметила машину Брэда.

— Ну, сегодня был отличный день, — сказала она, еще не остыв от солнца. Ее сердце было исполнено любви к сыну. Сегодня был один из тех дней, когда наконец-то понимаешь, что счастлива и благодарна за каждый миг жизни.

— Да... спасибо, что ты приехала на матч, мама! — Он отлично знал, что она могла бы и не приезжать, и был рад, что она все-таки приехала. Она была так добра к нему, и он любил ее за это. Но ведь он в самом деле хороший парень, он это заслужил.

— Всегда готова, мистер Кларк. Расскажи папе об этом знаменитом мяче. Ты просто на глазах творишь историю!

Мальчик рассмеялся и побежал в дом, а она подняла велосипед Алисон, брошенный поперек дорожки. Ее роллеры были прислонены к стене гаража, а ракетка лежала на стуле у кухонной двери, рядом с банкой мячей, «одолженных» у отца. Сегодня у дочери явно был тяжелый день. Когда Пейдж вошла в дом, дочь была на кухне и болтала по телефону. Она еще не переоделась после тенниса и стояла спиной к матери. Закончив разговор, она повесила трубку и повернулась к Пейдж. Алисон была так красива, что Пейдж иногда просто боялась за нее — она была на вид совсем взрослой. Тело взрослой женщины и ум ребенка, и при этом она всегда была в движении, всегда решала какую-то проблему. Ей всегда нужно было что-то сказать, спросить, быть где-то — два часа назад, сейчас, сию минуту — в самом деле надо! Вот это и было написано на ее лице, так что Пейдж мгновенно переключила стиль с легкого и непринужденного общения с Энди на Алисон. Алисон больше походила на Брэда — всегда в движении, всегда в пути, с мыслью о следующем деле, о том, что ей необходимо в следующий момент. Она была динамичней Пейдж, более жесткой и собранной, вовсе не такой доброй, каким, наверное, вырастет Энди. Но в общем она была хорошей, умной девочкой с добрыми намерениями и захватывающими планами. Иногда, впрочем, здравый смысл изменял ей, и тогда у них с Пейдж происходили стычки из-за какой-нибудь типично подростковой проблемы, но в конце концов Алисон быстро приходила в себя и набиралась терпения, чтобы выслушать родителей.

Такие выходки в пятнадцать лет нормальны — она просто пробовала свои крылья, искала свой путь, пытаясь понять, кем она станет — не Пейдж, не Брэдом, а самой собой. Она была похожа на них, но хотела быть только собой, не как Энди, хотевший походить на отца, а на самом деле похожий на мать. Алисон считала его младенцем — когда он родился, ей было восемь, и она считала его лучшей игрушкой. Она никогда раньше не видела такую кроху. Она, как Пейдж и Брэд, боялась, что он умрет, не выживет, и, когда его наконец привезли домой, Алисон гордилась им больше всех. Она носилась с ним по всему дому, и если Пейдж не могла его найти, то знала, что скорее всего он в комнате у Алисон, которая нянчила его, как куклу. Она несколько лет просто обожала его и даже сейчас потакала братцу, покупая ему сладости и бейсбольные карточки. Хотя сама бейсбол терпеть не могла. Она и теперь охотно признавалась, что любит Энди.

— Ну как ты сегодня, коротышка? — Энди был выше многих одноклассников, но сестра постоянно поддразнивала его, напоминая, каким маленьким он был, когда появился на свет.

— Порядок, — скромно ответил он.

— Сегодня он герой дня, — похвасталась Пейдж.

Энди вспыхнул и побежал искать отца. Пейдж не последовала за сыном — она решила сразу заняться обедом.

— А как ты? — обратилась она к дочери, открывая холодильник. Сегодня они не собирались в ресторан, и было так жарко, что она подумывала о пикнике в саду. — С кем ты сегодня играла?

— С Хлоей и другими ребятами. Сегодня в клуб пришли парни из Брэнсона и Морской академии. Мы сыграли несколько сетов в микст, а потом я поиграла с Хлоей. А потом мы плавали. — Она говорила почти равнодушно; для нее роскошная жизнь в Калифорнии была обычным явлением, она ведь родилась здесь. Это для Брэда, родившегося на Среднем Западе, и Пейдж, появившейся на свет в Нью-Йорке, погода и все остальное казалось сказкой — но не для этих ребят. Для них это был привычный образ жизни. Пейдж иногда завидовала, как им повезло с самого начала, но и радовалась за них — именно этого она и хотела для своих детей. Спокойная, уютная, комфортная и здоровая жизнь, защищенность от жизненных невзгод и печалей. Она сделала все, чтобы обеспечить им это, и теперь могла наслаждаться этим приятным зрелищем.

— Неплохо. А что ты думаешь делать вечером? — Если у нее нет никаких планов или к ней собирается приехать Хлоя, то они с Брэдом могут поехать в кино, а Алисон посидит с Энди. А если есть, то ничего страшного. Они с Брэдом ничего не планировали на вечер. Хватит того, что можно будет посидеть в саду, поболтать и пораньше лечь спать. — Куда-нибудь собираешься?

Алисон резко повернулась к ней с таким видом,

словно говорила: «Если ты не дашь мне это сделать, моя жизнь кончена».

— Отец Хлои обещал взять нас в ресторан, а потом в кино.

— О'кей, неважно. Я просто спросила.

Алисон мгновенно расслабилась, и Пейдж улыбнулась. Все-таки временами они так предсказуемы. Подростковый возраст, несмотря на счастливую жизнь в Калифорнии, не так-то легок — даже в нормальной семье каждый поступок всегда связан с тревогой и страхом. Да, это не так-то легко.

— А что за фильм? — Пейдж положила мясо размораживаться в микроволновую печь — она не собиралась сегодня сооружать что-то сногсшибательное.

— Она не сказала. Вообще есть три фильма, что я хотела бы посмотреть, например, я не видела «Вудсток» — на фестивале его показывали. А ужинать мы будем в «Луиджи».

— Неплохо. Он вас балует.

Пейдж достала овощи и начала готовить салат. Украдкой она взглянула на дочь, восседающую на табуретке у кухонного стола. Она была красива, как фотомодель: огромные карие глаза, золотистые волосы — как у свекрови, кожа, золотистая от загара, хотя солнце только начало припекать. У нее была стройная фигура, длинные ноги и тонкая талия — неудивительно, что она обращает на себя внимание мужчин, особенно в последнее время. Пейдж иногда говорила Брэду, что хотела бы прикрепить к блузке дочери значок: «Осторожно, ей всего пятнадцать!» На нее оборачивались на улице даже тридцатилетние мужчины. Выглядела она лет на восемнадцать или даже на двадцать.

— Просто прекрасно, что мистер Торенсен решил провести с вами субботний вечер.

— А что ему еще делать, — ответила Алисон голосом маленькой девочки, и Пейдж рассмеялась — подростки бывают такими безжалостными, никогда не упустят случая наступить на больную мозоль.

— Откуда ты знаешь? — Жена Торенсена бросила его год назад и сразу после развода уехала в Европу, найдя работу в офисе театрального менеджера. Она хотела взять с собой и троих детей, чтобы отдать их в английские пансионы. Сама американка, она почему-то считала, что на свете нет ничего более полезного для детей, чем английские закрытые школы. Но Тригви Торенсен не собирался отдавать детей бывшей жене.

Судя по всему, его жена настолько устала за двадцать лет жизни в пригороде от исполнения обязанностей шофера, служанки, няньки и учительницы собственных детей, что больше всего на свете ей захотелось бросить все это. Абсолютно все: Тригви, детей, опостылевший Росс. Она ненавидела эту рутину всеми фибрами души. Дана Торенсен решила, что настал ее час. Она пыталась объяснить это мужу, достучаться до него, но Тригви не желал ни о чем и слышать — ему хотелось, чтобы все шло, как идет, и он просто не видел ее отчаяния.

Когда Дана уехала, дом чуть не рухнул. Пейдж потрясло то, что Дана бросила детей. Наверное, ей действительно пришлось туго в последние годы. Однако все в Россе были изумлены тем, что Тригви удалось справиться с детьми и домом. Он был свободным журналистом и поэтому мог работать дома. Ему это было по вкусу, и его в отличие от жены не тяготили родительские обязанности.

Он на все смотрел с юмором и тепло относился к детям, за что его ценили окружающие. Иногда это давалось ему нелегко, но в общем он справлялся, и дети вовсе не чувствовали себя несчастными. Тригви выкраивал время для работы днем, пока дети были в школе, и вечером, когда они ложились спать. Остальное время Тригви проводил с ними. Его обожали большинство их приятелей. Так что Пейдж нисколько не удивило, что он решил повести целую банду в ресторан и потом в кино.

Сыновья Торенсена уже учились в колледже, а Хлоя и Алисон были сверстницами. Хлое пятнадцать исполнилось на Рождество, она была так же красива, как Алисон, только в другом стиле: небольшая, черноволосая — в мать, с огромными голубыми нордическими глазами, доставшимися от отца, и прозрачной белой кожей. Тригви был норвежцем и до двенадцати лет жил в Норвегии, поэтому друзья до сих пор дразнили его «викингом», хотя он был американцем до мозга костей.

Он был красив, так что его развод взволновал сердце не одной одинокой женщины в Россе. Однако им пришлось несколько разочароваться — он так разрывался между детьми и работой, что времени на женщин у него просто не оставалось. Пейдж подозревала, что дело не во времени, а в отсутствии интереса или доверия.

Все знали, что он страстно любил жену, и ни для кого не было тайной, что последние два года перед отъездом она надувала его. Пожалуй, брак и материнство были вообще не для нее. Тригви, со своей стороны, сделал все, что мог, и выдержал даже два примирительных срока. Однако он требовал от нее большего, чем она могла дать. Ему-то нужны были домохозяйка, полдюжины детей и простая семейная жизнь, отпуска на природе. Ей нужны были Нью-Йорк, Париж, Голливуд или Лондон.

Дана Торенсен была прямой противоположностью своему мужу. Они встретились в Голливуде, когда были совсем юными. Он только что окончил школу и начал писать сценарии, а она пробовалась как актриса. Ей нравилась эта профессия и совсем не хотелось переезжать в Сан-Франциско. Но тогда она слишком его любила, чтобы бросить. Она пыталась еще работать, сотрудничать с профсоюзом актеров в Сан-Франциско, но ничего не получилось — она слишком скучала по друзьям, по Голливуду и Лос-Анджелесу, по работе там, даже случайной. Неожиданно она забеременела, и Тригви, к ее удивлению, настоял на браке. Тут-то все и покатилось под откос — пришлось играть роль, ей совершенно несвойственную. Когда ее второй сын, Бьорн, родился с синдромом Дауна, это оказалось для нее непосильным испытанием, и она начала винить во всем Тригви. Она точно знала, что больше не хочет детей и что не хочет даже быть замужем. Тут на свет появилась Хлоя, и все рухнуло для Даны. Жизнь для нее превратилась в кошмар. Тригви старался сделать все, что мог, он много печатался в «Нью-Йорк таймс» и других популярных газетах и журналах. Он вполне мог содержать свою семью. Но Дана не хотела сидеть дома. Все, что ей было нужно, — это свобода. А Тригви хотел, чтобы все шло так, как идет. И что было для Даны еще ужасней — он действительно оказался отличным отцом. Просто кошмар, что он женился на столь неподходящей женщине!

Он был добр и терпелив, с удовольствием

делил компанию с друзьями своих детей, отправлялся с ними в походы и на рыбалку, был главной движущей силой в организации местных олимпийских игр, на которых блестяще выступил Бьорн. Все были в восторге, за исключением Даны — она, как ни пыталась, так и не научилась общаться с подростками. А Бьорн в ее глазах вообще был позорищем. В результате дело кончилось тем, что ее стали ненавидеть все, а она просто изводилась из-за своей горькой участи — от которой, кстати, немногие отказались бы на ее месте: у нее были прекрасные дети (даже Бьорн, которого все считали лапушкой), отличный муж и прекрасный отец (из-за которого Дане завидовали многие женщины). Когда она пошла вразнос, заведя кучу любовников, это никого не удивило. А ей было наплевать, что о ней все думают, особенно Тригви. Она даже хотела, чтобы именно он положил этому конец.

Так что все облегченно вздохнули, когда она его наконец бросила — за исключением самого Тригви, годами плывшего по течению, убеждая себя, что все в порядке, все не так плохо. Он убеждал себя в том, чему мог поверить лишь он один: «...Она привыкнет... для нее непросто было бросить карьеру... она так страдала, когда пришлось уехать из Голливуда... она такая одаренная, ей трудно быть женой...» и конечно: «Бьорн — это нелегко пережить...» В общем, двадцать лет он убаюкивал себя такими сказками, пока она наконец не бросила его. И похоже, что ему самому стало от этого легче, и самое удивительное — ему не хотелось пройти через все эти мытарства снова, с другой женщиной. Только теперь Тригви понял, насколько это было чудовищно, и ему просто становилось плохо при мысли о том, что он может снова жениться или даже завести серьезные отношения с кем-либо еще. Все его знакомые женщины представлялись ему ястребами, стервятниками, жаждущими поживы, и он совсем не хотел становиться их очередной жертвой. Ему было хорошо и одному с детьми — пока.

— После того как Хлоина мама исчезла, у него не было ни одной приятельницы, то есть настоящей, а ведь прошел уже год. Он все время проводит с детьми, а ночью пишет про политику. Хлоя говорит, что он сейчас пишет книгу. И знаешь, мама, он очень любит куда-нибудь ходить вместе с нами. Во всяком случае, он сам так говорит.

— Вам повезло. Но что, если он когда-нибудь предпочтет вашей компании кого-либо еще? Ты не задумывалась об этом? — улыбнулась Пейдж. Алисон пожала плечами — она себе не представляла, чтобы Тригви нужен был кто-нибудь еще. Она привыкла к тому, что Тригви Торенсен всегда готов общаться с ними, и ей никогда не приходило в голову, что дело не только в том, что он любил детей, но и в том, что он хотел заполнить пустоту, возникшую вследствие катастрофы, которую потерпел его брак.

— И кроме того, он любит проводить время с Бьорном. Мистер Торенсен учит его водить машину.

— Отличный парень. — Пейдж открыла кран и вымыла овощи, Алисон с удовольствием уплетала чипсы. — Как он, кстати? — Она давно не видела сына Тригви. Хотя и было заметно, что мальчик не такой, как все, его отец делал все, чтобы он рос и жил так, как и другие — здоровые дети.

— В порядке. Каждую субботу играет в бейсбол и с ума сходит по боулингу.

Потрясающе. И как ему удалось справиться с этим? В общем-то она могла понять Дану Торенсен, хотя и осуждала ее бегство. Она знала Тригви уже много лет, и он ей нравился, хотя они не были хорошо знакомы. Он не заслужил все эти напасти. Никто их не заслуживал, впрочем, но, насколько она могла судить, Тригви Торенсен был потрясающим отцом.

— Ты останешься у Торенсенов? — спросила Пейдж, выкладывая овощи на тарелку и вытирая руки. Она еще не видела Брэда и хотела поздороваться с ним, а заодно посмотреть, что делает Энди.

— Нет. — Алисон встала из-за стола, выбросила пустой пакет из-под чипсов и взялась за яблоко. Она перекинула косу через плечо. — Они сказали, что завезут меня домой после кино. У Хлои дело завтра рано утром.

— В воскресенье?! — поразилась Пейдж, выходя из кухни.

— Да... не знаю... может быть, тренировка... что-то в этом роде.

— Ну и когда ты выходишь?

— Я сказала, что мы встретимся в семь. — Наступила длинная пауза. Алисон пристально посмотрела на мать. В ее глазах мелькнуло что-то, но Пейдж так и не смогла определить, что было в ее взгляде. Какой-то секрет, тайна, которой она не хотела поделиться с матерью. — Мам, можно я возьму твой черный свитер?

— Пуховый? — Брэд подарил его на Рождество. Он не очень-то подходил для теплой погоды и был слишком роскошным для пятнадцатилетней девочки. Алисон утвердительно кивнула. Но Пейдж эта идея не понравилась.

— Не стоит. Он не совсем подходит для «Луиджи», да и фестиваль...

— Ну ладно... А розовый?

— Это лучше.

— Можно?

— Ладно, ладно... — Она покачала головой, шутливо изображая сожаление, и они разошлись. Алисон отправилась к себе, а Пейдж пошла искать мужа. В последнее время ей казалось, что между ними возникают какие-то препятствия и барьеры. Чтобы понимать друг друга, как прежде, им приходилось совершать какой-то марафон из «не будешь ли ты любезен», «не подбросишь меня», «не составишь ли мне компанию», «можно ли мне попросить...», «как ты полагаешь...» и многих других «где», «как» и «когда».

Завернув за угол, Пейдж едва не столкнулась с Брэдом. Брэду Кларку вполне подошли бы определения «высокий», «статный» и «красивый». Это был коротко подстриженный брюнет шести футов четырех дюймов ростом, с большими карими глазами, мощной фигурой — широкие плечи, узкие бедра, длинные ноги и такая улыбка, что у нее начинала кружиться голова. Когда она вошла в спальню, Брэд выпрямился, прекратив укладывать лежавший на кровати чемодан.

— Как прошла игра? — с интересом спросил он. С некоторых пор он не ездил на матчи — был слишком занят. Иногда ему казалось, что он вообще забыл, как играет его сын.

— Отлично. Твой сын просто молодчина, — улыбнулась Пейдж и, приподнявшись на цыпочки, поцеловала мужа.

— Он тоже так говорит. — Его рука обхватила

ее талию, и Брэд притянул ее к себе. — Я по тебе очень соскучился.

— Я тоже... — Она постояла так несколько секунд, уткнувшись в его ухо, а потом оторвалась и опустилась в кресло, а Брэд продолжил сборы.

Он часто собирался в поездку по воскресеньям, чтобы на следующий день отправиться в командировку. Но если было время, он старался сложить вещи по субботам, чтобы освободить воскресный день.

— Что ты думаешь насчет того, чтобы устроить сегодня небольшой пикник? Погода отличная, я как раз разморозила мясо. Будем только мы и Энди. Алисон собирается поехать с Хлоей.

— Неплохо было бы, — улыбнулся он, подходя к ней, — но ничего не получится. Ни одного места на Кливленд на завтра, так что придется лететь сегодня в девять вечера. Выезжать в аэропорт надо около семи.

Ее словно громом поразило, когда она услышала об этом — она-то рассчитывала побыть с ним весь день и еще посидеть в саду под луной.

— Малыш, мне правда жаль.

— Да... мне тоже... — Эта новость просто пришибла ее. — Я весь день думала о тебе.

Он присел на ручку ее кресла, и она улыбнулась ему. Она всегда старалась держаться молодчиной, и ей давно пора было бы привыкнуть к его командировкам, но почему-то не совсем получалось. Ей так не хватало его.

— Вряд ли воскресный Кливленд — подарок. Что тебе там делать одному в воскресенье? Весь день пропадет без толку! — Ей было искренне жаль его. Работа в рекламном агентстве заставляла его выкладываться. Но ведь он был их звездой, человеком, благодаря которому они были впереди всех. О его умении привлечь новых клиентов и, самое главное, удержать их ходили легенды.

— Я уже наметил программу: сначала отправлюсь играть в гольф с президентом компании, с которой должен работать. Я уже позвонил ему, он утром ждет меня в клубе. Так что воскресный день не будет потерян. — Он поцеловал ее в губы, и в ней снова поднялось желание. — Конечно, я бы предпочел остаться здесь, с тобой и с детьми, — прошептал он, когда она обняла его за шею.

— Бог с ними, с детьми, — прошептала она, и он рассмеялся.

— Хорошая идея... оставим ее до вторника... Я вернусь как раз к ночи.

— Я тебе напомню, — прошептала Пейдж, и они снова поцеловались. Тут в спальню ворвался Энди.

— Алли оставила картошку на столе, и Лиззи ее жрет! Теперь ее стошнит прямо на кухне! — Лиззи звали их золотистого лабрадора, и она была известна своей неразборчивостью в еде и столь же слабым желудком. — Ну же, мама! Ее точно стошнит, если она сожрет все!

— О'кей, я уже иду... — Пейдж жалобно улыбнулась Брэду и отправилась за Энди. Брэд только хлопнул ее пониже спины.

Как и было сообщено, вся кухня была усыпана картофельными чипсами, и Лиззи увлеченно доедала их.

— Лиззи, фу! — устало проворчала Пейдж и принялась за уборку. Как плохо, что Брэд улетает в Кливленд. Ей так хотелось побыть с ним. Казалось, что их жизнь принадлежит кому угодно, только не им самим. Она повернулась к Энди. — Что скажешь о романтическом вечере с твоей старой мамочкой? Папа должен вечером улететь в Кливленд, так что мы можем отправиться куда-нибудь и заказать пиццу. — Пиццу или бифштексы они могли поесть и дома, но ей не хотелось оставаться дома без Брэда. Кроме того, вообще неплохо было бы прогуляться с Энди. — Ну, что ты скажешь?

— Я за, — восторженно выкрикнул он и вместе с Лиззи выбежал из кухни. Пейдж убрала мясо и салат обратно в холодильник и вернулась в спальню — было половина седьмого, и муж уже был готов выезжать. Он решил ехать в бежевых брюках, темно-синем двубортном блейзере и голубой рубашке. Воротник рубашки был расстегнут, Брэд выглядел так молодо и привлекательно, что она вдруг почувствовала себя старой и уставшей женщиной рядом с ним. Он ездил по миру, встречался с клиентами, делал бизнес, имел дело со взрослыми людьми, а она сидела с малышами и гладила его рубашки. Умываясь и причесываясь, она попыталась высказать это, но он только рассмеялся:

— Ну, конечно... ты ничего не делаешь... да ты ведешь хозяйство лучше всех на свете... Ты так умеешь ладить с детьми, да и со всеми остальными... И, кроме того, ты расписываешь стены в школе и у наших друзей, даешь советы моим клиентам по интерьеру офисов и помогаешь друзьям, рисуешь. Черт побери, неужели это значит ничего не делать, Пейдж?! — Казалось, он иронизировал над ней, но все это было правдой, и она знала это — просто ей все это представлялось не таким значительным, поэтому она и считала, что ничем не занята. Может быть, дело в том, что она делала все это либо для друзей, либо бесплатно. После того, как она работала учеником дизайнера на Бродвее, ей нигде не платили, а ведь ей нравилась ее работа. Казалось, это было целую вечность назад — она рисовала пейзажи, занималась интерьером, и даже один театрик консультировался с ней относительно костюмов для постановки. Теперь она разве что мастерила костюмы для детей на Духов день, по крайней мере ей так казалось.

— Поверь мне, — продолжал Брэд, отнеся чемодан в гостиную и обнимая ее, — я бы с большим удовольствием занимался домашними делами, вместо того чтобы лететь в Кливленд.

— Жаль. — Да, ей жилось легче, чем ему, она знала это — он работал не покладая рук, чтобы обеспечить их. У ее родителей были небольшие деньги, но у его родителей ничего не было. Все, чего достиг Брэд, он достиг сам, и ему это дорого стоило. Он просто тянул из себя жилы, чтобы достичь успеха. Когда-нибудь он возглавит фирму, в которой работал, а если не эту, так другую. Многие хотели заполучить Брэда, и его фирма делала все, чтобы он был доволен. Сегодня, например, он летит в Кливленд первым классом, и ему забронировано место в «Тауэр-Сити-Плаза». Они не собирались давать кому бы то ни было шанс упрекнуть их в том, что они не ценят своего сотрудника.

— Вернусь вечером во вторник... я тебе позвоню! — Он зашел к детям, поцеловал Алисон, выглядевшую совсем взрослой в розовом свитере. К свитеру она надела короткую белую юбку. Длинные светлые волосы свободно падали на плечи, романтично обрамляя ее лицо, на котором был заметен неброский макияж.

— Ого! Кто же этот счастливчик?! — Было невозможно не заметить, как она красива.

— Хлоин отец, — усмехнулась она.

— Надеюсь, он не любитель малолетних, а то

придется запретить тебе дружить с Хлоей. Ты выглядишь роскошно, принцесса!

— Папа! — Она смущенно опустила глаза, хотя на самом деле ей нравилось, когда отец хвалил ее, а он не скупился на комплименты. Ни для нее, ни для мамы, ни даже для Энди. — Он же такой старый!

— Отлично! Спасибо! А я-то думал, что Тригви Торенсен младше меня года на два. — Брэду было сорок четыре, хотя выглядел он моложе.

— Ты знаешь, о чем я.

— Н-да... к сожалению, понимаю... Ну ладно, малышка, веди себя сегодня хорошо и не огорчай маму. Я вернусь во вторник вечером.

— Пока, папа! Не скучай!

— А, да. Масса развлечений. В Кливленде. Ну какие могут быть у меня развлечения без вас?

— Папа, ты уезжаешь? — прижался к нему Энди. Энди любил проводить время с отцом.

— Ага. Оставляю тебя за главного в доме. Позаботься о маме. Во вторник вечером мне доложишь, как тебя слушались женщины.

Энди улыбнулся. Ему нравилось, когда папа оставлял его за старшего мужчину в семье, он воспринимал это всерьез.

— Сегодня вечером, — серьезным тоном доложил он, — я вывезу маму поужинать. Мы будем есть пиццу.

— Ладно, только следи, чтобы она не переела... у нее может заболеть живот... — Брэд заговорщически подмигнул сыну. — Знаешь, как у Лиззи!

— Ох! — скорчил рожу Энди, и все рассмеялись.

Энди проводил родителей до дверей. Брэд вывел машину из гаража, вылез и забросил чемодан в багажник. Потом обнял Пейдж и Энди.

— Мне будет вас не хватать, ребята, берегите друг друга! — сказал он, садясь в машину.

— Постараемся, — улыбнулась Пейдж в ответ. Она давно должна была бы привыкнуть к его отъездам, но так и не привыкла. Ладно еще, когда он уезжал вечером в воскресенье, это она еще могла понять, но в субботу... У нее было такое чувство, что ее обманули. Она так хотела быть с ним, и вот он уезжает. Вообще он столько ездит, что невозможно не думать о катастрофах — что, если с ним что-то случится? Что, если... нет, она этого не переживет. — Ты тоже берегись, — прошептала она, наклоняясь к спущенному окну машины и целуя мужа. Она с удовольствием отвезла бы его, но Брэд предпочитал, чтобы машина дожидалась его в аэропорту. Кроме того, во вторник вечером она вряд ли сможет заехать за ним в аэропорт, так что это упрощало дело. — Я люблю тебя.

— Я тоже, — тихо ответил он и, высунувшись, помахал рукой Энди. Она шагнула назад и тоже помахала ему. Машина тронулась. Было без пяти минут семь.

Пейдж взяла Энди за руку, и они вернулись в дом. Хотя Пейдж и пыталась не расклеиваться, но все равно чувствовала себя такой одинокой. Глупо. Она ведь взрослая женщина, она не должна настолько зависеть от других людей, даже от Брэда. Кроме того, через три дня он вернется, а она ведет себя так, словно он уехал на месяц!

Когда они вошли в дом, Алисон была уже полностью готова к выходу и выглядела великолепно: губы чуть-чуть блестели от бледно-розовой помады с блеском, ресницы чуть тронуты тушью. Она была в самом расцвете — юная, здоровая, ухоженная. Она была как раз в том возрасте, в каком попадают на обложку «Вог» фотомодели, и она, подумала Пейдж, гораздо красивее многих из них.

— Развлекайся, солнышко. Я жду тебя домой к одиннадцати. — Это было контрольное время, и Пейдж строго следила, чтобы Алисон не пересекала границы.

— Ну мама!

— И не думай. Одиннадцать — крайний срок, сама знаешь. — Ей ведь всего пятнадцать, с какой стати она должна задерживаться дольше.

— А что, если фильм будет длиннее?

— Ну ладно, полдвенадцатого. А если он будет еще длиннее, придется тебе уйти, не досмотрев.

— Ну спасибо.

— Не за что. Хочешь, подброшу тебя к Хлое?

— Нет, спасибо. Я дойду пешком. Пока. — Она выскользнула в дверь, а Пейдж направилась в спальню переодеться. Только она открыла шкаф, как раздался звонок. Звонила ее мать из Нью-Йорка. Пейдж сказала ей, что собирается с Энди пойти поужинать и перезвонит завтра. Когда они с Энди наконец уселись в машину, Алисон должна была уже подходить к дому Хлои.

— Ну-с, молодой человек, куда мы поедем на этот раз? «Домино» или «Шэйки»?

— «Домино». У «Шэйки» мы уже были в прошлый раз.

— Разумно. — Пейдж включила радио и предоставила Энди выбрать станцию. Для семилетнего мальчугана у него были довольно странные музыкальные пристрастия — в основном он копировал старшую сестру. Вот и теперь он выбрал ту, которую всегда слушала Алисон.

Через пять минут они были у ресторана, и настроение Пейдж улучшилось — тоска отпустила ее, она уже предвкушала приятный вечер с сыном. Им всегда было хорошо вместе. Энди рассказывал ей о друзьях, о школьных делах и о том, что, когда вырастет, станет учителем. Когда она спрашивала его почему, он объяснял, что ему всегда нравилось возиться с малышами, а еще его привлекали длинные летние отпуска учителей.

— А может быть, я стану знаменитым баскетболистом, буду играть в «Джайантс» или «Метс».

— Тоже неплохо, — улыбнулась Пейдж.

С ним было так легко!

— Мама?

— Да?

— Ты ведь художник?

— В общем-то да. Я раньше была художником, но теперь не занимаюсь этим профессионально. Долгое время не занималась.

Он кивнул, явно что-то обдумывая.

— Мне нравится твоя роспись в школе.

— Я рада. Мне тоже нравится. Мне было приятно расписывать стену в вашей школе. Может быть, я соберусь и распишу еще одну.

Ему эта идея явно понравилась. Энди сам расплатился, оставив официанту на чай сумму, которую она ему назвала, положил руку на ее талию, и они направились к стоянке машин.

Через десять минут они уже были дома. Энди принял душ и пришел к ней в спальню посмотреть перед сном вместе с ней телевизор. Наконец он заснул прямо в ее постели, и она, улыбаясь, завернула его в одеяло и поцеловала. Он был уже большим мальчиком, но для нее оставался — и останется — малышом. В общем-то и Алисон тоже, в каком-то смысле. Наверное, дети никогда не вырастают для матери, подумала она, вспоминая, как хорошо выглядела Алисон в ее розовом свитере, отправляясь на вечер к Торенсенам.

Потом Пейдж стала думать о Брэде. Вернувшись из ресторана, она нашла запись на автоответчике, он звонил из аэропорта. Он знал, конечно, что они должны поехать в ресторан, но все равно позвонил, чтобы сказать, как он любит ее.

Она вернулась к телевизору. Пейдж устала и хотела спать, но решила дождаться Алисон. Она еще не была настолько уверена в дочери, чтобы лечь спать, не убедившись, что та пришла, — она хотела знать наверняка, что Алисон вернулась, поэтому ждала назначенного ею времени.

В одиннадцать передавали новости. Ничего особенного, и, самое главное, никаких авиакатастроф. Она всегда так боялась за Брэда — слава богу, ничего плохого не случилось. Перестрелка в Окленде, мафиозные разборки, перебранка политиков и небольшая авария на местной станции аэрации. И кроме того, было еще какое-то дорожно-транспортное происшествие на мосту Золотые Ворота, всего за несколько минут до того, как закрыли въезд на него, но это уже к Пейдж не имело никакого отношения. Брэд был в воздухе, а Алисон — с Торенсенами. Энди — в постели рядом с ней. Так что ее цыплята на месте. Ей было за что быть благодарной господу. Она смотрела на часы, дожидаясь возвращения Алисон. Было уже 11.20, и, насколько Пейдж знала Алисон, в 11.29 она ворвется в дверь с сияющими глазами, развевающимися волосами... и наверняка с пятном от пиццы на одолженном у матери розовом свитере. Пейдж улыбнулась и поудобнее устроилась в постели, приготовившись послушать сводку погоды в конце программы новостей.

Глава 2

Алисон торопилась — она уже на пять минут опаздывала на встречу с Хлоей, а предстояло пройти еще три квартала. Она явно опаздывала. Они договорились встретиться на углу Шэйди-Лэйн и Лагунитас, примерно на середине между их домами.

Когда Алисон подбежала к назначенному месту, задыхаясь и раскрасневшись от бега, Хлоя была уже там.

— Ого! Вот это да! — изумленно воскликнула Хлоя. — Это мамин? — Она сама уже не могла пользоваться обширным гардеробом матери, так что черный свитер, что был на ней самой, Хлоя позаимствовала у старшей сестры своей школьной подруги. Точнее говоря, эта подруга тайно взяла его у сестры, так что, если свитер не окажется на месте утром в воскресенье, полетит немало голов. Это был черный свитер с высоким воротом, и Хлоя надела к нему черную кожаную мини-юбку, позаимствованную у другой подруги, и черные плотные колготки, которые ее мать оставила в комоде, когда уезжала в Англию.

— Клево выглядишь, — кивнула Алисон, тщательно осмотрев наряд подруги. Она с неудовольствием подумала, что рядом с Хлоей выглядит как раскрашенная кукла Барби. Впрочем, в любом случае они были слишком разные. Черный свитер и юбка подчеркивали контраст блестящих черных волос и ослепительно белой кожи Хлои. Рядом с Алисон Хлоя была похожа на хрупкую танцовщицу. Впрочем, одиннадцать лет в балетной школе не прошли даром — каждое движение выдавало в ней балерину. Осенью она должна была пойти в балетную школу Сан-Франциско, куда ее уже приняли после нескольких тяжелейших экзаменов. Хлоя время от времени смотрела то на часы, то на улицу, а Алисон обеспокоенно — на Хлою.

— Слушай, Хлоя, может быть, передумаем, пока не поздно? Не надо было все это затевать, — чуть не плача говорила Алисон, уже начав раскаиваться в содеянном.

— Что ты несешь?! — с ужасом ответила Хлоя. — Это два лучших парня во всей школе! А Филипп Чэпмен — выпускник!

Филипп предназначался Алисон, а Джейми Эпплгейт был парнем Хлои, страдавшей по нему уже второй год. Он был младше Филиппа, и оба они были членами команды по плаванию.

Это Джейми предложил встретиться, а Хлоя все организовала. Сначала она поговорила с Алисон, и та сразу сказала, что мать не отпустит ее на свидание со старшеклассником. Пока что все ее свидания ограничивались походами в кино с мальчиками, с которыми она была давно знакома, или же в компании сверстников, которых подвозили чьи-либо родители — ни у кого из ее ровесников не было водительских прав, так что проблема транспортировки стояла очень остро. Были еще вечеринки и краткие увлечения на несколько недель перед Рождеством, но, как правило, после Нового года эти увлечения бесследно проходили. Так что настоящего свидания с настоящим парнем, который бы приехал на настоящей машине и повез ее в настоящий ресторан, — такого в ее жизни еще не было. До сегодняшнего вечера. Так что все было по-настоящему — даже слишком.

После продолжительных консультаций с Алисон и другими подругами Хлоя также пришла к выводу, что отец будет против ее свидания с Джейми Эпплгейтом. Во всяком случае, против того, чтобы Джейми был за рулем. Она заранее знала, что скажет ей отец. Первое — что они едва знакомы. Разумеется, если бы Джейми пару раз у них поужинал, зашел бы поговорить, тогда все было бы иначе. Но теперь уже не оставалось времени — во всяком случае, она не собиралась терять такую возможность, которая могла никогда не повториться. Как говорится, лови момент. И она ловила. Она убедила Алисон, что единственный выход — наврать родителям. Только один раз. Один раз — не страшно, и если ребята им понравятся и они захотят продолжить знакомство, то проведут всю подготовительную работу с родителями. Так что это всего лишь проба.

Сначала Алисон ни за что не соглашалась на это, но Филипп был так красив, такой клевый и крутой старшеклассник, что она не смогла устоять перед искушением. Хлоя была права. После бесконечных телефонных переговоров шепотом они наконец решили назначить встречу неподалеку от дома Хлои.

— Что, не разрешают ходить на свидания? — съязвил Джейми, когда Хлоя сообщила ему, где девочки будут их ждать.

— Разрешают. Просто не хочу, чтобы мои братья набили тебе морду, если ты им не понравишься, — ответила она ему, стараясь выдумать объяснение поправдоподобней. Однако Джейми спокойно повторил адрес и пообещал созвониться с Филиппом Чэпменом. У того была машина, и он-то и отвезет их всех к «Луиджи».

— Платим каждый за себя? — спросила напоследок Хлоя. Это тоже было проблемой — она уже потратила практически все карманные деньги на туфли, которые не должна была покупать. В пятнадцать лет жизнь бывает чересчур сложна. Кроме того, она одолжила пять долларов Пенни Моррис, как оказывается, не вовремя. Слава богу, Джейми в ответ только рассмеялся. Вообще, у него был заразительный смех, ослепительная улыбка, он был рыжий и чертовски нравился Хлое.

— Не глупи. Мы вас приглашаем. — Да, все было по-настоящему. Настоящее свидание с настоящими старшеклассниками. Это было так восхитительно, что подруги прошушукались всю неделю, предвкушая его. Они просто не могли дождаться этого вечера. И вот наконец он настал. Только ребята опаздывали, и Алисон уже подумывала, не подшутили ли они над ними.

— Может, они не приедут? — взволнованно прошептала Алисон, чувствуя даже какое-то облегчение. — Может, это просто шутка? С чего бы это Филипп захотел со мной встречаться? Ему уже семнадцать, почти даже восемнадцать — через два месяца он заканчивает школу. И он капитан команды по плаванию.

— Ну и что? — начала лихорадочно убеждать ее Хлоя, хотя и сама уже волновалась, что ребята не приедут. — Ты такая красивая, Алли! Он должен быть счастлив, что ты согласилась поужинать с ним.

— Может быть, у него другое мнение.

Но только она это сказала, как из-за угла вывернул старый серый «Мерседес», остановившийся прямо перед ними. За рулем сидел Филипп, а Джейми рядом. Оба были в блейзерах и светлых брюках, при галстуках и выглядели потрясающе.

Филипп махнул девочкам рукой, чтобы они садились, и объяснил:

— Привет! Извините за опоздание, я хотел залить бак и не мог найти заправку с соляркой.

Джейми помог Хлое устроиться на заднем сиденье. Он был явно поражен ее блестящими волосами и черной кожаной мини-юбкой и не смог удержаться от комплимента. Они отлично смотрелись со стороны, на вид им нельзя было дать меньше восемнадцати лет. Машина двинулась к «Луиджи».

— Пристегните ремни, — сказал Филипп серьезным тоном, так что все сразу ощутили себя взрослыми. Хлоя и Джейми болтали на заднем сиденье, словно они в течение уже нескольких лет выезжали вместе по субботам в рестораны и относились к этому совершенно спокойно. Филипп повернулся к Алисон:

— Ты отлично выглядишь, я рад, что вам удалось вырваться.

— Я тоже, — вспыхнула Алисон и улыбнулась, отчаянно стараясь не показать своего волнения.

— Ваши предки волновались из-за нас или из-за машины? — перешел он к сути дела, и Алисон заколебалась — не соврать ли, что у них вообще не было проблем? Потом она пожала плечами и, решив, что с таким парнем надо вести себя честно, ответила:

— Возможно, из-за того и другого вместе. Я не спрашивала. Они не хотят, чтобы я куда-нибудь выезжала без взрослых. Они просто выйдут из себя, если узнают.

— Может, они и правы. Но я неплохо вожу машину. Мой отец научил меня водить, когда мне было всего девять лет. — Он посмотрел на нее и улыбнулся. — Может быть, стоило бы заехать к вам и познакомиться с ними. От этого могла бы быть польза.

Или нет — это зависит от того, как бы ее родители восприняли то, что она ходит на свидания с парнем на три года ее старше. А может быть, он бы им вообще не понравился? Хотя вряд ли — он такой приличный, вежливый и милый. Филиппа Чэпмена не назовешь неблагополучным подростком.

— Я тоже так думаю, — ответила она, радуясь тому, что он хочет успокоить ее и самостоятельно уладить проблему с ее родителями.

Так они болтали всю дорогу, а Хлоя хихикала на заднем сиденье. Джейми рассказывал ей какие-то неприличные истории про команду, в основном выдумывая их на ходу, как полагал Филипп, более серьезный и приятный в общении с точки зрения Алисон. К тому моменту, как они заказали ужин в ресторане, Алисон решила, что он ей и в самом деле нравится.

Филипп удивил ее, заказав себе и Джейми вина, а потом предложив и им выпить. У них были поддельные удостоверения личности, но официант даже не спросил их о возрасте, просто принес два бокала красного вина и даже повернулся спиной, когда ребята дали девочкам попробовать вино из своих бокалов. Филипп допил свое вино, когда подали десерт, а потом он выпил две чашечки крепчайшего кофе.

— Ты всегда заказываешь вино? — не смогла удержаться от вопроса Алисон. Ей родители разрешали выпить немного шампанского только на Рождество. Пару раз она пробовала пиво, но оно ей не понравилось. Само по себе это было волную-ще, но на вкус вино было не лучше пива.

— Иногда, — ответил он. — Когда я отдыхаю, то не прочь выпить бокал вина. И дома, с родителя-ми. Они также не имеют ничего против, если я пью с ними, когда мы выезжаем в ресторан. — Но родители Филиппа определенно не одобрили бы то, что он заказывал вино, имея поддельное удо-стоверение, и, кроме того, еще и собирался после этого вести машину. Филипп отлично знал это. Но ему хотелось выглядеть смелым и самостоятель-ным в присутствии двух девочек.

— Ты не боишься после этого вести машину? — озабоченно спросила Алисон.

— Никаких проблем, — уверенно ответил он, — от одного бокала меня не забирает, и больше бо-кала я пить бы не стал. К тому же я выпил две чаш-ки кофе.

— Я заметила, — улыбнулась Алисон. — Рада за тебя. — Она вела себя сдержанно, — он был такой красивый и взрослый, но она решила с ним не ко-кетничать, и, похоже, ему это нравилось.

— А ты боишься?

— Немного.

— Не стоит, — улыбнулся он и положил свою ла-донь на ее руку. Их глаза на секунду встретились, и они оба тут же отвели взгляды. Для Алисон это было волшебное ощущение. Хлоя и Джейми бол-тали о том, что будет делать Хлоя в балетной шко-ле. Джейми взахлеб говорил о том, как был рад, когда увидел ее в выступлении, на которое его приволокла сестра.

— Спасибо, — просияла Хлоя. Она была просто без ума от Джейми, и его похвала многое для нее значила. — Тебе понравилось?

— Честно говоря, не очень, — ухмыльнулся он. — Но хотя мне не понравилось, ты была великолепна, и моя сестра тоже так считает.

— Мы вместе с ней занимались балетом, пока она не бросила.

— Я знаю. Она просто не выдержала, но тебя хвалила.

— Может быть... я не знаю... иногда мне кажется, что напрасно я потратила столько сил на эти занятия, но все-таки мне это нравится.

— Похоже, что это как плавание, — улыбнулся Филипп и предложил поехать в бар выпить капуччино. — Что вы думаете о Юнион-стрит? Мы могли бы прогуляться и выпить где-нибудь кофе. А?

— Отлично! — поддержал его Джейми.

— Здорово! — согласилась Хлоя. Алисон идея поехать в город не понравилась — и так она уже наврала дома, а тут еще одна поездка. Но Юнион-стрит все-таки премилое местечко, и кофе — это не виски.

— Если я успею вернуться домой к половине двенадцатого, тогда согласна, — решилась она, стараясь не выдавать своего волнения.

— Тогда двинулись!

Филипп оставил приличные чаевые, и они отправились в город. По дороге он объяснил, что на самом деле это машина его матери, обычно ему доверяют старый мини-вэн, но это такая ужасная колымага, что он взял «Мерседес» матери, благо родители отправились на уик-энд на Пеббл-Бич.

Они проехали мост Золотые Ворота и повернули направо на Ломбард-стрит, а затем на юг, к Филлмор и Юнион. Довольно долго пришлось искать место для парковки. Поставив наконец машину, они отправились прогуляться по улице, разглядывая бары и магазины. Был теплый субботний вечер, на улицах полно людей, так что прогулка всем доставила удовольствие. Алисон чувствовала себя страшно взрослой, когда шла рядом с высоким, красивым Филиппом, к тому же обнимавшим ее за плечи.

Он рассказывал ей о своих планах на будущее. Его уже зачислили в университет штата Калифорния, в Лос-Анджелесе, и в сентябре он станет студентом. Он сам хотел учиться в Йеле, но родители были против того, чтобы он уезжал на Восток. Они были уже в возрасте, Филипп был их единственным сыном, и они не хотели, чтобы он раньше времени покидал дом. Впрочем, он не имел ничего против Лос-Анджелеса, так что Алисон, если захочет, может навестить его в сентябре. Это предложение ее потрясло — она даже не посмела бы сказать об этом родителям. Она рассмеялась, просто представив себе эту сцену, и он понял, почему она смеется.

— Это, наверное, немного слишком для первого вечера, а? Как насчет кофе? — Он, похоже, очень хорошо понимал все. Они направились пить капуччино, просидели до десяти, и он нравился ей все больше и больше. В какой-то момент он так близко придвинулся к ней за столом, чтобы шепнуть что-то на ухо, что почти коснулся ее лица своими губами. Хлоя и Джейми ничего не замечали — так были погружены в свою беседу.

В баре они не пили вина и поднялись из-за столика в пять минут одиннадцатого. Они медленно прошлись к машине, полагая, что в такое время суток они спокойно вернутся к назначенному времени.

— Мне было очень хорошо, — тихо сказала она

Филиппу, садясь в машину и пристегивая ремень безопасности.

— И мне, — улыбнулся он.

Все-таки он казался ей таким взрослым и потому неприступным — неужели он согласится встретиться с ней еще раз или сегодня он просто старается быть с ней поласковее? Трудно сказать, но она сама не прочь поближе познакомиться с ним.

Он спокойно проехал Ломбард-стрит и выехал на мост. Погода стояла прекрасная — на небе было видно каждую звездочку, залив поблескивал в лунном свете, воздух был мягок и прозрачен. Смог словно куда-то испарился к ночи. В общем, это был самый романтический вечер в жизни Алисон.

— Как хорошо! — прошептала она как бы про себя, когда они пересекали мост. С заднего сиденья слышалось хихиканье.

— Вы, там, ремни пристегнули? — спросил Филипп, снова становясь серьезным.

— Ладно, занимайся своей работой, Чэпмен! — рассмеялся Джейми.

— После моста я остановлюсь, если вы не пристегнетесь. Ладно, ребята, застегните ремни! — Однако щелчка так и не раздалось. Наоборот, наступило многозначительное молчание, и Алисон не решилась обернуться. Поэтому, растерянно улыбаясь, она взглянула на Филиппа.

— Что ты делаешь завтра вечером, Алисон? — спросил он.

— Я... еще не знаю... По воскресеньям я не выхожу вечером. — Она по-прежнему хотела быть откровенной. Она ведь не выпускница. Ей всего пятнадцать лет, и она должна следовать правилам, как бы сама к ним ни относилась. Сегодня было хорошо, но она слишком нервничала из-за того, что обманывает и делает что-то запретное. Ей понравилось то, что он был готов познакомиться с ее родителями, но ей вовсе не хотелось снова их обманывать, чтобы увидеться с ним. А Хлоя с Джейми пусть делают все, что им угодно.

Но Филиппа вовсе не огорчило ее заявление — он знал, как она молода, но для своего возраста она была слишком яркой и просто потрясающей. Ему нравилось быть с ней, и он готов был играть по ее правилам, чтобы не потерять ее.

— Завтра днем у меня тренировка, но потом я мог бы зайти к вам... посидеть у вас... познакомиться с твоими родителями. Что ты об этом думаешь?

— Отлично, — просияла она. — Ты в самом деле этого хочешь? — Он утвердительно кивнул и так на нее посмотрел, что у нее сердце перевернулось в груди. — Я подумала... мне кажется... я не знаю, но, наверное, для тебя это не так просто...

— Когда я предложил это свидание, я знал, чего ожидать. Меня удивило то, что ты согласилась, хотя я не бывал у тебя дома и не представлен твоим родителям. И потом... я подумал, что ты, наверное, ничего не сказала им. Но ты ведь не хочешь обманывать их и дальше?

— Нет, — она помотала головой, — конечно, нет, по крайней мере мне кажется... если бы мои родители узнали, они бы меня убили.

— И меня моя мать, если бы узнала, что я взял ее машину... — Он ухмыльнулся и стал похожим на маленького мальчика. Они оба рассмеялись. Они знали, что этим вечером нарушили правила, но и Алисон, и Филипп были вовсе не плохими ребятами, они не хотели огорчать близких, просто их манила взрослая жизнь, полная неизвестности и запрещенных развлечений.

Машина приближалась к середине моста. Хлоя

и Джейми по-прежнему шептались на заднем сиденье, и временами их шепот прерывался многозначительной тишиной. Филипп привлек к себе Алисон, насколько это позволял ремень. Алисон подвинулась поближе к юноше и даже решила отстегнуть ремень, но Филипп удержал ее руку. Он отвел глаза от дороги, чтобы заглянуть ей в глаза, а когда снова посмотрел на дорогу, заметил... но было уже слишком поздно. Сноп огней ослепил его, а затем яркая вспышка разорвала темноту. Пламя, рев, грохот, скрежет металла, осколки стекла — машины врезались друг в друга, как разъяренные быки. Мчащиеся по мосту автомобили начали вилять, чтобы избежать столкновения с покалеченными машинами, ревели, захлебываясь, гудки, визжали тормоза. Но все звуки перекрыл мощный взрыв, и все смолкло. Давящая тишина словно заставила замереть все вокруг.

Две искореженные машины переплелись в смертельном объятии. В отдалении послышались гудки и наконец протяжный вой сирены. И снова все пришло в движение. Люди начали выскакивать из машин. Они мчались к сцепившимся автомобилям, словно сплавившимся в единую массу... и люди бежали к ним. Звук сирены приближался. Казалось невероятным, что в этом смертельном столкновении кто-то мог уцелеть.

Глава 3

Первыми к серому «Мерседесу» подбежали двое мужчин. Они обнаружили, что произошло лобовое столкновение с черным «Линкольном». Капоты сплющились, и казалось, что машины впаяны друг в друга — если бы не цвет кузова, невозможно было бы определить, где какая машина. Чуть в стороне, что-то шепча и стеная, замерла в ужасном оцепенении какая-то женщина. К ней направились двое других водителей, а первые пытались заглянуть внутрь «Мерседеса». Один из них, на котором была спецовка, принес с собой фонарь, а другой, помоложе, в джинсах, сказал, что он врач.

— Ты что-нибудь видишь? — спросил первый, вглядываясь внутрь и чувствуя, как у него волосы встают дыбом — он много повидал на своем веку, но такого не видел. Он сам едва не врезался в столкнувшиеся машины и едва успел отвернуть руль. Теперь движение на мосту на всех полосах было остановлено.

Сначала разглядеть что-либо было просто невозможно, несмотря на дорожные огни, — так все внутри сплющилось. Потом они увидели мужчину — он был спрессован в невозможном положении: затылок прижат к дверце, шея вывернута. Сразу было ясно, что он мертв, но врач все же попытался нащупать пульс — безуспешно.

— Этот мертв, — бросил врач своему спутнику, и тот посветил фонариком на заднее сиденье. Оттуда на него пристально смотрел подросток. Он явно был в сознании, но продолжал молча смотреть на мужчину.

— Ты жив? — спросил он, и Джейми Эпплгейт кивнул. У него была царапина над глазом — вероятно, он ударился головой, но в остальном, как это ни удивительно, он был цел и невредим, разве что в шоке.

Мужчина с фонариком подергал дверцу с

его стороны, но напрасно — все было намертво сжато.

— Потерпи, сынок, — как можно спокойнее сказал мужчина, — через пару минут подоспеет дорожный патруль.

Джейми едва заметно кивнул. Он был в шоке и не мог говорить, просто смотрел на двоих мужчин. Тот, что был с фонариком, решил, что у парня контузия.

К Джейми подошел врач и стал что-то говорить ему через разбитое окно, и тут с заднего сиденья раздался протяжный стон, а потом крик, переходящий в визг. Это была Хлоя. Джейми медленно повернул к ней голову и посмотрел на нее, словно не понимая, как она тут очутилась.

Доктор обежал машину, а мужчина с фонариком стал светить на заднее сиденье со своего места. Тут они увидел ее — Хлою сдавило между передним и задним сиденьями. Они не могли видеть ее ноги, но девушка истерически всхлипывала и все время повторяла, что не может пошевелиться, что ей больно, а они пытались успокоить ее. Джейми продолжал непонимающе смотреть на нее. Он что-то сказал, обращаясь к Филиппу.

— Сидите спокойно, — сказал им человек с фонариком. — Помощь идет. — Они слышали сирены приближающихся машин «Скорой помощи», но вопли девушки становились все пронзительнее.

— Я не могу двинуться... не могу... не могу дышать... — Она стонала, панически пытаясь вдохнуть как можно больше воздуха, и молодой врач занялся ею, уговаривая и успокаивая ее:

— С тобой все в порядке... ты цела... через пару минут мы тебя извлечем... Ну, попытайся дышать спокойнее... ну же... держи меня за руку... — Он протянул ей руку и увидел в свете фонарика, что на ее руках кровь. Но больше он ничего не смог рассмотреть в тусклом свете. Самое главное, она пришла в сознание и была способна говорить с ним, а значит, что бы ни было с ее ногами, она жива, и были все основания полагать, что она выживет.

Тут человек с фонариком перевел луч вперед — он заметил, что на переднем сиденье есть еще одна девушка, совершенно неподвижная и безмолвная. Сначала они ее не заметили, так как девушку почти целиком накрыла боковая дверца, видна была лишь ее голова. Доктор продолжал успокаивать Хлою, а мужчина с фонариком попытался открыть переднюю дверь, чтобы освободить девушку, лежащую впереди. Тщетно — дверь не поддавалась, а девушка не подавала признаков жизни даже тогда, когда он протянул руку сквозь разбитое окно и прикоснулся к ней. Он что-то тихо сказал доктору, тот глянул на девушку и ответил, что она скорее всего мертва, как и водитель. Но все же решил проверить и, оставив другого мужчину успокаивать Хлою, попытался нащупать пульс у нее на шее. Как ни странно, он наконец почувствовал под рукой слабое прерывистое биение, но дыхания почти не было слышно. Ее голова, волосы, лицо были в крови, свитер казался красным от крови, она была вся в порезах и, судя по всему, сильно ударилась головой при столкновении. Ее жизнь висела на волоске, и он подумал, что девушка вряд ли доживет до того, как бригада «Скорой помощи» извлечет ее из останков машины. Он ничего не мог сделать, даже искусственного дыхания, если бы она вдруг перестала дышать. Все, что он мог сделать, — просто стоять рядом и беспоможно смотреть на нее. Да, насколько он мог судить, двое на переднем сиденье — не жильцы. Тем же двоим на заднем сиденье просто повезло.

— Черт, что они там чешутся?! — тихо выругался человек с фонариком, сокрушенно качая головой.

— Да, что-то не торопятся, — так же тихо ответил доктор. Ему приходилось работать на «Скорой помощи» в Нью-Йорке десять лет назад, и он повидал на своем веку ужасов — на дорогах, на улицах, в городских гетто. Ему приходилось принимать и роды в трущобах, но чаще бывали вот такие аварии, в которых не было выживших. — Но они должны быть с минуты на минуту.

Второй мужчина продолжал чертыхаться — стенания Хлои становились все жалобнее, а на лицо Алисон он просто боялся смотреть — да и осталось ли у нее лицо?

Наконец они подъехали — две пожарные машины, реанимация, три полицейские машины. Несколько человек стали докладывать по рациям об аварии, остальные приблизились к столкнувшимся машинам и подтвердили первоначальную информацию: в одной машине четверо пострадавших, двое, судя по всему, безнадежны. Водитель второй машины, женщина, чудом осталась живой и, за исключением нескольких ушибов и царапин, невредимой. Это она рыдала теперь на обочине, ее утешал водитель одной из остановившихся машин.

Трое пожарных, двое полицейских и двое реаниматоров подошли к машине одновременно. Остальные полицейские занялись восстановлением движения, направляя его в обход столкнувшихся машин, организовав одностороннее движение в один ряд — их собственные машины усугубили пробку, так что теперь проезжающим приходилось осторожно пробираться в одном ряду мимо машин «Скорой помощи» и столкнувшихся автомобилей и становиться невольными наблюдателями катастрофы.

— Что тут у нас? — Начальник патруля бросил взгляд на «Мерседес» и, увидев Филиппа, покачал головой.

— Он мертв, — быстро ответил врач, и один из реаниматоров кивнул, подтверждая это. Итак, один погибший. Секунда — и оборвалась молодая жизнь. Сколько лет этому мальчишке, каким он был, как любили его родители — все это уже не имеет значения. Теперь он мертв, и вся его жизнь — прошлое. Филипп Чэпмен, семнадцати лет, погиб теплой апрельской ночью.

— Мы не смогли открыть двери, — продолжал рассказывать доктор. — Девушку на заднем сиденье зажало, и, мне кажется, у нее тяжелые повреждения нижних конечностей. Парень в порядке. — Он кивнул на бессмысленно смотревшего на них Джейми. — Он в шоке, и его надо везти в госпиталь, чтобы оценить состояние. Но я думаю, что с ним все будет в порядке, похоже, у него лишь контузия.

Медики занялись осмотром Алисон, насколько позволяла ситуация. Пожарные уже вызвали по рации спасательную команду со специальным устройством для разрезания машин.

— А что с девушкой на переднем сиденье, док?

— Похоже, она не выживет. — Врач по-прежнему держал запястье Алисон, пытаясь нащупать пульс. Она была жива, но жизнь утекала из нее с каждой секундой, и ничем нельзя было ей помочь до тех пор, пока не прибыла аварийная группа.

— Очевидно, она сильно ударилась головой, и бог знает, что там еще, — произнес врач. Искореженный металл сжимал ее, как непроницаемый кокон, они не видели ее тела, поэтому предположения были самые безнадежные. Невозможно поверить в то, что эта девушка выживет.

Вдруг пронзительно закричала Хлоя — то ли она услышала их разговор, то ли кричала от боли. Успокоить ее было невозможно, вряд ли она осознавала, где находится и что с ней, она просто кричала, пыталась высвободить ноги и пошевелиться, что только усиливало ее боль. Реаниматоры были даже рады ее крикам — значит, она не потеряла чувствительность. Слишком часто им приходилось сталкиваться со случаями, когда люди, извлеченные из-под обломков, уже не чувствовали боли.

— Спокойно, малышка, через пару минут мы тебя достанем отсюда. Потерпи еще. Скоро ты будешь дома, — успокаивал ее пожарный. Полицейским удалось открыть ломиком переднюю дверцу. Окно уже очистили от осколков при помощи одеяла. Они осторожно вытянули тело Филиппа и положили его на носилки, прикрыли простыней и покатили к реанимационной машине. Потрясенные водители смотрели на это зрелище, некоторые плакали — плакали по совершенно незнакомому парню, так нелепо погибшему теплой весенней ночью.

Доктору наконец удалось добраться до Алисон и определить ее состояние. Оно явно ухудшалось, дыхание девушки становилось прерывистым. Реаниматорам пришлось дать ей кислород — в рот Алисон вставили трубку, подсоединенную к баллону. Ее «надували», как это называлось, чтобы поддержать дыхание, и в самом деле — только кислород и искусственное дыхание могли спасти ее сейчас. Ее руки были залиты кровью, и померить давление было невозможно, но доктор и так видел, что девушка умирает у него на руках и, если им не удастся немедленно освободить ее, она умрет, как и ее спутник. Да, вряд ли она выживет. Но даже сейчас, когда лицо ее было залито кровью, он видел, как она молода, и хотел сделать все, чтобы она осталась жить.

— Ну же, девочка... давай... не уходи... — Его слова звучали почти как молитва. Он повернулся и бросил реаниматору: — Еще кислорода!

Некоторое время они смотрели, как она дышит. Они знали, что просто держатся за соломинку — если не доставить ее немедленно в госпиталь, она умрет.

Наконец прибыли спасатели — пять человек, они выскочили из машины и бросились к месту аварии. Мгновенно оценив ситуацию, они приступили к работе.

К этому времени Хлоя начала терять сознание. Но сначала необходимо было освободить другую девушку, которая могла умереть, если они за несколько минут, нет, секунд, не вытащат ее из машины. Что бы там ни было с Хлоей, она могла подождать, она была вне смертельной опасности. Кроме того, все равно они не смогут ее вытащить, пока не освободят переднее сиденье и не вынут Алисон.

Один из спасателей зафиксировал машину клиньями и распорками, двое других мгновенно очистили окна от остатков стекол, четвертый спустил шины. Пассажиров накрыли пленкой, чтобы стекла их не задели, спасатель помоложе орудовал плоским топориком, а другой подставил одеяло, чтобы подхватить осколки стекла. Они действовали на удивление слаженно. А ведь прошла всего минута, как они прибыли на место происшествия! Наблюдавший за ними врач понял, что если девушке и суждено выжить, то только благодаря их четкой, быстрой, почти хирургически точной работе.

Один из спасателей проник внутрь и вынул ключ зажигания, перерезал ремни безопасности. Остальные при помощи гидравлического резака и ручных пил начали быстро снимать крышу. Стоял ужасный шум, сквозь который едва были слышны вопли Хлои и стоны Джейми. Но Алисон даже не шелохнулась, а реаниматоры продолжали «надувать» ее.

За несколько секунд спасатели сняли крышу, прорезали дыру в двери и вставили так называемые «челюсти жизни». Аппарат сам по себе весил килограммов пятьдесят, его держали двое спасателей, а грохотал он, как отбойный молоток. Теперь и Джейми начал кричать, но грохот машины перекрывал их голоса. Только Алисон не подавала признаков жизни, и один из реаниматоров пристроился рядом с ней, контролируя электростимулятор и кислородный шланг.

Наконец спасателям удалось снять дверь, и они немедленно приступили к удалению приборного щитка и руля. Для этого они использовали девятифутовые цепи и огромный крюк. Не успели они еще отделить эти части от машины, как реаниматоры подложили под Алисон доску, чтобы обезопасить ее. И вот весь перед автомобиля был снят, и можно было наконец вынуть Алисон наружу. Реаниматоры склонились над ней, определяя повреждения. Похоже, она ударилась лбом и виском, и сильно, так как ее ремень был отпущен настолько, что, можно считать, его и не было вовсе.

Теперь нужно было переместить девушку на носилки. Медики понимали, что дорога каждая секунда, и тем не менее их движения были осторожны и расчетливы, они опасались причинить малейшие повреждения позвоночнику и шейным позвонкам. Старший реаниматор отдал команду: «Пошли!» — и санитары покатили носилки с безжизненным телом к поджидавшему их реанимобилю. К этому времени прибыли еще две машины «Скорой помощи», и медики занялись Хлоей и Джейми. В полночь машина с телом Филиппа, Алисон и молодым доктором помчалась по мосту. По правилам в обязанности врача не входило сопровождение пострадавших в госпиталь — реаниматоры были готовы справиться с любыми неожиданностями. Но доктор не мог оставить девушку. Вряд ли она выживет, но пока хоть один шанс еще оставался, он хотел помочь ей, если только сможет.

К этому времени на место катастрофы прибыли новые полицейские машины, еще одна «Скорая помощь» и две пожарные машины. Проезд открыли только в сторону от Сан-Франциско к Марин-Каунти, и машины медленно двигались в один ряд. Казалось, что они будут идти так вечность.

— Что с ней? — спросил один из пожарных реаниматора, поджидающего, пока спасатели освободят Хлою из обломков машины.

— Она жива, но, кажется, без сознания, — ответил врач. — Мы займемся ею через минуту-другую, тогда можно будет сказать что-нибудь конкретное.

Спасателям пришлось полностью разрезать кресло, закрывающее Хлою со всех сторон. Их агрегат разрезал его буквально на полоски, и только когда через десять минут его остатки скинули на мостовую, открылись ноги Хлои. Сразу стало ясно, что у нее открытые переломы обеих ног — обломки костей торчали наружу. И когда ее осторожно приподняли на доске с сиденья, она окончательно потеряла сознание.

Второй реанимобиль под резкий вой сирены умчался с ней, а пожарные помогли Джейми выбраться из машины. Он выполз наружу, всхлипывая, и прижался к пожарному, словно маленький испуганный мальчик.

— Все в порядке, сынок... все хорошо...

Джейми многое уже видел, но все еще плохо отдавал себе отчет в том, что случилось. Он понимал, что происходит. Его поместили в последний реанимобиль и повезли, как и остальных, в Морской госпиталь.

— Боже, как я ненавижу такие ночи! — сказал один пожарный другому. — После этого страшно выпускать ребят из дому! — Его товарищ молча кивнул головой в знак согласия, а спасатели продолжали разрезать автомобили, чтобы сбросить их с моста и освободить дорогу. Оператор телевидения, какое-то время назад появившийся на мосту, снимал все это на пленку.

Старенький «Мерседес», не сберегший жизнь Филиппу, выглядел ужасающе — он принял на себя удар страшной силы. Да, если бы это был не «Мерседес», они все, не только Филипп, были бы мертвы.

Женщина, находившаяся за рулем «Линкольна», все еще сидела на обочине, положив голову на плечо какому-то мужчине. На ней был светлый плащ, она была растрепана, но следов крови не было видно. Это чудо, что она не пострадала.

— Ее не повезут в госпиталь? — спросил пожарный стоявшего рядом полицейского.

— Она говорит, что с ней все в порядке. Никаких признаков наружных повреждений. Ей просто повезло. Ей ужасно жаль мальчика. Мы сейчас собираемся отвезти ее домой и расспросить обо всем по дороге.

Пожарный кивнул, продолжая разглядывать женщину. Это была красивая, шикарно одетая женщина слегка за сорок. С ней рядом стояли еще две женщины, кто-то принес ей воды. Она тихо плакала, утирая слезы платочком и качая головой, словно отказываясь верить в происходящее.

— Как вы думаете, почему это случилось? — спросил пожарного один из репортеров, но тот только пожал плечами в ответ. Похоже, он не питал теплых чувств к журналистам, ему не нравилось, что их, как стервятников, всегда притягивали несчастья. И так все ясно — одна жертва, может быть, две, если одна из девочек не выживет. Что им еще нужно знать? Почему? Как? Какое это теперь имело значение! Уже ничего не изменишь, независимо от того, кто виноват в аварии.

— Пока неясно, — ответил его товарищ. И, обратившись к своему коллеге, добавил: — Похоже, обе машины выехали на разделительную линию, это и привело к катастрофе. — Так ему сказал один из полицейских. — Стоит на секунду отвлечься... Эта женщина оказалась дальше за линией в итоге, но она утверждает, что не заезжала за нее. И вроде нет никаких причин ей не верить. Это Лора Хатчинсон, — сказал он многозначительно, и второй пожарный удивленно уточнил:

— Жена сенатора Джона Хатчинсона?

— Точно.

— Черт. Представь себе, если бы она погибла. — Хотя какая разница: она жива, зато один подросток погиб, и, возможно, девочка тоже не выживет. — Ты думаешь, они были пьяны или под кайфом?

— Кто знает? В госпитале их проверят. Может быть, да, а может быть, и нет — это такая головоломка, которую никому не решить. По положению машин ничего не ясно, а надежных свидетелей нет.

Машины разрезали практически на куски, и теперь пожарные принялись смывать с асфальта куски металла, масло и кровь.

Прошло не меньше часа, прежде чем было восстановлено двустороннее движение на мосту, и то только по одной полосе, пока к утру то, что осталось от машин, не увезли для расследования.

Телевизионщики уже сворачивали свою аппаратуру. Снимать было уже нечего, а жена сенатора отказывалась о чем-либо говорить. Полицейские не подпускали к ней прессу.

В половине первого они отвезли ее домой, на Клэй-стрит. Ее мужа не было в городе, он улетел в Вашингтон, а она поехала на вечеринку в Бельведер. Поздно ночью, когда ее дети спали, Лору Хатчинсон привезли домой. Когда горничная открыла дверь и увидела хозяйку в столь растрепанном виде, то начала плакать.

Лора Хатчинсон долго благодарила полицейских, уверяя их, что не нуждается в медицинской помощи и что завтра утром она навестит своего врача, если в этом будет необходимость. Кроме того, она взяла с них обещание, что они обязательно сообщат ей о состоянии подростков, ехавших в «Мерседесе».

Она знала, что водитель погиб, но они еще не сказали ей, что одна из девушек в критическом состоянии и может не дожить до утра. Полицейским было жаль ее: они видели, как она рыдала, когда мимо везли на носилках труп юноши. У нее самой было трое детей, и мысль о том, что эти незнакомые подростки погибли, была для нее непереносима.

Полицейский, привезший ее домой, посоветовал принять транквилизатор, чтобы успокоиться, или, если в доме нет нужных средств, что-нибудь выпить. Она с признательностью посмотрела на него, и полицейский заметил, что это предложение явно пришлось ей по душе.

— Я не пила весь вечер, — поспешила объяснить миссис Хатчинсон, заметно волнуясь. — Я никогда не пью, когда выезжаю на вечеринки без мужа.

— Думаю, мадам, это вам поможет. Могу я быть полезным?

Лора явно не знала, что ответить, но коп почувствовал, что она хочет этого, и, подойдя к бару, налил в стакан бренди. Она сморщилась от первого глотка, но потом улыбнулась и поблагодарила полицейского. Они были так добры к ней в эту ночь, она непременно поставит в известность сенатора об их корректном поведении.

— Не стоит, миссис Хатчинсон, — поблагодарил ее полицейский, вышел из дому и сел в машину к своему напарнику.

— Слушай, Джек, по-моему, не лишним будет отвезти ее в госпиталь, чтобы проверить наличие алкоголя в крови — для дальнейшего расследования. Что-то подсказывает мне, что следует предпринять именно это.

— Господи, Том! Это ведь жена сенатора, она так потрясена случившимся! Она же сказала мне, что всю ночь не пила. Мне этого достаточно.

Второй патрульный пожал плечами — наверное, напарник прав. Вряд ли жена сенатора станет выезжать на дорогу в нетрезвом виде и врезаться в машину, полную подростков. Она же не враг сама себе, на вид — вполне разумная женщина.

— К тому же я сам советовал ей выпить что-нибудь и налил бренди, так что все равно поздно делать тест, даже если бы ты попросил меня вернуться и забрать ее. Бедняжке нужна сильная доза чего-нибудь крепкого. Я думаю, это ей поможет.

— Мне тоже не помешало бы выпить, — ухмыльнулся его напарник. — Может быть, ты и мне припас чего-нибудь крепкого?

— Заткнись. Боже, контроль на наличие алкоголя в крови... — Он рассмеялся. — Что ты еще от меня хочешь? Может быть, снять у нее отпечатки пальцев?

— А что? Почему бы и нет? Сенатор вполне мог бы походатайствовать, чтобы нас повысили в звании, ну, скажем, за действия, соответствующие уставу службы.

Оба рассмеялись, и машина тронулась. Было всего полпервого, а уже столько стряслось за эту ночь.

Глава 4

В 23.50 по телевизору показывали старый кинофильм. Пейдж села на кровати: Алисон опаздывала уже на двадцать минут, и приятного в этом было мало. В полночь стало еще тревожнее.

Энди спокойно посапывал рядом, а Лиззи спа-

ла на коврике у кровати. В доме было тихо и спокойно, и только Пейдж с каждой минутой все больше нервничала: и так Алисон выторговала себе
лишние полчаса, а теперь опаздывает почти на
час! Такому нарушению не может быть никакого
оправдания!

Пейдж собралась уже позвонить Торенсенам,
но решила, что в этом нет смысла — если они все
еще в кино или в кафе-мороженом, никто ей не
ответит. Да, скорее всего они решили перекусить
где-нибудь после кино, и Алисон, ясное дело, не
сказала Тригви, что должна быть дома в полдвенадцатого.

В полпервого Пейдж пришла в ярость, а в час
начала беспокоиться. Она уже решила отбросить
условности и позвонить Торенсенам, но в пять
минут второго раздался телефонный звонок. Она
решила, что это звонит Алисон, чтобы попросить
разрешения остаться у Хлои на ночь. К этому времени Пейдж была просто вне себя и решила пре-
подать дочери урок.

— Нет! — крикнула она в сердцах в трубку, окончательно потеряв свое неизменное терпение.

— Алло? — Звонивший явно смутился, а Пейдж
растерянно умолкла. Это была не Алисон, а какой-
то незнакомец.

Она представления не имела, кто бы мог звонить ей в такое время: возможно, звонивший
ошибся номером, а может, это был просто телефонный хулиган.

— Это дом Кларков?

— Да. Кто говорит? — Она старалась не дать
поднимающейся панике овладеть ею.

— Это патрульный, миссис Кларк. Я ведь говорю с миссис Кларк?

— Да, — прошептала она, потому что от страха у нее перехватило горло.

— Мне очень жаль, но я вынужден сообщить вам, что ваша дочь попала в автокатастрофу.

— Господи! — в ужасе выдохнула она. — Она жива?

— Да, но в бессознательном состоянии. Она сильно пострадала. Ее поместили в Морской госпиталь.

Боже... Боже... Что значит «сильно»? Насколько сильно? Что с ней? Выживет ли она? Какие у нее повреждения?

— Что произошло? — сдавленно проговорила Пейдж, не слыша собственного голоса.

— Лобовое столкновение на мосту Золотые Ворота. Их автомобиль столкнулся с направляющейся на юг машиной, в то время как они двигались в направлении Марин-Каунти.

— В Марин? Откуда? Этого не может быть! — Она пыталась представить себе, что было бы с Алисон, если бы она тогда была тверже и не разрешила ей отспорить лишние полчаса, ведь тогда она никогда не оказалась бы там и с ней ничего бы не случилось.

— Боюсь, это именно так. Сейчас она находится в Морском госпитале, миссис Кларк. Я рекомендую вам как можно скорее отправляться туда.

— Боже... спасибо... — Она повесила трубку, ничего не добавив к этим словам, и тут же набрала справочную. Ей дали номер приемной госпиталя, и она запросила сведения о реанимации. Ей ответили, что действительно Алисон Кларк к ним поступила, что она жива, но больше они ничего сообщить пока не могут. Врачи в эти минуты как раз борются за ее жизнь, поэтому никто из персонала не сможет сейчас с ней переговорить. Алисон Кларк находится в критическом состоянии.

Из глаз Пейдж хлынули слезы, ее руки дрожали, пока она, всхлипывая, набирала номер соседки. Нужно же кого-то оставить с Энди... нужно позвонить... одеться... добраться до госпиталя... На четвертый звонок соседка взяла трубку, и сонный голос ответил:

— Алло?

— Джейн? Ты можешь прийти ко мне? — только и смогла выдавить Пейдж. Ей не хватало воздуха. Что, если она потеряет сознание? Что, если... если Алисон уже умерла?.. Боже, нет!.. Прошу тебя!

— Что случилось? — Джейн Джилберт хорошо знала Пейдж и не могла представить себе, чтобы та по какому-либо поводу поддалась панике. — Что такое? Ты заболела? У вас есть кто-нибудь в доме? Может быть, грабитель?

— Нет, — по-мышиному пискнула в ответ Пейдж. — Это Алисон! С ней случилось несчастье... лобовой удар... она сейчас в Морском госпитале, в критическом состоянии... Брэд уехал... Мне нужно с кем-то оставить Энди...

— О боже... Я буду у тебя через пару минут. — Джейн Джилберт повесила трубку, а Пейдж побежала к шкафу, натянула джинсы и первый попавшийся свитер — тот, что она обычно носила, работая в саду, в дырках и выцветший. Но она даже не заметила этого и сунула ноги в туфли. Волосы она не подумала причесать. Пейдж начала разыскивать телефонную книжку, где Брэд обычно оставлял номер телефона своего отеля. Она знала, что найдет его там. Но на этот раз она не нашла ни названия отеля, ни номера! Ничего. Страница оказалась пустой — впервые за шестнадцать лет он забыл оставить номер. Судьба словно решила сыграть с ними дурную шутку. Но это ее не остановит. Она позвонит кому-нибудь из сослуживцев Брэда и сможет установить номер. Сейчас главное — скорее добраться до госпиталя и увидеть дочь.

Когда раздался звонок, она схватила сумку и кинулась к двери. Джейн обняла ее — они дружили давно, когда еще не родился Энди, а Алисон было всего семь лет.

— С ней все будет хорошо... Успокойся, Пейдж. Может быть, все не так плохо. Успокойся. — Джейн сама отвезла бы ее в госпиталь, но кому-то надо было остаться с Энди. Он все еще спал в кровати, не подозревая о случившемся. — Если он проснется, что ему сказать?

— Скажи, что Алисон заболела и попала в госпиталь, а я поехала к ней. И если позвонит Брэд, скажи, чтобы оставил свой номер.

— Хорошо... Будь осторожна на дороге!

Пейдж выбежала в ночь, зажав под мышкой сумочку, прыгнула в машину и тут же вылетела на дорогу. Она пыталась успокоить себя, уверяя, что с Алисон все будет в порядке, и моля господа о том же. Она все еще не могла поверить в случившееся.

До госпиталя было всего десять минут езды, она припарковала машину на стоянке и, оставив ключи в машине, помчалась к входу в ярко освещенный блок реанимации. Здесь было много народу, человек десять сидело в коридоре, ожидая врачей. Пейдж хотела только одного — поскорее увидеть свою девочку... свою малышку. Она заметила журналистов, двое из которых беседовали с патрульным.

Подойдя к столу, она спросила медсестру, может ли она увидеть свою дочь. Услышав фамилию и взглянув на Пейдж, молодая женщина сразу на-хмурилась. У нее были добрые глаза, и в них чи-талось сострадание к матери девочки. Пейдж была смертельно бледна, ее била нервная дрожь.

— Вы ее мать?

Пейдж кивнула, стараясь взять себя в руки.

— Она... она...

— Она жива.

У Пейдж подкосились ноги, и медсестра, вый-дя из-за стола, подхватила ее.

— Она в тяжелом состоянии, миссис Кларк, се-рьезная травма головы. Сейчас с ней наши нейро-хирурги, будет консилиум, и мы ждем заведующего отделением. Как только картина прояснится, мы сообщим вам более точные сведения. — Медсестра провела Пейдж к стулу. — Не хотите ли чашечку кофе? — Она сочувственно посмотрела на Пейдж, и та отрицательно помотала головой, сдерживая рыдания. Но тщетно — слезы брызнули у нее из глаз, пока она пыталась осознать, что сказала жен-щина: нейрохирурги... консилиум... тяжелое состо-яние... Господи, что же случилось?

— Как вы себя чувствуете? — участливо спроси-ла медсестра. Пейдж молча покачала головой. Хлюпая носом, она пыталась представить себе, что было бы, если... Она так злилась на Алисон из-за того, что та не вернулась вовремя... Просто не-возможно подумать об этом. Она злилась на дочь, а Алисон в это время была уже без сознания... Не-возможно даже подумать об этом.

— Кто-нибудь еще пострадал? — наконец смогла выговорить Пейдж, и медсестра кивнула в ответ.

— Водитель погиб. И еще одна девушка получи-ла серьезные повреждения.

— Боже мой... — Погиб?! Тригви Торенсен погиб? Как это могло произойти? И тут в приемной реанимации появился мужчина, удивительно похожий на него, — он, словно одурманенный, смотрел на Пейдж, явно не узнавая ее. Пейдж первая сообразила, что это же Тригви! Но как это может быть? Ведь медсестра только что сказала, что он погиб?! Призрак? Может быть, она просто сошла с ума или у нее галлюцинации? Но это слишком реальное видение, поняла она, внимательно глядя на Торенсена. Сестра деликатно отошла в сторону. А Тригви стоял перед Пейдж, глядя на нее невидящими глазами, из которых катились слезы.

— Пейдж, как жаль... — Он взял ее за руку. — Я должен был догадаться... мне кажется, я должен был обратить внимание, но я не сделал этого... Какой я дурак!

Она с ужасом смотрела на него: он не обратил внимания, и теперь их дети в критическом состоянии... Как он мог сказать ей такое? И почему он жив, когда сестра сказала, что водитель погиб?

— Я ничего не понимаю, — сказала Пейдж, в растерянности глядя на него. А Тригви сел рядом, качая головой, не в силах поверить в происшедшее.

— Я только сейчас все понял. Я должен был раньше догадаться, когда увидел, что она выходит из дома в этом наряде — черной кожаной юбке, — не знаю, у кого она ее взяла, и в черных чулках, скорее всего Даниных... Я в это время занимался чем-то с Бьорном и поэтому на прощание только махнул рукой. Она сказала, что идет к вам, поэтому мне и в голову не пришло задержать ее. Почему я не остановил ее?!

— К нам? То есть вы хотите сказать, что вы не были за рулем? — И тут ее снова охватил ужас —

она начала понимать. Алисон обманула ее — она поехала не с Торенсенами. Но с кем же и кто был за рулем?

— Ну конечно.

— Алисон сказала, что вы хотели вывезти их на ужин в «Луиджи», а потом в кино. Мне и в голову не пришло, что это не так... — И только теперь кусочки головоломки сошлись — розовый свитер, белая юбка, то упорное нежелание доехать до Хлои на машине, ведь Пейдж предлагала подвезти дочь. — Какая я дура!

— Похоже, мы оба недосмотрели. — Сквозь слезы он посмотрел на нее, и Пейдж разрыдалась. — Видели бы вы Хлою, когда ее привезли... У нее множественные переломы ног, вывих бедра, сломанный таз и внутренние повреждения. Они удалили ей селезенку, и, может быть, у нее повреждена печень. Тазобедренный сустав они починят, но позвоночник... Пейдж, может быть, она никогда не сможет ходить... — Слезы застилали его глаза. — А она так мечтала о балетной школе! О боже... Я просто не знаю, как им помочь, что нам делать?!

Пейдж лишь кивнула, не в состоянии сказать ни слова. Хлоя не сможет ходить... а у Алисон тяжелая травма головы.

— Вы видели Алисон? — Сама она боялась и все же отчаянно хотела увидеть дочь, хотя Пейдж сказали, что, пока не закончится операция, она не сможет увидеть Алисон. Но если Алисон умрет и Пейдж не увидит ее... Нет, она не должна думать об этом.

— К ним никого не пускают, — печально сказал Тригви. — Я пытался, но меня не пустили. Хлою отвезли в операционную. Мне сказали, что операция продлится шесть или восемь часов, а может, и дольше. Нам с вами предстоит долгая ночь. — Хотя кто знает, может быть, для Пейдж все закончится гораздо быстрее, если Алисон... — Мне сказали, что у Алисон тяжелая травма головы, это так? — спросил Тригви.

— То же сказали и мне. Я ничего не могу понять — не задет ли мозг, выживет ли она, останется ли она нормальной? — Пейдж едва могла говорить, она дрожала, не в силах справиться с возбуждением. — Сейчас, как я поняла, идет консилиум. Вызвали заведующего отделением.

— Вы должны верить, что с ней все будет в порядке. Сейчас нам больше ничего не остается.

— Значит, пока мы должны набраться терпения и ждать? — Пейдж хотелось говорить с кем-нибудь, а Тригви по крайней мере понимает ее, понимает ее страхи. Конечно, у каждого из них своя боль, своя тревога: жизнь Хлои вне опасности, как бы ни были серьезны травмы, а что будет с Алисон?

— Постарайтесь верить в лучшее, — ответил он. — Я тоже задаю себе такие же вопросы о Хлое: что, если она не сможет ходить... что, если ее парализует... сможет ли она танцевать, бегать... или иметь детей? Всего несколько минут назад я поймал себя на мысли — где же мне устроить ее кресло на колесах? Нужно заставить себя не думать об этом. Мы еще ничего не знаем. Так что просто ждите, минуту за минутой.

Пейдж кивнула, понимая, что он имеет в виду: она тоже поймала себя на мысли о том, что сказать Брэду, если Алисон умрет, хотя тут же сама ужаснулась этому.

— Вы знаете, кто вел машину? — спросила Пейдж, вспомнив слова медсестры.

— Только имя парня — Филипп Чэпмен, ему было семнадцать. Вот и все. А Хлою пока не спросишь.

— Я слышала о нем. Мне кажется, я знакома с его родителями. А где они познакомились, как вы думаете?

— Бог знает где — в школе, в команде, на теннисном корте, — они ведь взрослеют. Хотя с мальчиками у меня таких проблем не было. Во всяком случае, с Ником. Бьорн, правда, дело другое. Наверное, девочки вообще более предприимчивы, наши уж во всяком случае.

Он думал, она улыбнется, но Пейдж не отреагировала на его слова. Она думала о своем. Что, если бы Алисон оставалась маленькой, никогда бы не бегала на свидания, никогда не заводила бы приятелей? Или мужа? Или ребенка? Что, если бы... Пятнадцать лет — и все. От этой мысли у нее снова хлынули слезы, и Тригви пришлось взять ее за руку.

— Пейдж, не плачьте, не поддавайтесь панике...

— Что я могу сделать? Как это все выдержать? — Она отняла у него руку и продолжала всхлипывать. — Она даже не пожила на свете. Она может умереть, как тот парень, что вел машину.

Он беспомощно кивал ей, и она вдруг резко повернулась к Тригви и спросила:

— Они пили? — Эта мысль впервые пришла ей в голову — семнадцатилетний неопытный водитель, вечеринка, авария.

— Не знаю, — честно ответил он. — Медсестра сказала, что у всех взяли пробы крови на содержание алкоголя. Вполне возможно, — мрачно добавил он.

К ним приблизился репортер. Он давно уже

следил за их беседой и после того, как поговорил с патрульным и навел справки у сестры, решил поговорить с ними.

Пейдж еще плакала, когда к ним подошел этот молодой человек в джинсах, кроссовках, клетчатой рубашке и с пластиковой журналистской карточкой на груди. В руке у него были блокнот и диктофон.

— Миссис Кларк? — спросил он, приближаясь.

— Да? — Пейдж была в таком состоянии, что не понимала, кто он такой, на секунду ей даже показалось, что это врач. Она глядела на него со страхом, а Тригви с подозрением.

— Каково состояние вашей дочери? — спросил он с таким участием, словно был с ней давно знаком.

— Я не знаю... я думала, вы мне скажете...

Но Тригви покачал головой, и только тогда Пейдж заметила его карточку с фотографией, фамилией и названием газеты.

— Что вы от меня хотите?! — Пейдж никак не могла понять, что здесь делает этот человек.

— Я просто хотел узнать, как вы себя чувствуете. А Алисон... как давно она была знакома с Филиппом Чэпменом? Что он был за парень? Он был очень крут? Или вы полагаете... — Репортер продолжал напирать на нее, но Тригви резко оборвал его:

— Я думаю, что сейчас не время... — Тригви встал и подошел к журналисту, но тот сделал вид, что не замечает этого.

— Вы знали, что за рулем второй машины была жена сенатора Хатчинсона? Она, кстати, совершенно не пострадала, — начал провоцировать он

Пейдж. — Как вы себя чувствуете, миссис Кларк? Вы, наверное, потрясены!

У Пейдж от изумления расширились зрачки: что этот человек от нее хочет? Он что, думает, что она сумасшедшая? Какое имеет значение, кто был за рулем второй машины? Неужели в нем нет ни капли сострадания? Она беспомощно оглянулась на Тригви и увидела, что он также взбешен поведением репортера.

— Как вы думаете, миссис Кларк, подростки могли быть пьяны? Был ли Филипп Чэпмен приятелем вашей дочери?

— Что вы вообще тут делаете? — Пейдж встала и в бешенстве уставилась на него. — Моя дочь умирает, и не ваше дело, какие у нее отношения были с этим мальчиком, кто был второй водитель и что я сейчас чувствую. — Ее слова перемежались со всхлипами. — Уходите! Оставьте нас одних! — Она села и закрыла лицо руками, а Тригви встал между нею и репортером.

— Я требую, чтобы вы немедленно ушли. Убирайтесь. Вы не имеете права здесь находиться. — Он пытался говорить жестко, но его голос от горя был столь же слаб, как и у Пейдж.

— У меня есть право. Общество имеет право знать, что происходит. А что, если они были пьяны? Или жена сенатора?

— Какое вам дело?! — рявкнул Тригви. Он не мог взять в толк, какое отношение к общественности имеют их несчастные дети. Действия этого газетчика обусловлены чистым любопытством. Именно из-за него все эти писаки причиняют боль людям, которые и так убиты горем.

— Вы потребовали, чтобы жена сенатора прошла проверку на состояние опьянения? — Репортер снова обращался к Пейдж, рассеянно смотревшей на мужчин. Для нее это было слишком — она могла думать только об Алли.

— Я уверена, что полиция сделала все, что нужно в таких случаях. Почему вы об этом спрашиваете? Зачем вы мучаете нас? Неужели не понимаете, что вы делаете? — в отчаянии спросила его Пейдж. Но он, похоже, не собирался уступать.

— Я пытаюсь установить истину, это мое профессиональное право. Вот и все. Надеюсь, ваша дочь выживет, — холодно сказал он и отправился на поиски более сговорчивых собеседников. Еще час и репортер, и оператор телевидения слонялись по приемной, но уже не приближались к Пейдж. Однако Тригви все еще был взбешен тем, что этот репортеришка осмелился наезжать на Пейдж в такой момент. И потом, его тон, его вопросы — словно он их специально придумал для того, чтобы доконать их. Просто омерзительно!

Они были настолько шокированы вторжением репортера, что, только когда тот наконец ушел, заметили, как к ним робко направился рыжий парень, который уже около получаса торчал в приемной. Пейдж никогда раньше не видела его, но Тригви он казался знакомым.

— Мистер Торенсен? — нервно обратился юноша к Тригви. Он был очень бледен и не отводил взгляда от отца Хлои.

— Да? — непонимающе взглянул на него Тригви. Ему не хотелось сейчас ни с кем разговаривать, ему хотелось лишь дождаться конца операции и узнать судьбу Хлои. — Мы знакомы?

— Меня зовут Джейми Эпплгейт. Я был с Хлоей в... той машине... — У него дрожали губы, когда он произнес это, и Тригви в ужасе уставился на него.

— Кто ты? — Тригви встал навстречу парню, вид его был ужасен. Джейми до сих пор не оправился окончательно от контузии, ему наложили несколько швов на лбу, но он, можно сказать, легко отделался в отличие от остальных, жизнь которых была сломана навсегда.

— Я друг Хлои, сэр. Я... мы... просто поехали поужинать.

— Вы были пьяны? — перебил его Торенсен, но юноша только помотал головой. У всех была взята кровь на анализ, и все тесты оказались в норме.

— Нет, сэр. Мы не были пьяны. Мы ужинали у «Луиджи». Я выпил бокал вина, но я не сидел за рулем, а Филипп — и того меньше, может быть, полбокала, а потом мы выпили капуччино на Юнион-стрит и поехали домой.

— Парень, вы ведь еще несовершеннолетние, — спокойно сказал Тригви. — Вы не имели права пить. Даже и полбокала.

Джейми знал, что отец Хлои прав, и поэтому начал извиняться:

— Я знаю, сэр. Вы правы. Но мы не были пьяны. Я не знаю, что случилось. Я ничего не видел. Мы сидели сзади... болтали... а потом я очутился здесь. Я ничего не помню, только патрульные сказали мне, что то ли мы в кого-то врезались, то ли кто-то в нас. Я правда не знаю. Филипп хорошо водит машину... он заставил всех нас пристегнуться, и он не отвлекался. — Тут он начал всхлипывать. Его лучший друг был мертв, и ничто уже не может помочь Филиппу.

— Ты хочешь сказать, что виноват был другой водитель? — уточнил Тригви. Его тронул рассказ Джейми, ясно, что парень потрясен случившимся.

— Я не знаю... я ведь ничего не видел... разве

что... Хлоя и Алисон... и Филипп... — При воспоминании о друзьях он снова начал всхлипывать, и Тригви дружески обнял его. — Мне так жаль... так жаль, сэр. Все это просто ужасно.

— И нам... все в порядке, сынок. Считай, тебе повезло сегодня... Это судьба... Она выбирает кого-то одного и отнимает у него жизнь. Она — как молния, которая ударяет внезапно.

— Это нечестно... почему я уцелел, а они...

— Так бывает. Тебе повезло. Ты должен быть благодарен судьбе.

Но Джейми Эпплгейт чувствовал себя виноватым. Он не хотел, чтобы Филипп умирал, а Хлоя и Алисон остались калеками... Почему он не был за рулем вместо Филиппа?

— Кто тебя отвезет домой? — заботливо спросил его Тригви. Как ни странно, он не испытывал никакой злости на мальчика, несмотря на все, что случилось.

— Сейчас приедет мой отец. Я просто увидел, что вы здесь сидите, и решил поговорить... рассказать вам... — Он перевел взгляд с Тригви на Пейдж и заплакал.

— Мы понимаем... — Пейдж пожала его руку, а потом, всхлипывая, обняла его.

Наконец подошел его отец, и снова были слезы, и упреки, и брань. Понятно, что Билл Эпплгейт был порядочно испуган, но одновременно рад тому, что сын уцелел. Он всплакнул при известии, что Филипп Чэпмен погиб, но его-то сын остался жив, и он благодарил судьбу. Билл Эпплгейт был известен в поселке, и Тригви часто встречал его на различных школьных торжествах и соревнованиях.

Старший Эпплгейт, искренне огорченный, пытался как-то загладить вину сына, извинился за Джейми, за его в общем-то невинный обман. Но все трое взрослых людей понимали, что теперь не до оправданий и извинений, сейчас время надежды и молитв. Билл Эпплгейт, прощаясь, сказал, что свяжется с Тригви, чтобы узнать о судьбе Алисон и Хлои.

Когда Эпплгейты ушли, Тригви, совершенно обессиленный, покачал головой и сказал:

— Жаль парня... — Он не знал, кого винить: Филиппа, который вел машину, Хлою, обманувшую его, другого водителя — если это была ее вина. Но кто знает, что произошло на самом деле? Патрульный объяснил им, что сила удара была такова, что установить вину не представлялось возможным, а по положению машин невозможно было сказать, кто из них пересек линию. Анализ крови показал присутствие алкоголя в крови Филиппа, но недостаточное для того, чтобы считать его пьяным. Жена же сенатора выглядела настолько безупречно, что они и не подумали проверить ее на алкоголь. Они могли только предполагать, что что-то отвлекло внимание Филиппа, может быть, разговор с Алисон, и тогда именно он виноват в катастрофе. Но кого обвинять теперь?!

Пейдж могла думать только об Алисон, только о том, когда же она сможет увидеть ее. Прошел еще час, прежде чем в приемной появилась сестра и сообщила, что врачи хотели бы поговорить с ней.

— А Алисон я могу наконец увидеть?

— Минуточку, миссис Кларк. Сначала врачи хотели поговорить с вами и объяснить, в каком состоянии она находится. — По крайней мере теперь ей хоть что-то объяснят. Она встала, и Тригви взволнованно посмотрел на нее. Он был хорошим другом — они много раз встречались на разных школьных мероприятиях и пикниках, и хотя не дружили особенно, он ей всегда нравился, их дочери были неразлучными подружками с того времени, как Кларки переехали в Росс.

— Я могу пойти с вами? — спросил он, и Пейдж, поколебавшись, кивнула. Она боялась того, что они могут сказать ей, и еще больше — предстоящего свидания с дочерью. Она больше всего на свете хотела увидеть ее... и боялась того, с чем ей придется столкнуться при встрече.

— Я не хотела бы обременять вас, — прошептала она, извиняясь, когда они шли в комнату, где их ждали хирурги.

— Не говорите глупостей, — ответил Тригви. Они были похожи на брата и сестру — оба со светлыми волосами, спортивные, похожие на скандинавов. Он действительно красив, и с ним так легко. Даже в этой ситуации Тригви излучал спокойствие и понимание. Пейдж чувствовала себя так, словно находилась под его защитой, хотя скорее всего их можно было бы назвать товарищами по несчастью.

Уже сама дверь в ординаторскую выглядела зловещей, в просторном кабинете их ожидали трое мужчин в халатах. Они сидели за овальным столом. Маски болтались у них на груди, и Пейдж с ужасом заметила на халате одного из них кровь. Господи, вдруг это кровь ее дочери?

— Как моя девочка? — Пейдж не терпелось услышать их вердикт. Но иногда дать ответ бывает гораздо сложнее, чем задать вопрос.

— Она жива, миссис Кларк. У вашей дочери сильный организм. Она пережила очень мощный удар, и у нее тяжелая травма. Большинство даже взрослых людей просто не выжили бы. Но Алисон выжила, и мы полагаем, что это само по себе хороший признак. Но ей предстоит пройти длинный путь к выздоровлению. Основных травм две, и каждая может дать свои осложнения. Первая — сам по себе удар, отсюда — тяжелое сотрясение мозга. Сейчас невозможно утверждать определенно, есть ли разрыв сосудов, не исключена и аневризма. А это может привести к очень серьезным последствиям. Но девочка пока в таком состоянии, что мы не можем провести дополнительные исследования. Вторая травма — на первый взгляд более тяжелая, но на самом деле она не повлечет серьезных последствий. Я говорю об открытой травме черепа. Скорее всего это следствие сильнейшего удара о стальной обломок при столкновении.

Пейдж вскрикнула и невольно сжала руку Тригви. Она явно не была готова услышать страшные подробности и постаралась собрать все силы. Она говорила себе, что должна вынести и узнать все до конца.

— Велика вероятность... — неумолимо продолжал завотделением, понимавший, насколько это тяжело для родителей, но исполнявший свой долг — они должны знать, что произошло с их дочерью. Тригви он принял за отца Алисон. — Мы часто сталкивались со случаями, когда такие открытые травмы черепа не влекли за собой серьезных последствий. Гораздо больше меня беспокоит сильнейшее сотрясение. Разумеется, последствия травм могут наложиться, что может дать непредсказуемый результат. Она потеряла много крови, и давление резко упало. Организм очень ослаблен потерей крови. Кроме того, мозг подвергся гипоксии... Мы пока не знаем, как это отразилось на функционировании мозга, но последствия могут быть непредсказуемы — катастрофическими или же совсем незначительными. Пока нельзя сказать с определенностью. Сейчас мы должны продолжить борьбу за ее жизнь. Если объяснить вам доступным языком, мы должны приподнять осколок черепа и облегчить состояние ткани мозга. Затем обработать рану. Ну и заняться ее глазами — от этого удара она может ослепнуть. Есть и другие поводы для тревоги. Возможно заражение крови, и у нее проблемы с легкими. Это естественно при такого типа травмах, но это серьезно осложняет положение. Мы оставили в трахее кислородную трубку, поставленную реаниматорами, и продолжаем подавать кислород. Мы только что уже сделали томографию и получили очень важную информацию. — Он смотрел прямо на Пейдж, чтобы определить, что она поняла из его слов. Она казалась совершенно оглушенной, и отец девочки выглядел не лучше. Врач решил обратиться к нему, так как женщина вряд ли могла что-то воспринять. — Вы понимаете меня, мистер Кларк? — спросил он, стараясь говорить как можно спокойней.

— Нет-нет, я не отец девочки, — поспешно сказал Тригви, потрясенный словами врача не меньше Пейдж. — Я друг, друг семьи. Моя дочь тоже лежит в вашем госпитале. Девочки были вместе в машине.

— Простите. — Врач выглядел смущенным. — Понятно. Миссис Кларк, вы меня поняли?

— Я не уверена. Вы сказали, что у нее две серьезные травмы: сотрясение мозга и открытая травма черепа. В результате она может либо умереть, либо ее мозг может пострадать... она может ослепнуть... так ведь? — спросила она его сквозь слезы. — Я правильно вас поняла?

— Более или менее. И наша главная проблема — это то, что мы называем возможностью третьей травмы. У нее могли бы быть и другие повреждения, но, к счастью, она была пристегнута, поэтому избежала их. Что касается третьей травмы, то речь идет о кровоизлиянии в мозг, о тромбах и отеке мозга. Это может осложнить положение, но определенно можно будет сказать что-то через двадцать четыре часа после травмы.

Пейдж наконец решилась задать вопрос, ответ на который она так боялась услышать.

— Скажите, доктор, а есть ли шанс, что она придет в себя полностью... то есть выздоровеет? Возможно ли это при сложившихся обстоятельствах?

— Возможно, но только вопрос, что понимать под нормальностью. Возможно, пострадают моторные функции — на время или навсегда. Ну и могут быть другие отклонения. Например, нарушится работа каких-либо отделов мозга и у нее может произойти изменение личности. Но в целом, можно сказать, ей повезло. И, если произойдет еще одно маленькое чудо, ваша дочь может полностью выздороветь.

Но, с точки зрения Пейдж, в его словах не было большой уверенности.

— Значит, вы все же допускаете это? — Пейдж знала, что слишком напирает на них, но так хотела услышать обнадеживающие слова.

— Не то чтобы я совсем уверен. Маловероятно, чтобы столь значительные травмы прошли бесследно для организма, но при оптимальном развитии событий последствия могут быть незначительны... если нам повезет. Поймите, я не могу сейчас сказать что-то более определенное, миссис Кларк. Сейчас положение все еще опасное, так что ваш вопрос пока звучит скорее как гипотетический. И в этом случае я могу сказать, что это возможно, но совершенно не обязательно, что так и будет.

— А в худшем случае?

— Она может и не выжить... или же останется калекой.

— То есть?

— Она может навсегда остаться в бессознательном состоянии, либо же если сознание вернется к ней, то рассудок будет помрачен или утрачена моторика. Повреждения мозга могут быть таковы, что мы не сможем ей помочь. Большое значение имеет характер отека мозга и как мы с ним справимся. Так что нам потребуется все наше умение, миссис Кларк... и немножко удачи. Так же, как и вашей дочери. И мы хотели бы приступить к операции немедленно, если вы подпишете соответствующие бумаги.

— Но я не могу связаться с ее отцом. — Пейдж почувствовала, что в горле у нее стоит комок. — Я не смогу связаться с ним до завтра... то есть сегодня... — Она чувствовала, что ею овладевает паника, судя по тому, как сочувственно смотрел на нее Тригви, кляня себя за бездействие и не в силах сказать слова, которые могли бы успокоить ее.

— Алисон не может дольше обходиться без нашей помощи, миссис Кларк... Дорога каждая минута. Как я уже говорил вам, мы провели томографию и сделали рентгеновский снимок. Мы должны действовать немедленно, если хотим сохранить ее жизнь и рассудок.

— А если мы подождем? — Она должна была посоветоваться с Брэдом, ведь это и его дочь. Нельзя принимать такое решение без него.

Он пристально посмотрел на нее.

— Миссис Кларк, я не думаю, что она проживет еще два часа. И если даже проживет, то функции мозга будут навсегда нарушены и скорее всего она ослепнет.

А если он ошибается? Но у них нет времени. У них нет времени даже на первое впечатление, если он не ошибается насчет двух часов. Что делать?

— Вы просто не оставляете мне выбора, доктор, — обреченно произнесла Пейдж, и Тригви сжал ее руку.

— Выбора нет, миссис Кларк. Я уверен, что ваш муж с этим согласится, когда вы сможете связаться с ним. Мы хотели бы сделать все, что можно.

Она кивнула, не зная, верить ему или нет. Но выбора у нее в самом деле не было — от их умения и опыта зависела жизнь Алисон. А вдруг она выживет, но будет жить растительной жизнью? Разве ей нужна такая победа?

— Итак, вы подпишете согласие на операцию? — спросил заведующий снова, и Пейдж, еще немного помедлив, наконец кивнула.

— Когда вы собираетесь начать операцию? — сдавленно проговорила она.

— Через полчаса, — спокойно ответил хирург.

— Могу ли я побыть около нее до начала операции? — умоляюще спросила Пейдж. Что, если они не разрешат увидеть ее? Что, если это будет последний раз, когда она ее увидит? Почему она не задержала ее подольше перед выходом сегодня вечером? Почему она не сказала ей все, что хотела сказать и не сказала раньше? Она снова начала плакать, даже не замечая этого. Хирург тронул ее за плечо.

— Мы сделаем для нее все, что можно, миссис Кларк. Я даю вам слово. — Он оглянулся на своих коллег, которые за все это время не произнесли ни слова. — У нас одна из лучших нейрохирургических бригад в стране. Доверьтесь нам. А сейчас пойдемте к ней.

Она кивнула, не в состоянии произнести ни слова. Врач встал и направился к двери.

— Она без сознания, миссис Кларк, к тому же у нее есть и другие травмы. Это выглядит не совсем приятно. Но многое, что может испугать вас сейчас, исчезнет без следа. Самое главное — спасти ее мозг.

Но даже это предупреждение не подготовило Пейдж к зрелищу, которое ее ожидало в палате интенсивной терапии, где под наблюдением врача и двух медсестер лежала Алисон. Одна трубка входила ей в рот, другая — в нос, третья — в руку, повсюду стояли, мигая огоньками, разнообразные аппараты. А в центре всего этого лежала маленькая милая Алисон с лицом, превратившимся почти что в кашу, так что даже Пейдж не сразу узнала ее. Лоб девочки был прикрыт косынкой, ей должны были остричь волосы и побрить голову перед операцией.

Да, Алисон невозможно было узнать, это могла сделать только мать — ведь это ее ребенок. И если глаза не узнавали ее, это сделало ее сердце. Пейдж приблизилась к Алисон.

— Привет, малышка! — Она низко склонилась над дочерью и говорила ей в самое ухо, молясь, чтобы какой-то отдаленной частью сознания дочка услышала ее. — Я люблю тебя, детка... все будет хорошо... я люблю тебя, Алисон... мы тебя любим... мы любим тебя... — Она еще и еще раз, плача, повторяла эти слова, гладя руку дочери, касаясь ее щеки. Алисон была так бледна, что, если бы не работающие аппараты, Пейдж решила бы, что та и в самом деле мертва. У Пейдж сердце разрывалось от жалости и боли, она смотрела на свою бедную девочку и не могла поверить, что все это происходит наяву. — Алисон, мы любим тебя... ты обязательно поправишься, ради всех нас... меня... папы... Энди...

Наконец врачи попросили Пейдж удалиться, так как пора было готовить Алисон к операции. Пейдж спросила, нельзя ли ей остаться, но это было категорически запрещено. Пейдж объяснили, как будут готовить к операции Алисон. Работы предстояло много, был уже выбран наркоз — Алисон не почувствует боли. Но Пейдж лучше не видеть всего этого.

— Но могу ли я... могла бы я... — Она не находила в себе сил закончить фразу, но наконец сумела выговорить: — Можно мне сохранить прядь ее волос? — Она сама ужаснулась своим словам, но не могла не попросить их об этом.

— Конечно, — мягко ответила одна из сестер. — Миссис Кларк, будьте покойны, мы позаботимся о ней, обещаю вам.

Пейдж благодарно кивнула и снова склонилась над Алисон и нежно поцеловала ее.

— Я люблю тебя, солнышко... всегда буду любить. — Она так говорила Алисон, еще когда та была совсем маленькой, и Пейдж надеялась, что ее слова отзываются в сознании дочери тем давним воспоминанием.

Когда Пейдж вышла из палаты, она ничего не

видела из-за слез, с трудом заставила себя отступить от кровати, на которой лежала Алисон. Мысль о том, что она, может быть, никогда больше не увидит Алисон живой, лишала ее последних сил. Пейдж говорила себе, что у нее нет выбора. Если она хочет, чтобы врачи попытались спасти Алисон, нужно дать им возможность начать операцию.

В коридоре она увидела Тригви. На него было жалко смотреть, но вид самой Пейдж привел Тригви в смятение. Он не узнавал Пейдж — в считанные минуты она постарела и поникла. Когда Пейдж заходила в палату, Тригви мельком увидел Алисон, и это действительно было страшное зрелище. Хлое тоже предстояли тяжкие испытания, но угрозы ее жизни не было. А из того, что сказали врачи, было ясно, что вероятность гибели Алисон велика.

— Мне так жаль, Пейдж, — прошептал он и обнял ее. Пейдж разрыдалась в его объятиях и долго не могла успокоиться. Больше ей ничего не оставалось. Это была самая длинная ночь в ее жизни, ночь нескончаемого кошмара. Тригви, несмотря на все трудности, которыми была богата его жизнь, тоже не помнил более мучительного испытания. Он знал, что Хлоя на операции и, как сказала подошедшая к нему медсестра, операция продлится несколько часов.

Сестра из приемной принесла Пейдж бумаги на подпись, а потом Тригви заставил ее пойти в кафе и выпить чашечку кофе.

— Мне кажется, я не смогу. Я боюсь отсюда отойти.

— Нет, Пейдж, вам нужно отвлечься. Пройдет ночь, впереди будет долгий день. Вам, да и мне тоже нужны силы, чтобы помочь нашим детям. Сейчас мы нужны им еще больше.

Было уже четыре утра, и оперирующий хирург сказал Пейдж, что операция продлится от двенадцати до четырнадцати часов.

— Я бы советовал вам поехать домой и отдохнуть несколько часов, — обеспокоенно сказал Тригви. Последние несколько часов сблизили Пейдж и Тригви гораздо больше, чем восемь лет их знакомства, и она была рада, что не одна сейчас. Без Тригви она, наверное, сошла бы с ума. Господи, ведь здесь рядом с ней должен находиться Брэд, а он до сих пор ничего не знает. Но сейчас она не будет ни сетовать, ни упрекать его. Он же не виноват в том, что ей не удалось его разыскать.

— Я никуда не поеду, — наконец упрямо ответила Пейдж. И Тригви понял ее — он тоже не покинул бы Хлою. Но у него дома за старшего оставался Ник — он позаботится о Бьорне. Тригви объяснил сыновьям ситуацию, он уже несколько раз звонил домой. Другое дело Пейдж — у нее Энди один, он беспокоится, куда она пропала, и волнуется за сестру и мать.

— С кем вы оставили Энди? — спросил Тригви, когда они наконец сели за столик в больничном буфете.

— Я оставила его с соседкой. Она моя подруга — Джейн Джилберт. Она прекрасно ладит с Энди, так что она присмотрит за ним, когда он проснется. Я ничего не могу сделать, я не могу сейчас уехать. Мне нужно отыскать Брэда. Не могу понять, что случилось, — за шестнадцать лет он впервые не оставил номера телефона отеля!

— Так всегда и бывает, — посочувствовал ей Тригви. — Как-то Дана поехала кататься на лыжах с друзьями и тоже забыла оставить телефон, и как раз в этот уик-энд Бьорн потерялся, Ник сломал руку, а Хлоя подхватила воспаление легких. Мне пришлось покрутиться.

Пейдж улыбнулась. Он такой славный, помог ей сегодня. Как же им привыкнуть к мысли, что обе их жизни вот так, в одно мгновение, получили пробоины.

— Не знаю, что и сказать Брэду. Они были так близки с Алли... Случившееся просто убьет его.

— Это кошмар для всех нас... Бедный парень, что сидел за рулем... Говорят, он был славный мальчишка. Представьте себе состояние его родителей.

Им выпало первыми увидеть это, когда в шесть утра Чэпмены оказались в госпитале: приятная немолодая пара. Видно, мальчик был у них поздним ребенком. У нее были чудные, хотя и седые волосы, а мистер Чэпмен выглядел солидно — как банкир. Пейдж увидела Чэпменов, когда они, усталые и растерянные, подошли к столику дежурной сестры — им пришлось гнать машину всю дорогу из Кармела, как только им сообщили, и они все еще не верили в то, что произошло. Филипп был их единственным ребенком, у них никогда уже не будет детей. Он был для них светом в окошке, именно поэтому они и не хотели отпускать его на учебу далеко от дома. Для них была непереносима даже мысль о том, что их сын окажется так далеко, а вот теперь он оказался недосягаем. Он ушел от них навсегда, он оставил их одних.

Миссис Чэпмен стояла со склоненной головой и плакала, слушая объяснения врача: Филипп умер мгновенно от черепно-мозговой травмы, его позвоночник и основание черепа были сломаны.

Мистер Чэпмен плакал открыто, обняв жену за плечи.

Доктор сказал им, что в крови Филиппа обнаружено незначительное количество алкоголя — недостаточное, чтобы официально утверждать, что он был пьян, но на подростка его возраста это могло подействовать. Не установлено, кто виноват в аварии, неясно, чей удар был сильнее, кто нарушил правила, но некоторые подозрения существуют. Чэпмены слушали врача с ужасом. Доктор сказал им, что за рулем второй машины была жена сенатора Хатчинсона, она потрясена случившимся. Но эта информация для них ничего не значила — Филипп мертв, и неважно, кто был за рулем другой машины. Но при намеке на то, что Филипп был пьян и оказался виновником инцидента, миссис Чэпмен пришла в ярость. Она потребовала сообщить ей результаты теста на алкоголь миссис Хатчинсон. Насколько врачи были осведомлены, жену сенатора не тестировали. Врач повторил миссис Чэпмен слова одного из полицейских, что жену сенатора не проверяли на алкоголь, так как патрульный решил, что она была трезва. Миссис Хатчинсон была вне подозрений. Тут уже разъярился Том Чэпмен — как они могли допустить такую оплошность?! Он известный и уважаемый адвокат и смеет утверждать, что тот факт, что их сына проверяли на алкоголь, в то время как жену сенатора отпустили без проверки, — вопиющее нарушение закона, и он этого так не оставит.

— Что вы такое говорите? Только потому, что моему сыну семнадцать лет и он выпил немного вина, его называют виновником катастрофы? А взрослая женщина, которая могла выпить гораздо больше и быть под влиянием алкоголя, оказывается выше закона только потому, что она жена сенатора?! — кричал Том Чэпмен, задыхаясь от волнения и ярости, на молодого врача, сообщившего ему эту информацию.

— Какие они имеют основания утверждать, что мой сын был пьян? — негодовал Том Чэпмен, жена вторила ему. Это была реакция на их горе — их боль, обида, ужас требовали выхода. — Это клевета! Тест показал, что, строго говоря, он был трезв, даже с натяжкой его нельзя назвать пьяным. Я знаю своего сына. Он никогда не пил, а если в исключительных случаях самый минимум, то тогда не садился за руль. — Но постепенно голос Чэпмена слабел, гнев его стал угасать — он постепенно осознавал, что этот спор бессмыслен, сына не вернуть. Ему хотелось переложить на кого-нибудь вину, заставить страдать так же, как страдает он. Это скорее всего вина той женщины, а не его сына... Но лучше бы это была ничья вина, лучше бы этого вообще не было. Зачем они поехали в Кармел? Почему оставили его одного, почему решили, что с ним все будет в порядке? В конце концов, он всего лишь мальчик... совсем ребенок... и вот что теперь стряслось... Он повернулся к жене с глазами, полными слез. Гнев смягчил поначалу горе, но теперь оно с новой силой навалилось на него. Они обнялись и зарыдали вместе. Гнев отступил перед более сильными чувствами.

Пока они сидели в приемной, их снимал фотограф. Сначала Чэпмены не могли понять, что это за вспышки света. Когда же они поняли, что это пресса, ярости их не было предела — как смеют журналисты вторгаться, нарушать их уединение?! Казалось, что Том Чэпмен просто набьет морду фотографу. Но он, конечно, не сделал этого — он был достаточно разумен, чтобы понять, что их не-счастье стало объектом внимания прессы из-за миссис Хатчинсон. Это была настоящая сенсация, горячий материал — такой, с помощью которого можно привлечь внимание читателя. Виновата ли жена сенатора или она счастливо уцелевшая жер-тва? Виноват ли молодой Чэпмен? Был ли он пьян? Или всего лишь невнимателен? Может быть, дело в том, что он был слишком молод и неопытен? А может быть, это упущение Лоры Хатчинсон? Не употреблял ли кто-либо из них наркотики? Для прессы тот факт, что семнадцатилетний юноша погиб, жизнь его родителей разрушена, одна из де-вушек останется калекой, а другая умирала в гос-питале, — всего лишь броский материал.

Чэпмены покидали госпиталь в горе. Их ждало здесь самое страшное испытание — опознание те-ла Филиппа. Ужас охватил Мэри Чэпмен, когда она увидела бескровное лицо сына, его изуродо-ванное тело. Она наклонилась, чтобы поцеловать его. Том Чэпмен плакал. Мэри вдруг пронзило вос-поминание: семнадцать лет назад его дали ей в ру-ки, и она впервые в жизни узнала, какое счастье — быть матерью. Ничто не может отнять у нее этих воспоминаний, но Филиппа у нее отняли. Она ни-когда больше не увидит, как он смеется, как бежит через лужайку, шутит. Он никогда не преподнесет ей очередного сюрприза. Никогда не подарит цветы. Она никогда не увидит его взрослым, у него никогда не будет ни любимой девушки, ни семьи, ни детей. Он навсегда останется в ее памяти таким вот искореженным, неподвижным, с отлетевшей в мир иной душой. Как они ни любили его и как он ни любил их, но он их покинул.

На выходе их поджидал другой фотограф, у них

уже не было сил возмущаться. Но, собрав все свое мужество, Том Чэпмен сделал заявление для прессы: он сказал, что во что бы то ни стало добьется того, чтобы с Филиппа сняли обвинение. Он не позволит марать имя своего сына. Он не позволит, чтобы репутация сына была испорчена ради того, чтобы защитить жену сенатора или сохранить ему место в сенате на следующих выборах. Старший Чэпмен сказал, что его сын не виноват и он не позволит кому-либо утверждать противное. Он говорил, обращаясь в основном к своей жене, желая хоть как-то отвлечь ее внимание от горестных мыслей, но она не слышала его: перед ее глазами стояло лицо ее несчастного мальчика, которое она только что целовала.

Ночь казалась бесконечной. Пейдж сидела рядом с Тригви, а их дочери страдали в операционной. Будет ли конец этим страданиям?

— Я все время думаю о последствиях, — тихо сказала Пейдж. В окно она увидела, как всходит солнце, и это почему-то показалось ей добрым знаком. Начался новый, такой же теплый, как вчера, весенний день, но теперь это уже не радовало ее. В ее душе воцарилась ледяная, бесконечная зима. — Я все думаю о том, что сказал доктор Хаммерман — я правильно запомнила его фамилию? Не исключено, что функции мозга могут быть нарушены? Что тогда делать? Как жить с этим? — размышляла она вслух. Но тут вдруг она вспомнила о больном сыне Тригви — Бьорне и почувствовала себя неловко. — Извините, Тригви... я не хотела причинить вам боль.

— Все в порядке. Я вас понимаю... Вот я сейчас думаю о ногах Хлои и чувствую ту же боль, как и в момент, когда узнал о том, что у Бьорна синдром

Дауна. — Тригви был с ней откровенен, им обоим нужно было приготовиться к тому худшему, что могло ждать их впереди.

Пейдж подняла глаза и внимательно посмотрела на Тригви изучающим взглядом: его волосы растрепаны, впрочем, как и у нее, старые джинсы, рубашка в клетку, на ногах легкие туфли. Она взглянула на свой заношенный свитер и вспомнила, что так и не причесала волосы. Это, в общем, не волновало ее, но она не могла не улыбнуться при мысли о том, как они оба могли выглядеть со стороны.

— Ну и вид, наверное, у нас с вами, — усмехнулась она. — Вы еще ничего. А я так быстро выскочила из дому. Удивительно, что не забыла вообще одеться.

Тригви улыбнулся ей в ответ, впервые за эту ночь, и стал похож на добродушного мальчишку с голубыми глазами и белесыми ресницами.

— Это джинсы Ника, а рубашка Бьорна. А эти туфли даже не знаю чьи. Но, кажется, не мои — я нашел их в гараже. Я вообще выбежал из дому босиком.

Она понимающе кивнула, и ей до боли стало жаль его — сколько забот лежало на нем, и так несправедливо, что случилось это несчастье с Хлоей. А она сама? Чем заслужила она такое наказание? А ей ведь еще предстоит сообщить обо всем Брэду. Еще один кошмар. Если бы только она могла сказать ему, что Алисон хотя бы жива, но вряд ли она будет знать это к тому времени, как свяжется с ним.

— Я как раз подумал о Бьорне, — задумчиво протянул Тригви, откидываясь на спинку стула. — Когда нам сказали о его болезни, это было чудовищно.

Дана рвала и метала, она ненавидела всех, но особенно меня — а кого же еще винить? И Бьорна тоже — поначалу. Она просто не могла примириться с тем, что у нас ребенок-инвалид, не такой, как все. Она говорила про него, что это просто растение, не верила, что он сможет выжить в этом мире здоровых людей. Она хотела отдать его в интернат.

— А почему вы его не отдали? — спросила Пейдж, чувствуя, что задает этот вопрос естественно и спокойно. В ее семье все было иначе. Брэд никогда бы не примирился с таким ребенком.

— Я просто в это не поверил. Может быть, это результат моего норвежского детства, может быть, просто я такой, но я не думаю, что нужно отказываться от чего-то только потому, что это нелегко. Во всяком случае, я так не поступаю. — Он грустно улыбнулся, вспомнив о двадцати годах неудачного брака. — Хотя иногда это не помешало бы. Но это просто как бы часть меня — старики, дети, инвалиды, больные. Наш мир не совершенен, было бы странно думать иначе. Мне кажется, мы должны постараться сделать его немного лучше. Дана же сказала, что это не ее дело, так что заниматься Бьорном пришлось мне одному. Но нам повезло — у него не самая тяжелая форма, так что его просто можно считать в малой степени умственно отсталым. Ему хорошо дается плотницкое дело, он добрый, любит людей, отлично умеет готовить, надежен, у него есть чувство юмора, и он даже учится водить машину. Конечно, он никогда не будет таким, как Ник, или я, или вы. Он не сможет учиться в университете, руководить банком и не станет врачом. Он просто Бьорн, и надо принимать его таким, какой он есть. Он любит спорт, людей и детей. Может быть, несмотря на то, что он не такой, как все, он проживет жизнь достойно. Я надеюсь на это.

— Вы так много сделали для него, — сказала Пейдж, — ему просто повезло, что у него такой отец.

Тригви вдруг захотелось сказать ей, что Брэду тоже повезло. В эту ночь он понял, какая она замечательная. Она выдержала удар, который поверг бы многих людей в нокаут, и она при этом не забывает о своем муже, сыне, даже о Чэпменах.

— Он это заслужил, Пейдж. Он просто прелесть. Я не представляю, что с ним стало бы в интернате. Наверное, он никогда не стал бы таким, как сейчас. Не знаю. Он ходит за продуктами и очень гордится этим. Иногда мне кажется, что я доверяю ему больше, чем Хлое. — Они улыбнулись. — У девочек-подростков есть немало своих недостатков.

— Но неужели вы никогда не сердитесь на него?

— Это просто невозможно, Пейдж. Он так старается делать все как можно лучше. Честно говоря, я даже горжусь им. — Они оба прекрасно понимали, что, если бы у Алисон после операции остались серьезные осложнения, все было бы иначе, ведь до несчастного случая она была другой — здоровой, умной, сильной. И все сравнивали бы ее нынешнюю с той, прежней.

— Я просто задаю себе вопрос: как привыкнуть к этому? Может быть, нужно отбросить все прежние мерки и стандарты и начать все сначала, шаг за шагом, благодаря бога за каждое вновь выученное слово, за каждое крошечное достижение? Но разве я могу забыть?.. Разве можно забыть о том, какой она была, и научиться принимать столь малое?

— Не знаю, — грустно ответил Тригви, стараясь ее успокоить. — Может быть, нужно просто радоваться тому, что она вообще жива, начать именно с этого.

Пейдж кивнула, понимая, как мало шансов на жизнь у ее дочери.

— Но будет ли она жить — ведь я даже этого пока не знаю.

Дождавшись восьми утра, Пейдж позвонила одному из коллег Брэда, чтобы тот помог ей разыскать его в Кливленде.

Она позвонила Дэну Баллантайну, долго извинялась, что разбудила его и жену, и объяснила, что случилось. Она сказала, что Брэд собирается играть в гольф с президентом кливлендской компании и если Дэн не знает, в каком отеле остановился Брэд, то, может, он позвонит президенту компании и попросит его передать Брэду, чтобы он срочно позвонил ей. Дэн записал телефонный номер отделения. Это был довольно сложный путь, но лучше она ничего не могла придумать. Дэн сказал, что постарается немедленно разыскать Брэда и передаст ему телефон госпиталя, не особенно пугая его. Дэн выразил свое сожаление по поводу постигшего ее несчастья и надежду, что с Алисон все будет в порядке.

— Я тоже надеюсь на это, — ответила Пейдж бесцветным голосом. Не прошло и часа, как Дэн снова позвонил ей в реаниматологию и сообщил, что президент компании сказал ему, что у него действительно назначена на следующий день встреча с Брэдом, но ни о какой игре в гольф или о встрече в воскресенье не было и речи.

— Странно, Брэд сказал мне... но неважно. Наверное, я его не так поняла. Остается ждать, пока он позвонит сам, — устало проговорила она. У нее просто не было сил думать над тем, почему он сказал, что будет играть в гольф, а в действительности оказалось, что игры не будет. Наверное, игру просто отменили, по крайней мере с ним пытались связаться. Может быть, когда объявится Брэд, могут появиться более приятные новости.

— Они не смогли его разыскать, — сказала она Тригви, поговорив по телефону и снова усаживаясь на неудобный стул. За ночь на лице у Тригви проступила светлая щетина, он выглядел не менее уставшим, чем она. — Он в конце концов позвонит домой, и Джейн скажет ему, чтобы он перезвонил в госпиталь. Бедняга, я просто боюсь говорить ему.

— Я вас понимаю. Пока вы ходили звонить, я тоже связался с Даной в Лондоне. Она только что вернулась с уик-энда в Венеции. Она пришла в ужас и, как всегда, обвинила во всем меня. Я виноват, что выпустил Хлою из дому, виноват, что не выяснил, с кем она собирается проводить время, и я должен был сообразить, что она собирается делать что-то плохое. Может быть, она права, не знаю. Но я-то считаю: либо нужно доверять детям, либо просто можно свихнуться — нельзя же все время быть при них охранником. Говоря по правде, с Хлоей было довольно мало хлопот, а вот теперь она стала откалывать номера.

— И Алли тоже. Она никогда такого не устраивала. Я думаю, они пытаются становиться самостоятельными. Это нормально... просто на этот раз не повезло.

— Да, это уж точно... И все-таки Дана обвиняет во всем меня.

— Она не права? — тихо спросила Пейдж.

— Не совсем. Я и сам все время спрашиваю себя об этом. Может быть, что и так... Хотя мне кажется, это несправедливо.

— Это удар судьбы, не надо думать, что виновата та женщина. — Им обоим хотелось верить, что виновата Лора Хатчинсон, а не Филипп Чэпмен. Ведь если бы несчастный случай произошел не по вине Филиппа, а был нелепой случайностью, может быть, случившееся было бы легче перенести. А впрочем, возможно, что это все не имеет уже значения.

Их разговор прервал хирург-травматолог и сообщил, что операция Хлои прошла успешно, правда, она потеряла много крови и еще некоторое время будет находиться в тяжелом состоянии, но они все же надеются, что она сможет ходить самостоятельно. Раздробленные кости таза и бедренная кость заменены, в ноги вставлены стальные стержни, которые можно будет извлечь через год-другой. Разумеется, о балете придется забыть, но, если повезет, она сможет не только ходить, но и танцевать... а может быть, и рожать. Многое будет зависеть от ее состояния в ближайшие несколько недель. Врач выглядел довольным собой и своей работой, он похвалил и мужество девочки. Тригви слушал врача и беззвучно кивал головой, по его щекам текли слезы.

Хлою перевели в послеоперационную палату, там ее продержат до полудня. Потом ее переведут в палату интенсивной терапии, а уже потом — в обычную. Хирург сказал, что в ближайшие дни потребуется несколько переливаний крови, уточнил группу крови Тригви и его сыновей. Узнав, что у всех Торенсенов та же группа крови, что и у Хлои, он остался очень доволен.

— Почему бы вам не отправиться домой, чтобы немного отдохнуть? С ней все будет в порядке. Днем вы можете вернуться — мы как раз поместим ее в интенсивную терапию. Вам нужно настраиваться на длительный срок реабилитации — только в госпитале ей придется пролежать не меньше месяца. Так что, пожалуй, разумнее будет сейчас поберечь свои силы. Уверяю вас, мистер Торенсен, они вам еще понадобятся.

Тригви с облегчением улыбнулся. Ему и вправду не помешало бы вздремнуть, но разве он мог оставить Пейдж одну, пока нет известий об операции Алисон? В конце концов он решил остаться и прилег на диванчике в комнате ожидания. Он не сомневался, что и Пейдж сделала бы для него то же самое.

Миновал полдень, и наконец в два часа дня Хлою перевели в палату интенсивной терапии. Она еще не совсем отошла от наркоза, но узнала отца и, судя по всему, не ощущала боли, что было самое странное, учитывая, что ей пришлось претерпеть и сколько всяческих аппаратов было подключено к ней. Но Тригви обнадежил оптимистический настрой врачей.

— Как она? — спросила Пейдж. Она отходила, чтобы позвонить домой. Ей удалось поговорить с Энди. Он был очень взволнован и ее отсутствием, и всем, что случилось с сестрой. Но Пейдж преуменьшила опасность — скоро придется рассказать ему все, а ведь Брэд еще ни о чем не знает. Он так и не позвонил домой.

— Она еще не пришла в себя, — улыбаясь, сказал Тригви, — но у врачей есть уверенность, что все будет в порядке. К ней подключена аппаратура, все эти конструкции, растяжки, специальные стержни. Потом ее загипсуют, но пока она еще в тяжелом состоянии. Слава богу, что операция прошла удачно. Так сказали врачи.

— Что значит удачно?! Удачно, что она не умерла? — устало сказала Пейдж. — А кто скажет, что с ней будет потом? Может быть, в будущем не будет никакого «удачно». Еще вчера, в это самое время, Алисон была вполне нормальной пятнадцатилетней девочкой, выпрашивающей у меня розовый свитер. А сегодня нейрохирурги борются за нее, и я должна быть благодарной за то, что она вообще еще жива... Я, конечно, благодарна им, но что это в сравнении с тем, что было вчера? Вы меня понимаете?

Тригви рассмеялся — он-то хорошо понимал ее. Ему постоянно говорили, как ему повезло, что у Бьорна не самая тяжелая форма болезни Дауна. А кто объяснит, почему у него вообще эта болезнь? В чем ему так повезло? Разумеется, могло быть все и хуже, если несколько поразмыслить.

В три часа дня он поехал домой — принять душ, переодеться и проведать мальчиков. Он хотел привезти их днем повидать Хлою. Ник сказал, что Бьорн очень взволнован ее отсутствием, и Тригви подумал, что будет лучше, если он сам увидит ее. Бьорн всегда страшно волновался, если кто-либо болел или уезжал, он просто страдал, если умирал кто-то из знакомых. Это естественная реакция детей, и то, что Бьорну было уже восемнадцать, мало что меняло.

Тригви сказал Пейдж, чтобы она звонила ему, если будет необходимо, и та продолжила свое бдение в одиночестве. Она решала для себя вопрос — звонить ли матери, но мысль о разговоре с ней казалась непереносимой. К тому же она до сих пор не поговорила с Брэдом. Конечно, сначала надо известить его. Так она просидела еще час, ожидая окончания операции. Брэд так и не звонил.

Ей ничего не удалось узнать об Алисон вплоть до четырех часов, когда сестра наконец подошла к ней и сказала, что операция идет по плану, состояние Алисон удовлетворительное. Ей нужна кровь, и Пейдж, у которой была та же группа, сдала требуемое количество своей крови. И тут наконец позвонил Брэд. Он звонил в приемную, но сестра позвала Пейдж в отдельный кабинет.

— Боже, Пейдж, где ты? — Джейн передала ему только, что нужно срочно позвонить Пейдж по номеру, который она назвала. — Мне показалось, что они ответили: «Морской госпиталь».

— Верно. — Она собралась с силами и начала свои горькие объяснения: — Брэд... малыш... — Тут она не выдержала и начала плакать.

— Ты в порядке? С тобой что-то случилось? — Ему вдруг пришло в голову, что она снова забеременела, ничего ему не сказала и вот теперь, наверное, упала с лестницы. Что еще могло случиться? Он не мог найти подходящего объяснения.

— Милый мой... С Алли произошел несчастный случай... — Она сделала паузу, чтобы вдохнуть воздух. Он немедленно воспользовался этим:

— С ней все в порядке?

Пейдж только мотала головой, и слезы струились по ее щекам.

— Нет... Прошлой ночью она попала в автокатастрофу. У меня просто сердце разрывается... Я пыталась найти тебя, но в твоих планах что-то изменилось.

— Я... э-э-э... да. Шеф был занят. А с кем ты говорила?

— С Дэном Баллантайном. Он позвонил этому парню в Кливленд и передал для тебя сообщение. Ты же не оставил мне ни названия отеля, ни телефона.

— Я забыл. — Его голос звучал как-то странно, и это удивило ее. Он словно был недоволен тем, что она заставила Дэна звонить в Кливленд. — Как Алли? Что все-таки случилось, какая автокатастрофа? Кто вел машину? Тригви Торенсен?

— Нет, не он. Она нам так сказала, а сама отправилась с компанией подростков. Произошло лобовое столкновение и... — Она едва могла говорить, но знала, что должна досказать. — Брэд, у нее тяжелая травма головы, очень тяжелая. Честно говоря, она в критическом состоянии, сейчас идет операция.

— Ты разрешила им оперировать ее?! Без моего согласия?!

— Брэд, о чем ты говоришь! У меня не было выбора. Хирург сказал, что она не доживет до утра, если ее не прооперировать. Как я могла не дать согласия?!

— Чушь! Ты имела право на выбор. Ты была обязана проконсультироваться с другими специалистами. — Он нес чепуху, но Пейдж знала, что таков его способ самозащиты. Шок был слишком силен, чтобы он сохранил здравый смысл.

— У меня не было времени, Брэд. Не было времени ни на что. Кроме молитв. Теперь все в руках господа — и врачей.

— Как она сейчас?

— Операция еще не закончилась. Она идет уже почти двенадцать часов.

— О боже! — Наступила длинная пауза. Пейдж

решила, что он плачет на другом конце провода. — Как это произошло? Кто вел машину?

Какая теперь разница?

— Парень по имени Филипп Чэпмен.

— Сукин сын. Он был пьян? Я из них душу вытрясу за это... — У него дрогнул голос при этих словах, а Пейдж покачала головой.

— Он погиб, Брэд... В машине их было четверо, и лишь один отделался легкой контузией. Хлоя получила серьезные травмы, но сейчас вне опасности... а Алли... она может и не выжить... а если выживет... Милый, ты должен вернуться домой... ты нам нужен.

— Я буду через час.

Они оба понимали, что это невозможно, самое раннее, он сможет прилететь через шесть часов, и то если удастся сразу сесть на самолет. Она была уверена, что он сможет получить место на первом же самолете в Сан-Франциско в связи с чрезвычайными обстоятельствами. Она была рада, что он наконец дозвонился до нее. Он нужен ей позарез — Тригви, конечно, подарок судьбы, но Брэд — муж.

— Я приеду как можно скорее, — взволнованно сказал Брэд.

— Я люблю тебя, — печально проговорила она, — я рада, что ты наконец будешь рядом.

— Я тоже, — ответил он и повесил трубку.

К ее изумлению, он вошел в приемную ровно в шесть часов вечера, через несколько секунд после того, как ей сказали, что операция закончилась. Однако ее исход станет ясен только через сорок восемь часов, а может быть, даже через несколько дней. Состояние Алисон настолько тяжелое, что какая бы то ни было определенность будет только через продолжительный отрезок времени. В настоящий момент было ясно лишь то, что пока она жива, и этим следовало удовлетвориться.

Итак, у нее были наконец хоть какие-то обнадеживающие новости для Брэда. Единственное, чего Пейдж никак не могла понять, так это того, как Брэд так быстро добрался до госпиталя — всего через час после того, как говорил с ней из Кливленда?

Брэд поговорил с хирургами и со средним медперсоналом, но они не разрешили ему увидеть Алисон. До завтрашнего утра она должна находиться в послеоперационной палате.

— Как тебе это удалось? — тихо спросила его Пейдж, когда они пошли выпить кофе. Она весь день не ела, просто не могла себя заставить поесть. Она выпила всего несколько чашек кофе, и, кроме того, Тригви заставил ее проглотить несколько крекеров. — Я имею в виду, как ты сумел так быстро приехать?

Он пожал плечами и отхлебнул кофе, избегая смотреть ей в глаза, и говорил только об Алисон. Неожиданно для себя самой Пейдж вдруг спросила:

— Где ты был? — Он просто физически не мог добраться от отеля в Кливленде до госпиталя в Сан-Франциско за час. Оба прекрасно это понимали.

— Это неважно, — спокойно ответил он. — Сейчас главное — Алисон.

— Конечно, — сказала Пейдж, пытаясь заглянуть в его глаза, но была не в состоянии что-либо увидеть там. — Но наши отношения тоже важны. Где ты был? — В ее голосе появились резкие нотки, ее снова начинала охватывать паника. Только она сумела справиться с одним кошмаром, и вот начинался другой — необъяснимый и пугающий. — Брэд, я тебя спрашиваю!

И тут в его глазах появился какой-то странный блеск.

— Я не собираюсь отвечать на твои вопросы, Пейдж. Я приехал сюда не для этого. Я спешил, Пейдж, я сделал все, что мог, чтобы побыстрее оказаться здесь.

Ее сердце сжалось от смутного предчувствия. Это несправедливо — она не может потерять их обоих в один день! Господи, неужели все это происходит с ней?!

— Значит, ты не был в Кливленде? — прошептала она. Брэд поспешно отвернулся, ничего не ответив ей.

Глава 5

Брэд вернулся домой раньше Пейдж, поняв, что в госпитале ему нечего делать: к Алисон его не пустили, а с ведущим хирургом он поговорил. Сказав Пейдж, что будет ждать ее дома, он уехал.

Перед тем как покинуть госпиталь, Пейдж снова увидела Тригви. Он привез с собой обоих сыновей. Пейдж сказала ему, что Брэд уже прилетел из Кливленда. Она не стала объяснять ситуацию в подробностях, поздоровалась с мальчиками и поблагодарила Тригви за помощь и поддержку. Она возвращалась домой на несколько часов, пока Алисон будет в послеоперационной, и собиралась вернуться в госпиталь к утру.

— Почему бы вам не отдохнуть подольше? Вам надо набраться сил.

— Спасибо, Тригви, — улыбнулась она в ответ, но на ее лице была написана такая мука, а в глазах застыла такая тоска, что он поспешил отвести глаза.

— Держитесь, Пейдж, — сказал Тригви на прощание.

Дома она застала Брэда, объясняющего Энди, что случилось с сестрой. Он сказал сыну, что Алисон получила тяжелую травму головы, но доктора сделали все, что могли, и скоро она поправится. Джейн ушла к себе, Брэд был один дома с Энди. Пейдж не понравилось то, что он говорил мальчику.

Она отправила Энди погулять. Сын явно не был в восторге от предложения, но послушно поплелся к двери. Пейдж выглянула в окно — он уже играл на лужайке с Лиззи. Успокоенная, Пейдж повернулась к мужу.

— Тебе не следовало говорить ему обо всем подробно, Брэд, — сказала она. У нее накопилось много вопросов к нему, но вопросы эти следовало отложить до того времени, когда Энди ляжет спать.

— Говорить о чем? — нервно переспросил Брэд. Его тон удивил Пейдж: Брэд был не просто взволнован, он еле сдерживал свою неприязнь.

— Во-первых, Энди не нужно знать все детали, во-вторых, зачем ты сказал, что она поправится? Мы ведь этого пока не знаем.

— Почему не знаем? Доктор Хаммерман сказал, что у нее есть реальные шансы выжить.

— Вот именно — выжить. Но никто не может сейчас с уверенностью утверждать, что она поправится. Не исключено, что она не выйдет из комы, останется слепой, будет вести растительный образ жизни. Брэд, насколько правильно ты понял то, что доктор говорил? Ты не имел права давать Энди необоснованные надежды.

— А чего ты от меня хотела? Чтобы я показал ему рентгеновский снимок ее черепа? Ради бога,

Пейдж, он ведь еще ребенок. Не напрягай его. Ты же знаешь, как он ее любит.

— Я тоже люблю ее. Я люблю их обоих... и тебя... но нечестно поселять в нем ложные надежды. Что, если сегодня ночью она умрет? Что, если ей станет хуже? Что тогда? — В глазах Пейдж заблестели слезы.

— Тогда нам придется держаться, что бы между нами ни произошло. — Голос Брэда предательски дрогнул.

— А что между нами может произойти? — с тревогой спросила Пейдж. — Мне кажется, ты чего-то недоговариваешь. Или это я совсем потеряла голову? И что вообще происходит?

— Так глупо все вышло, — уже спокойнее проговорил Брэд. — Если бы не эта авария, ты ничего бы не узнала. И незачем было названивать Дэну и разыскивать меня.

— То есть как это — незачем? — Пейдж была вне себя. — Наша дочь умирает, а я не должна была тебя разыскивать? Ты понимаешь, что говоришь?

— Неужели не ясно, что теперь он обо всем догадается, а я ведь с ним вместе работаю.

— А я? Мне о чем нужно было догадаться, Брэд? О том, какая я дура? Как часто ты это проделывал? — Она еще не до конца понимала, насколько глубок обман Брэда. Но что он не был в Кливленде, ей было ясно.

— Это не имеет значения. — Брэд чувствовал себя неловко — в его планы не входило делать ей признания, но теперь пути для отступления уже не было.

— Нет, имеет! Тебя, можно сказать, поймали без штанов, и я имею право знать, где ты был и с кем. Речь ведь идет и о моей жизни. Ты не просто развлекаешься в промежутках между гольфом. Это не забава для меня, во всяком случае. А для тебя, Брэд? Что, в самом деле, случилось? — Пейдж сама не заметила, как перешла на крик.

— Ты все понимаешь правильно. Неужели нужно еще повторить по буквам? — Брэд раздраженно передернул плечами.

У нее бешено застучало в висках — сколько же боли может она вынести всего за один уик-энд? Ей так хотелось, чтобы он все объяснил, успокоил ее, неважно, что это была бы ложь. Похоже, сегодня она узнала много нового о своем муже. Никогда раньше она не думала, что Брэд может быть так жесток.

— Это что-то новенькое? — настаивала она, но Брэд не спешил отвечать.

— Я не хочу это обсуждать с тобой, Пейдж.

— Придется, Брэд. Я не собираюсь играть с тобой в поддавки. У тебя есть другая женщина? Это очень важно для тебя?

— Боже мой, Пейдж, неужели нужно выяснять отношения именно сейчас?

— Это не может ждать, Брэд. Пойми, я же не знаю, как мне жить! Ты сам начал, и теперь я хочу знать, что случилось. Насколько это серьезно? Как давно это продолжается? Случалось ли у тебя такое раньше... и почему? — Она в отчаянии смотрела на него, и ее голос понизился до шепота: — Что с нами случилось, Брэд, почему я ничего не подозревала? — И вправду, как она была слепа! Неужели не было никаких признаков? Нет, даже если задуматься, она не может припомнить ничего настораживающего.

Брэду стало очень неуютно под ее взглядом. Он не любил, да и не умел выяснять отношения, и с

Пейдж они никогда не ссорились. Вот и сейчас ему был противен этот разговор, но теперь уже невозможно просто отложить его или сменить тему.

— Ты права, мне нужно было рассказать тебе обо всем раньше. Но я думал... я думал, что все быстро кончится или я положу этому конец.

— Насколько это серьезно?

Он долго не отвечал, и по смятенному выражению его лица, по боли, затаившейся во взгляде, она поняла, что это не интрижка, это нечто действительно серьезное, и с ужасом подумала: неужели ее брак распадется вот так — без малейшего предупреждения, без всякого знака, указывающего на опасность. Неужели так бывает?

— Брэд, что же ты молчишь? — Она слышала себя как бы со стороны: резкий голос, чужая обличительная интонация. — Значит, в самом деле все это так серьезно?

— Возможно, и серьезно, — смущенно ответил он. — Пейдж, я и правда пока ничего не знаю, поэтому и тебе ничего не говорил. — Вид у него был самый жалкий.

— И сколько же длится твой роман? — Ей нужно было знать, сколько времени она прожила слепой и глухой, не видя того, что происходило у нее под носом. Пейдж старалась сдержать набегающие слезы.

— Примерно восемь месяцев. Это началось во время одной из моих командировок. Эта женщина работает в отделе оформления нашей компании, мы вместе ездили в Нью-Йорк, устраивали презентацию для одного нашего серьезного клиента.

— Как она выглядит? — Пейдж было мучительно больно продолжать расспросы, но она хотела узнать все, до мельчайших деталей... Восемь месяцев? Дура, просто дура!

— Стефани совсем другая... не такая, как ты, я имею в виду... не знаю, как описать это... Она очень независимая, свободная, очень самостоятельная. Она из Лос-Анджелеса, приехала поступать в Стэнфордский университет, да так и осталась здесь. Ей двадцать шесть. Она просто... я не знаю... мы долго беседуем, у нас много общего. Я все время говорю себе: пора остановиться — и не могу. — Он беспомощно посмотрел на нее, и если бы его рассказ не рвал ей душу, она бы даже пожалела его. Ей очень хотелось спросить Брэда, красива ли она, хороша ли в постели, любит ли он ее по-настоящему? Но надо ли об этом спрашивать? И сколько она сможет выслушать? И что в конце концов могут дать все ее расспросы, что могут они изменить?

— Что ты думаешь делать, Брэд? Бросить в конце концов меня?

— Я просто не знаю. Понимаю, что так продолжаться не может. Но, Пейдж, честно говоря, я запутался. — Он провел рукой по волосам. — Я просто схожу с ума, я не знаю, что мне делать!

— Ну а я что делала все это время? Почему я ни о чем не догадывалась? — Она удивленно посмотрела на него — все это слишком невероятно, чтобы можно было поверить. Словно самые страшные кошмары вдруг стали явью: Алисон при смерти, а Брэд влюблен в другую. — Брэд, что с нами стало? Почему мы так отдалились друг от друга? Почему тебя никогда нет дома или ты играешь в гольф, пока я занимаюсь домом и ращу детей? Неужели в этом причина? Мы просто пошли каждый своей дорогой и сами не заметили этого. —

Она искренне хотела понять, что произошло, но так и не могла. Главное объяснение все время ускользало от нее.

— Ты не виновата, Пейдж, — великодушно сказал Брэд и смущенно потряс головой. — Может быть, впрочем, может быть, это наша общая вина. Может быть, мы что-то такое упустили, что нельзя было упускать... Позволили рутине заесть себя. Я и сам хотел бы это знать. — За восемь месяцев он так и не смог разобраться в этом, поэтому ничего не сказал Пейдж, поэтому не смог уйти от нее.

— Что ты теперь решил? Ты прекратишь встречаться с ней? — прямо спросила Пейдж, но он не ответил сразу и лишь через некоторое время отрицательно покачал головой. Она почувствовала, что у нее перехватывает дыхание. Собравшись с силами, она спросила: — А что прикажешь делать мне? Просто смотреть в другую сторону, когда тебе захочется немного потрахать мисс Крошку-художницу? — Она была в ярости и поймала себя на том, что больше всего ей хочется ударить его, сделать ему больно хотя бы словами, и видела, что Брэд это понимает.

Брэд уже свыкся с чувством вины, которое он испытывал на протяжении всех восьми месяцев, особенно в моменты, когда Пейдж была добра и нежна к нему или хотела любить его. Каждый раз он испытывал боль и смятение, но расстаться со Стефани было выше его сил. Брэд не был готов отказаться от них обеих. Он часто говорил себе, что обе эти женщины нужны ему одинаково, но это была неправда: он все еще любил Пейдж, но уже не был влюблен. Он любил ее, ценил то, что она хорошая жена и прекрасная мать, отличный друг и замечательная женщина. Никто не мог бы требовать от женщины большего... и все же рядом с ней он не ощущал такого горения страсти, как со Стефани. И с этим он ничего не мог поделать, ничего не мог тут изменить.

— Что же мне теперь сделать? Исчезнуть? Раствориться? Облегчить вам обоим жизнь? — Она внезапно испугалась, подумав, что он хотел — или подумывает об этом сейчас — просто выставить ее. А что станет с Энди? Она разрыдалась, представив эту перспективу, эта беда наложилась на горе, связанное с Алисон. — Что ты от меня хочешь?! — спросила она, стараясь говорить как можно спокойней. Он хотел бы успокоить ее, но не мог.

— Ничего. Давай подождем, пока все не определится с Алисон. Займемся пока выживанием. Почему бы не отложить все это разбирательство на потом? Мы не можем решить обе проблемы прямо сейчас. — Это звучало разумно, но Пейдж была не в состоянии воспринимать разумные доводы.

— И что тогда? Ты хочешь бросить меня, когда Алисон очнется... или после ее похорон?! — зло спросила она. Она находилась на грани истерики, но он не сделал ничего, чтобы предотвратить ее. Он просто ничего не мог сделать. Он сам еле сдерживался и знал, что любое его слово будет принято в штыки, только ухудшит дело. Теперь Пейдж знала все, и нужно было просто переждать, пока все уляжется.

— Я не знаю, что нужно сделать, Пейдж, я уже много месяцев пытаюсь это понять, но не могу. Может быть, ты мне поможешь в этом? — Брэд не был еще готов к разводу, и он не был уверен в своих отношениях со Стефани, а та была готова ждать, пока он не определится. Она не давила на него, требуя немедленного решения. Он сам двигался к нему, подгоняемый своей страстью. Он устал врать, он чувствовал свою вину в отношении Пейдж, в особенности теперь, когда все вышло наружу.

Одно было ясно Брэду: он любил их обеих, хотя по-разному, он сам загнал себя в этот тупик. И он стал еще более глухим, после того как Пейдж все узнала. Он уже ругал себя за то, что открылся. Восемь месяцев она ничего не подозревала, когда он «ездил в командировки», хотя больше половины этих командировок были прикрытием. Он сам поставил себя в это идиотское положение, поставил под удар себя, причинил боль Пейдж именно тогда, когда на нее свалилось это несчастье.

— Я все-таки думаю, что нам не нужно пытаться решать все прямо сейчас, Пейдж. Мне кажется, нужно подождать, пока не прояснится ситуация с Алисон и она будет вне опасности.

— А потом? — Она продолжала требовать от него ответа, которого у него не было. Она сыпала соль на раны обоим, но он не мог сейчас осудить ее.

— Не знаю, Пейдж... правда, не знаю.

— Ну тогда, когда все-таки придешь к какому-нибудь решению, не забудь поставить меня в известность. — Она встала и посмотрела на него каким-то холодным, оценивающим взглядом — он уже стал для нее чужим. Человек, которого она любила, с которым так доверчиво спала, оказалось, давно уже лжет ей. Она и ненавидела его, и боялась потерять навсегда.

— Я знаю, нелепо сейчас извиняться... — Брэд знал, что должен сделать что-то большее, чем просто извиниться, но внезапно почувствовал, что ничего не может ей обещать.

— Мне кажется, «извиняться» вряд ли подошло бы к нашей ситуации. Думаю, что ты должен сделать нечто иное, чем просто извиниться, Брэд. Или ты так не считаешь? — В ее глазах блестели слезы. Такого выражения ненависти, страха и одновременно боли он никогда не видел на ее лице.

— Мне кажется, что ты с этим справишься. Ты — сильная. Думаю, ты без меня проживешь.

Чем же она оттолкнула его? Чья вина в том, что их брак рушится? Она перестала уделять Брэду должного внимания? Она винила и себя, и его, и всех остальных.

— Наверное, мы оба сглупили, — мужественно произнесла она, — или как минимум я.

— Не говори так, дело не в этом, — искренне возразил Брэд. В общем-то, он не собирался ползать на коленях, оправдываясь перед Пейдж. Просто настал такой страшный и необратимый момент в их отношениях... И еще этот несчастный случай с Алисон...

— Значит, никто не виноват? Просто так уж вышло, — тихо проговорила Пейдж и вышла из комнаты. Сил продолжать разговор у нее не было.

Она двигалась словно робот — пошла на кухню, достала пиццу, поставила в микроволновую печь и через пять минут позвала Энди. Она была в полумертвом состоянии и при каждом звонке телефона вздрагивала — не звонят ли из госпиталя? Ее сознание металось между страхом потерять Алисон и страхом потерять Брэда.

— Ну как ты, капитан? — грустно спросила она Энди, ставя тарелку перед ним. Брэд так и не вышел еще на кухню. Пейдж вдруг остро пронзило ощущение, что ее жизнь кончена.

— Порядок, — ответил ей Энди. — Ты выглядишь усталой, мама. — Он всегда волновался за нее. Раньше-то она считала, что и Брэд за нее беспокоится, но за последний час вера в его искренность рухнула навсегда. Что же теперь делать?

— Я и вправду очень устала, дорогой. Алли так плохо.

— Я знаю. Но папа сказал, что она поправится. — Слава «святому» папочке! А если она умрет? Но теперь остается только одно — это касалось всех ее несчастий — подумать об этом после.

— Надеюсь.

Энди странно посмотрел на нее.

— То есть ты не совсем так думаешь? То есть с ней может что-то случиться?..

— Я надеюсь, что все будет в порядке. — Пока она могла сказать сыну только это.

Когда он расправился с пиццей, она посадила его к себе на колени. Он был еще такой легкий и доверчивый, что прижимать его к себе было так естественно и приятно. Им обоим стало хорошо. Ей больше всего сейчас хотелось ощутить тепло своего ребенка.

— Я люблю тебя... — Малыш был так открыт, так непосредствен!

— Я тоже люблю тебя. — У нее непроизвольно полились слезы. Она думала не столько об Энди, сколько об Алли и Брэде.

После душа она уложила его и начала читать ему сказку. Потом прилегла минут на десять в спальне, закрыла глаза и попыталась заснуть, но у нее в голове крутилось столько мыслей... столько вопросов... об Алисон... о Брэде... об их браке... о жизни и смерти... Она услышала, как открылась дверь, и, разлепив веки, увидела в проеме двери Брэда.

— Могу я чем-нибудь помочь? — Он не знал, что еще сказать ей — слишком много произошло всего, слишком многое было сказано, чтобы они остались мужем и женой. Страшно подумать об этом, но и глупо делать вид, что ничего не случилось. — Ты поела?

— Нет, я не голодна. — Она действительно совершенно не хотела есть, и для этого было немало причин.

— Принести тебе что-нибудь из кухни?

Она помотала головой, стараясь не думать о его словах. Но она не могла избавиться от мысли об этой женщине и восьми месяцах, что они провели вместе. А до того? Наверное, был кто-то еще? Как долго он надувал ее? Сколько их было? И почему — она разонравилась ему или просто наскучила?

Она вдруг осознала, что на ней до сих пор тот же старый свитер и те же старые джинсы, а волосы спутаны после проведенной в госпитале ночи. Да уж, куда ей соревноваться с двадцатишестилетней выпускницей Стэнфорда, у которой нет забот и ответственности! Что они будут делать, когда этот уик-энд кончится?

— А где вы с ней были? — Пейдж решила, пока Брэд рядом, вытянуть из него как можно больше информации.

— Какая тебе разница? — Ему не понравился ее вопрос, и Пейдж еще больше разозлилась.

— Просто хочется знать, где ты был, когда я не могла тебя найти. — Интересно, куда они ходят? Пейдж чувствовала, что он уже закрыт для нее, он — совершенно посторонний человек.

— Мы ездили в «Джон Гардинер».

К ее удивлению, он ответил! Это было ранчо с теннисными кортами в Кармеле. Она только кивнула в ответ. Но к тому времени, как он позвонил ей в госпиталь, он должен был вернуться в городскую квартиру Стефани — иначе все равно не сумел бы так быстро приехать в госпиталь. Некоторое время он молча стоял у двери. Но потом решил все-таки продолжить разговор.

— Ты должна поесть, — сказал он, меняя тему. Ему не хотелось обсуждать с ней свои отношения со Стефани. Но Пейдж явно хотела узнать все до мельчайших подробностей, эти сведения об их жизни со Стефани могли помочь ей понять, что же случилось.

— Я собираюсь принять душ и вернуться в госпиталь, — тихо ответила она. Дома ей нечего больше делать — Энди заснул, и ее место теперь только рядом с Алли.

— Тебе же сказали, что все равно к ней тебя не пустят, — возразил Брэд.

— Мне все равно. Я просто хочу быть там, рядом с ней.

Он задал следующий вопрос:

— А Энди? Ты вернешься домой до утра?

Она покачала головой.

— Вряд ли. Придется тебе приготовить его к школе. Я думаю, с этим ты справишься и без меня. — Неужели теперь она вообще нужна ему только для того, чтобы заботиться о детях?

— С этим я справлюсь, — согласился он и добавил: — Но ты нужна мне для другого...

— Да? — холодно удивилась она, поднимая на него глаза. — Для чего, например? Ничего подходящего не приходит в голову.

— Пейдж... но я же люблю тебя... — Его слова прозвучали искренне.

— Неужто, Брэд? — с грустью спросила она. — Насколько я понимаю, я долго сама себя обманывала. И ты меня обманывал. Знаешь, я думаю, это даже хорошо, что теперь все выяснилось и определилось. — Хотя это открытие и не доставляло ей радости, говорила она совершенно искренне. На самом же деле она и сейчас была потрясена до глубины души.

— Мне жаль, Пейдж, что так получилось, — тихо откликнулся Брэд, но даже шага к ней не сделал. Это сказало ей больше, чем миллион слов. Между ними отныне пролегла пропасть.

— Мне тоже, — сказала она, взглянула на него и направилась в ванную. Она включила воду, закрыла за собой дверь. Лежа в ванне, она думала об Алисон и Брэде, и у нее по щекам текли слезы. Теперь ей придется плакать о двоих, повторяла она себе.

Глава 6

Воскресную ночь Пейдж провела в госпитале, свернувшись клубком в кресле в приемной. Она даже не замечала, насколько неудобно кресло — она не могла заснуть, думая об Алисон. Запахи и звуки госпиталя не давали ей спать, ее все время мучили плохие предчувствия, ей казалось, что Алисон может умереть в любой момент. И наконец, в шесть утра ее пустили к дочери.

Милая молодая медсестра провела Пейдж в палату, по дороге болтая о том, какая Алисон красивая, какие у нее чудные волосы. Пейдж слушала ее вполуха, думая о своем, пока они шли по коридору. Ей не хотелось разговаривать, хотя она была признательна сестре за то, что та заботилась о ней. Она не могла себе представить, как это они могут знать, какой красивой была раньше Алисон. Ведь они увидели ее изуродованной.

Они миновали несколько дверей, автоматически раздвигавшихся при их приближении. Пейдж пыталась собраться с мыслями — она не переставала думать о Брэде и обо всем, что случилось с ними, а нужно было сконцентрироваться на Алисон. Вид дочери, когда Пейдж, подойдя к кровати, наконец увидела ее, не слишком воодушевил ее.

Алисон выглядела хуже, чем перед операцией, — повязка на бритой голове просто устрашающая, лицо смертельно-белое, она окружена аппаратами, трубочками и проводками. Казалось, что ее душа находится за тысячи миль от бедного измученного тела.

Хирургическая сестра сохранила для Пейдж, как она и просила, прядь шелковистых волос Алисон, и медсестра в палате передала прядь Пейдж. У Пейдж навернулись на глаза слезы, она сжала в одной руке прядь волос, а другой прикоснулась к Алисон.

Пейдж долго стояла, держа Алисон за руку, думая о том, какой она была всего два дня назад. Как случилось, что все рухнуло так быстро, в один момент? Теперь Пейдж была не в состоянии поверить кому-либо или чему-либо, тем более судьбе — она так жестоко обошлась с ней. Пейдж поняла, что не перенесет потери Алисон. Она вспомнила, как они с Брэдом боялись потерять Энди, как она часами смотрела на него, крошечного, лежавшего в кувезе, опутанного трубками, моля бога о том, чтобы их малыш выжил. И свершилось чудо — он выжил!

Сидя на маленьком стульчике рядом с Алисон, Пейдж шептала ей в замотанное бинтами ухо, моля бога о том, чтобы Алисон услышала ее:

— Я не хочу, чтобы ты уходила, дорогая, не хочу... ты нужна нам... я так люблю тебя... ты всегда была мужественной девочкой, ты должна бороться... девочка, ты должна! Я люблю тебя, моя милая... ты всегда останешься моей любимой девочкой...

От Алисон пахло медикаментами, в аппаратах мигали огоньки и раздавалось попискивание, но больше не было слышно ни звука, не было никакого движения. Пейдж не ждала, что дочь ответит ей — жестом ли, слабым движением, но она хотела говорить с Алисон, хотела быть рядом с ней, ощущать ее, любить ее.

Сестры позволили ей пробыть с Алисон довольно долго, и, только когда настало время новой смены, в семь часов, они вежливо предложили ей пройти в буфет и выпить немного кофе. Она же пошла в приемную реаниматологии и села, неотступно думая об Алисон: какой та была и какой стала. Она даже не обращала внимания на проходящих мимо, пока кто-то не тронул ее за локоть. Она подняла глаза — перед ней стоял Тригви. Он побрился, надел светлую рубашку, выглядел отдохнувшим и посвежевшим. Однако его лицо выдавало тревогу — было уже утро понедельника, и он волновался, в каком состоянии находится его Хлоя.

— Вы опять не уходили ночью домой?

Пейдж кивнула. Она выглядела ужасно, хуже, чем в прошлую ночь. Но Тригви понимал ее.

— Я спала в приемной, — попыталась улыбнуться она, но улыбка вышла какой-то жалкой.

— Спали? — строго спросил Тригви, словно заботливый папаша.

— Немного, — улыбнулась она, — мне хватило.

А утром они даже разрешили мне побыть с Алисон.

— Ну и как она?

— В том же состоянии. Но я им все равно благодарна. Мне нужно было посидеть рядом с ней. — По крайней мере Пейдж видела свою дочь, могла прикоснуться к ней. Больше всего ей хотелось снова вернуться к Алисон. — Как Хлоя?

— Спит. Я только что от нее. Они по-прежнему держат ее на болеутоляющих, так что она почти не чувствует боли. Я думаю, это к лучшему.

Пейдж кивнула. Тригви присел на стул рядом.

— А как ваши мальчики?

— Ничего. Бьорн был просто убит ее видом. Я спросил его лечащего врача, стоит ли вообще приводить его к Хлое, и тот сказал, что это важно для мальчика. Он подчас не понимает некоторых вещей, пока не увидит их сам. Но для него это серьезное испытание. Он плакал прошлой ночью, и у него были кошмары. Так что мы все перенервничали.

— Бедный мальчик. — Ей стало в самом деле жаль Бьорна. Да, жизнь бывает нелегка. И она не очень-то справедлива. Трудно к этому привыкнуть.

— А как Энди?

— Очень напуган. Брэд сказал ему, что Алли непременно выздоровеет, а я была менее определенна. Не думаю, что это честно — давать ему ложную надежду.

— Я тоже так думаю. Но, наверное, Брэду самому трудно с этим свыкнуться. Чаще бывает проще закрыть глаза.

— Да, наверное, — кивнула Пейдж.

— Это, конечно, глупый вопрос, — сказал он, —

но вы-то сами как? У вас не слишком-то бодрый вид.

— Да. Но это уже не имеет значения.

— Когда вы в последний раз ели?

— Кажется, вчера вечером. Я сделала Энди пиццу на ужин и сама отщипнула кусочек... Что-то в этом роде.

— Так нельзя, Пейдж. Вам нужно поддерживать силы, иначе ослабеете. Идемте. — Он встал и строго посмотрел на нее. — Вставайте. Я хочу угостить вас завтраком.

Она была тронута, но есть совершенно не хотела. Все, чего ей сейчас хотелось, — свернуться в клубочек и забыть обо всем, может быть, даже умереть, если умрет Алисон. Она ощущала себя уже совершенно другой женщиной — несчастной, скорбящей, брошенной. Да, ей есть о чем скорбеть. О себе самой. О своей дочери. О своем браке. О жизни, которая теперь станет совсем иной и никогда не будет прежней.

— Спасибо, Тригви. Но я просто физически не могу есть.

— Заставьте себя, — тихо, но твердо сказал он. — Съешьте что-нибудь. Иначе я позову врача, я устрою скандал. Вы еще не знаете, на что я способен! Идемте. — Он взял ее за руку и потянул. — Ну-ка поднимайтесь, и пойдем завтракать.

— Ладно, ладно, иду, — согласилась она и улыбнулась, следуя за ним.

— Я не считаю, что это самое лучшее место для того, чтобы позавтракать вместе, — сказал он извиняющимся тоном, — но другого я не могу вам сейчас предложить. — Тригви дал ей в руки поднос и подтолкнул к прилавку, затем начал заставлять его тарелками. Он взял овсянку, яичницу с беконом, хлеб, желе и чашку кофе.

— Если вы думаете, что я способна все это съесть, то вы просто сумасшедший.

— Даже если съедите хотя бы половину, уже будет хорошо, вот увидите. Я научился этому еще в детстве, в Норвегии. Нельзя изводить себя голодом в холодную погоду и при стрессах. Иногда мне по нескольку дней не хотелось есть, когда мы расходились с Даной, но я себя принуждал. И это всегда помогало — отвлекало по крайней мере.

— Мне почему-то кажется это нелепым — есть, когда такое несчастье.

— Понимаете, если не поесть или не поспать, вещи кажутся хуже, чем они есть на самом деле. Все-таки вам нужно подумать и о себе, Пейдж. Почему бы вам не отправиться домой и не отоспаться хоть несколько часов? Брэд может посидеть тут вместо вас.

— Кажется, ему нужно сегодня обязательно быть на работе. Пожалуй, я действительно съезжу домой и отвезу Энди в школу... Малыш очень переживает. Правда, не знаю, кто бы мог забрать его из школы и отвезти на бейсбол.

— Я кое-что могу сделать для вас. Через несколько дней каникулы кончаются, и Ник уедет в колледж, Бьорн же целыми днями пропадает в школе, а с Хлоей, надеюсь, не будет никаких неожиданностей. Так что, если будут проблемы, обращайтесь ко мне, и я отвезу Энди куда надо, — улыбнулся он ей.

— Это очень любезно с вашей стороны.

— Ничего особенного. У меня есть время. Все равно я работаю большей частью ночью. Днем я просто не в состоянии писать.

Они еще немного поговорили, пока она справлялась с овсянкой и яичницей. Тригви, как мог, развлекал ее — делился своими творческими замыслами, рассказывал о норвежских родственниках, расспрашивал о ее занятиях живописью. Он похвалил ее роспись в школе. Пейдж была очень признательна Тригви за поддержку, без него в эти дни в госпитале ей было бы намного тяжелее. Но она все время возвращалась в мыслях к Алисон и Брэду, и Тригви видел, что она едва прислушивается к его словам.

Наконец он сказал, что ему еще нужно отвезти Бьорна в школу, и она пообещала ему зайти к Хлое, что и сделала потом. Но Хлоя большую часть дня спала, просыпаясь только тогда, когда кончалось действие болеутоляющего, и сестре приходилось делать ей новый укол. Девочка даже не замечала, что Пейдж стоит в палате и смотрит на нее.

В полдень Алисон перевели в палату интенсивной терапии, так что стало удобнее наблюдать за обеими девочками. Во время ленча появился Брэд. Он заплакал, когда наконец увидел Алисон. Когда они вышли из палаты, он остановился поговорить с Пейдж. Теперь, когда он увидел, что стало с Алисон, он отчетливо понимал, какой удар обрушился на жену, и ему было нелегко обсуждать с ней это несчастье после того, как она узнала всю правду о нем.

— Пейдж, мне очень жаль, что я добавил тебе проблем именно сейчас. — Он выглядел подавленным.

— Но ведь все равно мне пришлось бы с этим столкнуться, раньше или позже, разве нет? — равнодушно спросила она. — Хотя, признаться, время выбрано не самое лучшее.

Плохо, что это произошло именно сейчас. С нее хватило бы и беды с Алли.

Но она решила больше не строить иллюзий. Что толку считать, что у нее хороший брак, когда его на самом деле уже нет? Интересно, сказал ли он Стефани, что Пейдж уже все известно, и довольна ли та этим? Кроме того, Пейдж хотелось знать еще кое-что: что же не устраивало Брэда в их браке? Но она понимала — ей никогда не удастся узнать всю правду.

— Я хотела бы знать, почему так получилось, — тихо сказала Пейдж. Они стояли в коридоре отделения реаниматологии, мимо них спешили люди. Не самое удобное место для выяснения отношений — среди взволнованных, испуганных людей, озабоченных болезнями своих близких. Зато тут было светлее и больше свежего воздуха. Может быть, и не стоило теперь выяснять, почему их брак развалился — раз уж это случилось. Она как-то странно посмотрела на него. — Неужели вам не мешало то, что вы развлекались и наслаждались друг другом в то время, когда я, идиотка, сидела дома с детьми или развозила их по школам и стадионам? — Он ей сказал вчера, какая Стефани независимая и самостоятельная. А чего б ей не быть такой?! У нее нет ни мужа, ни детей, она никому ничего не должна. Она может спокойно развлекаться с Брэдом, а у Пейдж есть обязанности. Вот что на самом деле терзало ее.

— Никто не пытался выставить тебя дурой, Пейдж, — тихо ответил он, стараясь, чтобы их не услышали проходящие мимо люди. — Я отлично понимаю, какая нелепая ситуация получилась. Но никто не считает тебя дурой. Ты просто невинная жертва.

— Спасибо и на этом, — грустно добавила она.

— Главное, что делать теперь, — нервно произнес он.

— Разве? По-моему, все достаточно ясно. — Она старалась говорить независимо, но в ее глазах читалось совсем другое — шок, отчаяние и ужас.

— Ничего не ясно, по крайней мере мне. — На его лицо словно набежала туча. — Ты оставишь меня? — Эта мысль, казалось, изменила его. Пейдж горько усмехнулась — нет, все-таки он иногда поражает!

— Ты шутишь, Брэд? Что ты разыгрываешь изумление? Неужели ты считаешь, что я оставлю все как есть или что ты не захочешь уйти от меня со временем?

— Я никогда не говорил, что собираюсь уходить от тебя, — упрямо гнул он свою линию. — Я ничего подобного не утверждал. Я просто сказал, что не знаю, как поступить.

— Это явная ложь. Ну что ж, я тоже не знала. Но теперь я думаю, что разрыв был бы лучшим выходом для нас обоих в сложившейся ситуации. А что ты раздумываешь? Что ты такое хочешь сказать? Что ты хочешь остаться моим мужем после всего, или что ты не уверен в этой девушке, или что ты слишком боишься сделать первый шаг? Что такое, Брэд? — Она заговорила в полный голос, и он почувствовал себя неуютно в этом коридоре.

— Тише. Вовсе не обязательно, чтобы весь госпиталь узнал о наших отношениях.

— А почему бы и нет? Мне кажется, все и так знают. На работе наверняка считают тебя горячим парнем, ты же не мог не сталкиваться, когда был со Стефани, с общими знакомыми. Так что я, как говорится, просто узнала об этом последней.

— Я не хотел, чтобы ты знала... то есть, чтобы ты все узнала вот так вот...

— Это все равно могло произойти в любой момент. Кто-то проговорился бы рано или поздно. Во время очередной твоей «командировки» несчастье могло случиться с Энди или я бы заболела... А представь себе, я сама бы наткнулась на вас? Меня больше волнует, что ты готов мне сказать: мол, это простая интрижка... Вчера вечером мне показалось, что дело серьезное и ты не собираешься расставаться с ней. Я ослышалась или что-то перепутала?

Она бы предпочла ослышаться, но понимала, что в любом случае никогда не сможет относиться к Брэду по-прежнему. Может быть, обида испарится со временем, но она уже никогда не сможет доверять ему. А может быть, после всего того, что сказано и сделано, она больше не любит его? Трудно сказать, пока что все, что она может сделать, — это выяснить его намерения.

— Ты не ослышалась, — раздраженно ответил он, — я действительно не говорил тебе, что собираюсь прекратить эту связь. Но принимать решение относительно нас двоих, к тому же учитывая положение Алисон, совершенно неуместно.

— Ну разумеется, — снова начала закипать Пейдж, однако на этот раз не повышая голоса. — Ты собираешься по-прежнему общаться со своей подружкой, а я не должна вышвыривать тебя или убираться сама — сейчас, видите ли, не время. Извини, но я тебя просто не поняла. Нет проблем, Брэд! Оставайся, сколько тебе захочется. А когда решишься уйти, не забудь пригласить меня на свою свадьбу. — Она готова была разрыдаться и наговорить ему кучу гадостей, но оба понимали, что коридор у палаты интенсивной терапии, где лежала в состоянии комы их дочь, — не место для такого выяснения отношений.

— Давай немного все-таки остынем, повременим и посмотрим, как будет чувствовать себя Алисон, — спокойно сказал он. Это звучало разумно, но Пейдж слишком разозлилась, чтобы спокойно принять предложение. — Кроме того, это будет слишком тяжело для Энди, если мы зайдем так далеко. — Первая здравая мысль, сказанная им, и Пейдж кивнула в знак согласия.

— Да, тут ты прав. — Она посмотрела на него, не в состоянии правильно выразить мучивший ее вопрос. — А ты будешь продолжать встречаться с ней или мы обсудим это потом?

— Примерно, — ответил он, отводя взгляд. Он знал, что требует от нее слишком многого, сам бы он на ее месте этого так не оставил, не смог бы.

— Неплохо ты собираешься устроиться. А мне нужно просто отворачиваться время от времени? Правильно? — спросила Пейдж, которой стало даже любопытно — как-то он ответит ей?

— Я просто не знаю, что делать в такой ситуации, Пейдж. Ты сама могла бы догадаться, — резко ответил он. Он не собирался ставить под угрозу свои отношения со Стефани, но и разводиться не хотел до тех пор, пока все для него самого не прояснится. Это действительно неплохое решение, но Пейдж оно неминуемо привело бы в ярость, если бы он прямо сказал о своих намерениях. Но в данный момент выбора у нее не было — она просто не смогла бы справиться и с разводом, и с несчастным случаем с Алли, и с реакцией на все это Энди, не говоря уж о самой себе. Независимо от того, что она решила бы, она должна подумать о будущем, а в данный момент ничего приятного ее впереди не ждало.

— Если думаешь, что я дам тебе разрешение на свободу действий, то ты ошибаешься, — ледяным тоном ответила она. — Ты не вправе требовать этого от меня. Ты и раньше делал то, чего тебе хотелось, без моего разрешения. Но я не собираюсь облегчать тебе задачу. Ни в коем случае. И рано или поздно тебе придется столкнуться с результатами твоего решения. — В общем-то ему еще повезло, что пока нужно заниматься здоровьем Алисон, иначе бы пришлось прямо отвечать за то, что он сделал с их браком. Но рано или поздно им все равно придется решать этот вопрос, независимо от Алли, они оба прекрасно это понимали. Это-то и пугало Брэда и угнетало Пейдж, даже сейчас и здесь — в коридоре около палаты интенсивной терапии.

Он пристально посмотрел на жену, не зная, что сказать. Ему нужна передышка, надо взять себя в руки, хорошенько все взвесить. В одно мгновение их жизнь изменилась, и он не знал, как вести себя в этой новой ситуации.

— Мы поговорим об этом в другой раз. Мне нужно ехать на работу.

— Где мне искать тебя, если ты понадобишься? — холодно спросила она. Он удирал от нее, от Алли, из госпиталя с его гнетущей атмосферой, удирал от необходимости принять решение об их отношениях... Он ретировался в свой офис, чтобы укрыться там, убегал к Стефани, чтобы та его утешала. Пейдж даже стало любопытно — как все-таки та выглядит?

— Что ты имеешь в виду — «где меня искать»? —

сказал он укоризненно. — Я же объяснил — в офисе.

— Я просто подумала, что ты ведь можешь поехать не только в офис. — Брэд отлично понимал, что она имеет в виду, и вспыхнул от ярости и стыда. — И если ты будешь все-таки не в офисе, оставь мне записку в приемной интенсивной терапии, где я смогу тебя найти.

— Само собой, — холодно ответил он.

Она хотела спросить, собирается ли он сегодня ночевать дома, и вдруг поняла — нет, она больше не хочет задавать ему никаких вопросов. Она больше не хочет слышать ложь, не хочет ссориться с ним, оскорблять его или слышать презрительные нотки в его голосе. После этого разговора она чувствовала себя полностью опустошенной.

— Я позвоню тебе позже, — сказал он и умчался, и она проследила за ним взглядом. В ее душе бушевали гнев, ярость, печаль... страх... и одиночество.

Пейдж вернулась к Алисон, а в три часа подъехала к школе, чтобы забрать Энди. Для нее было облегчением снова надеть на себя привычную лямку, вписаться в прежнее расписание, заниматься с Энди. Она провела с сыном весь день, а потом отвезла его к Джейн Джилберт на ужин. Предполагалось, что заберет его Брэд по дороге с работы домой.

— Увидимся утром, — поцеловала она сына, с удовольствием вдохнув свежий и чистый аромат детства, источаемый его кожей, ощущая на своей шее его маленькие руки. — Я тебя люблю.

— Я тоже тебя люблю, мам. Поцелуй за меня Алли.

— Обязательно, мой милый.

Она поблагодарила за помощь Джейн, которая, как и Тригви, советовала ей не перенапрягаться.

— Ну а что же мне делать? — раздраженно спросила Пейдж. — Сидеть дома и смотреть телевизор? Куда я еще могу пойти, когда она в таком состоянии?

— Я понимаю тебя, но отнесись к этому более здраво. Не загоняй себя в гроб. — Обе отлично знали, что все это лишь слова — у Пейдж нет выбора. Она должна быть с Алли.

В госпитале она была в четверть восьмого. Посидела с Алисон в интенсивной терапии, а потом вышла в коридор и прикорнула в неудобном кресле. Она ждала, когда ее снова пустят в палату. Там не разрешали находиться слишком долго, так как у персонала было много работы и не всем пациентам нравились частые визиты родственников.

— Не слишком-то удобное место, — услышала она голос Тригви.

Пейдж медленно разлепила веки и улыбнулась ему — она совершенно вымоталась за этот день, а у Алисон не было никаких признаков улучшения. Собственно, они и не ожидали, что она так быстро придет в себя. Врачи пытались определить, что будет с ее мозгом в ближайшие дни. Они постоянно тестировали ее. И пока не было особо обнадеживающих признаков.

— Как прошел день? — спросил он, садясь в кресло рядом. У него дела обстояли не лучше — несмотря на обезболивающие средства, Хлоя начала испытывать боль.

— Не особо. — Тут она вспомнила о посланиях на автоответчике и была поражена тем, что вся лента исписана. — Их одноклассники звонили вам столько же, сколько и мне?

— Наверное, — улыбнулся он. — Целая компания прибыла в госпиталь после школы, но их в интенсивную терапию не пустили. Кое-кто из них, полагаю, хотел повидать и Алисон, но сестры не дали.

— Это полезно для них... наверное, им разрешат в конце концов... когда девочкам станет лучше. — Если когда-либо... если вообще им станет лучше. — Наверное, весть об этом разнеслась по школе. И наверняка все жалели беднягу Чэпмена.

— Один из ребят рассказал мне, что в школе появились журналисты, расспрашивали их о Филиппе, что он был за парень. Он ведь был отличником и капитаном команды по плаванию, замечательным парнем. — Тригви покачал головой, подумав, как и Пейдж, о том, что и любая из девочек могла погибнуть так же, как и Филипп.

В городских газетах сегодня появились материалы об этом несчастном случае, с фотографиями и рассказом о каждом из четырех пострадавших подростков. Разумеется, в центре внимания оказалась Лора Хатчинсон с ее горем по поводу гибели Филиппа Чэпмена. Она отказалась дать интервью, но в газете поместили отличную ее фотографию и несколько реплик помощников сенатора. Они сказали, что миссис Хатчинсон слишком взволнована, чтобы давать интервью. Сама мать, она хорошо понимает горе семьи Чэпменов и боль родителей пострадавших девочек. Статьи очень тонко обеляли миссис Хатчинсон, и, хотя прямо это не утверждалось, из заметок становилось ясно, что, несмотря на то что молодой водитель не был пьян, ребята вечером употребляли спиртное. После прочтения материалов об автокатастрофе складывалось впечатление, что несчастный случай произошел по вине Филиппа.

— Отлично сработано, — спокойно сказал Тригви, когда она просмотрела газеты. — Они нигде не обвиняют мальчика прямо в том, что он был пьян, но делают тонкий намек. Зато миссис Хатчинсон — разумеется, взрослый, солидный человек, прекрасная мать, разве можно обвинить ее в смерти одного подростка и угрозе жизни остальным троим?

— Вы говорите так, словно не верите им, — удрученно сказала Пейдж. Она просто не знала уже, чему верить. В госпитале дали определенный ответ — Филипп не был пьян. И тем не менее кто-то же был виновен в аварии, хотя теперь это, пожалуй, не имело никакого значения. Установление вины не вернуло бы жизнь Филиппу, не могло вернуть Алисон из палаты интенсивной терапии или восстановить ноги Хлои. Это не изменило бы ничего, кроме, пожалуй, возможных исков. Но пока Пейдж и подумать об этом не могла. Судебный иск не принес бы ничего выжившим и не оживил бы Филиппа. Только при мысли об этом Пейдж становилось дурно — это было бы просто ужасно.

— Не то что я не верю им, — ответил Тригви, — просто я знаю, как они пишут статьи. Намеки, ложь, то, как они скрывают правду и излагают историю в соответствии со своей выгодой. Точно так же, как политические комментаторы, — они пишут только о том, что соответствует их точке зрения, а это не одно и то же, что истина. Статьи так конструируют, чтобы они соответствовали заранее известному сценарию. Так и тут. К тому же помощники Хатчинсона слишком много пускают пыли в глаза и прикрывают ее. Может быть, это не ее вина, может, и ее, но они-то делают из нее миссис Совершенство, миссис Прекрасная Мать и миссис Первоклассный Водитель.

— Вы думаете, она виновата?

— Может, да. А может, и нет. Но вероятность не меньше, чем у Филиппа. Я говорил с полицейскими, они утверждают, что данных слишком мало для определенного вывода. Обоих можно было бы обвинить. Разница в том, что Филипп был подростком, у него не такой водительский стаж, как у нее. Ребята иногда слишком волнуются за рулем, но не все. А судя по рассказам его друзей, он был парень спокойный. Джейми Эпплгейт сказал, что Филипп выпил полбокала вина и две чашки кофе. Я часто сажусь за руль в гораздо менее трезвом состоянии — хотя и не должен бы. А он крупный парень, полбокала вина не могли свалить его с ног, к тому же две чашки кофе и потом капуччино. Однако миссис Хатчинсон утверждает, что она вообще не брала в рот спиртного в тот вечер. Итак, она старше, трезвее, более уважаема в обществе, и при отсутствии всех остальных свидетельств Филипп и впрямь кажется виновным. На подростков часто валят, хотя они не всегда виноваты. И это особенно жестоко по отношению к его семье — как можно его винить, если еще не ясно, чья все-таки вина?

Я говорил вчера с Джейми, но он клянется, что Филипп не был пьян и следил за дорогой. Сначала-то я грешил на него — мне нужен был козел отпущения, а он лучше всего подходил на эту роль... Но теперь я не так уверен. Сначала я вообще чуть не пришиб этого эпплгейтского выродка за то, что он вместе с Хлоей устроил это свидание, подучил ее наврать мне и, главное, затащил в машину. Но потом я понял, что он не такой плохой парень, я дважды беседовал с его отцом по телефону. Джейми вне себя от горя. Он все время хочет повидать Хлою, но я считаю, что сейчас еще рано. Возможно, через несколько дней.

— Вы собираетесь пустить его к ней? — Пейдж поразили его слова. Никакой злобы, неприязни к мальчишке. И ее взволновали его подозрения относительно Лоры Хатчинсон. Пока что ясно одно — случилось то, что случилось, это несчастный случай. Никто не виноват, и слишком многим пришлось дорого заплатить за мимолетную рассеянность, неопытность Филиппа. В результате — трагедия. Она не испытывала ни возмущения, ни ненависти. Ей нужно одно — чтобы Алисон выжила.

Тригви кивнул, отвечая на ее вопрос относительно Джейми:

— Наверное, я разрешу ему. Если она сама захочет. Предоставлю это ей, когда она пойдет на поправку. Может, она его и видеть не пожелает. Он так мучается, что это бы немного облегчило его душу. Его отец сказал, что он убежден, что все они... э... — Он понял, что это было бы слишком жестоко для Пейдж, а ему не хотелось еще более волновать ее. — Джейми боится, что они могут умереть, и чувствует себя виноватым, потому что почти не пострадал. Он говорил мне, что это он должен был погибнуть вместо Филиппа... или пострадать вместо Хлои... и Алисон. Судя по всему, они с Чэпменом были закадычными друзьями. В общем, парень в ужасном состоянии. — Тригви посмотрел на Пейдж и решил задать ей еще один вопрос: — А вы собираетесь пойти завтра на похороны Филиппа, Пейдж? — Ему было нелегко задавать ей этот вопрос.

Она медленно кивнула. Раньше она колебалась, но теперь решила, что должна пойти — она должна отдать этот долг Чэпменам, ведь их ребенок погиб, а ее дочь страдает, мучается, но она жива, и Пейдж могла себе представить, что творится у них на сердце.

— Они, наверное, ужасно страдают, — тихо сказала она, и Тригви кивнул.

— Брэд тоже пойдет или я могу подвезти вас? Это будет днем, так что дети тоже смогут прийти. Мне кажется, нам лучше идти вместе.

Ему тоже было не по себе от мысли об этих похоронах. Она же молилась только о том, чтобы ей не пришлось пройти через это с Алли.

— Насчет Брэда сомневаюсь. — Он терпеть не мог похороны, и, кроме того, она-то знала, что он винил Филиппа в аварии. Тем более вряд ли он отправится на его похороны, да еще с ней. — Я просто не представляю, как вам удается выдерживать все это, — прошептала она, стараясь не думать о своей беде. — Как вы выдерживаете? Мне кажется, что моя жизнь разбита вдребезги, а прошло всего два дня. Я просто не знаю... что же делать? Как вам удается преодолевать эти трудности и держаться? — В ее глазах заблестели слезы. Ей казалось, что она говорит со старым другом или даже старшим братом.

— Наверное, вы не стараетесь удержать жизнь. И если даже она разбилась, еще можно склеить куски...

— Может быть, — печально сказала она, думая о Брэде. Тригви, казалось, предвосхищал ее мысли, так как тут же спросил:

— А как Брэд? Как он отреагировал, когда вы позвонили ему в Кливленд?

На мгновение ей захотелось сказать ему, что он вовсе не был в Кливленде, но это было бы нечестно. Поэтому она просто покачала головой и несколько секунд молчала.

— Он был очень взволнован и напуган. Он винит во всем Филиппа. И кажется, отчасти меня — за то, что я не проследила за Алисон. Прямо не говорит, но это видно. — И еще, она понимала, это было способом снять вину с себя — легче переложить ее целиком на жену. — Хуже всего то, — в ее глазах снова заблестели слезы, — что, может быть, он и прав. Это и в самом деле может быть моей виной — если бы я была повнимательнее, менее доверчива, лишний раз проверила бы ее... тогда этого бы не случилось. — Пейдж начала всхлипывать, и Тригви положил руку ей на плечо.

— Не надо так думать. Мы не можем обвинять ребят. Они никогда не давали повода для беспокойства, нельзя же все время следить за ними. Мы им доверяли, это не преступление, и, кроме того, не так уж страшно они нас обманули. Последствия действительно ужасны, но кто же мог знать?

— Брэд полагает, что я должна была все предвидеть.

— Дана тоже. Но это все разговоры. Им просто нужен кто-то, кого можно обвинить во всем, и мы как нельзя лучше подходим. Так что не принимайте близко к сердцу. Он просто на взводе. Он не знает, что сказать, на кого броситься.

— Наверное, — ответила она и замолчала. Ей вдруг вспомнилась где-то прочитанная статистика разводов в семьях, в которых кто-то из подростков погиб при несчастном случае. Если в браке возникает трещина, он неминуемо распадается. А в их браке возникла трещина размером с Большой каньон. — На самом деле, — вдруг решилась Пейдж, — наши отношения с Брэдом не так-то уж хороши. — Она не понимала, почему говорит ему об этом, но ей хотелось с кем-нибудь поделиться. Она никогда еще не чувствовала себя такой одинокой и несчастной. Конечно, нужно позвонить матери и сообщить о несчастье с Алисон, но она все еще не отваживалась. Пейдж не могла взвалить на себя еще и это. Да и вообще она могла только сидеть в госпитале, в палате с Алисон, и разговаривать с Тригви. — Мы с Брэдом... — Она хотела еще что-то сказать, но не нашла подходящих слов.

— Не нужно объяснять, Пейдж, — постарался облегчить ее замешательство Тригви. — Сейчас такое трудное время. Я тоже сидел тут и думал, что я и Дана вместе не перенесли бы этого.

На самом деле он до сих пор не мог поверить в то, что она так и не приехала, после того как узнала, какая беда стряслась с дочерью. Она обвиняла его во всем, но вовсе не собиралась прилетать в Сан-Франциско, чтобы увидеть Хлою. Она только выразила надежду, что к лету девочка достаточно поправится, чтобы встретиться с ней в Европе. Да, положительно она не была женщиной, о которой можно мечтать, да и трудно было назвать ее настоящей матерью. Удивительно, как он прожил с ней двадцать лет, — иногда он чувствовал себя полным ослом. Правда, последние годы он жил с ней исключительно из-за детей.

Пейдж попыталась объяснить ему, что произошло:

— Нет, дело не в этом несчастном случае. Это

выяснилось чисто случайно, в самый неподходящий момент.

Она говорила загадками, однако было ясно, что она очень взволнована случившимся. Может быть, решил он, вскрылась очередная интрижка, он знал, как сильно это влияет на женщину. Но не похоже — Брэд вроде не из таких.

— Не стоит заниматься этими проблемами в такое тяжелое время.

— Почему? Разве это не имеет отношения к тому, чем я жила все эти годы? Неужели все это ложь?

— Все равно лучше подумать об этом потом. Не стоит судить о чем-то прямо сейчас, в таком состоянии. Вы оба просто не можете рассуждать здраво.

— С чего вы взяли? — расстроенно спросила она. Ей есть о чем поразмыслить, и похоже, что госпиталь становился самым подходящим для этого местом.

— Просто мне часто приходилось сталкиваться с семейными проблемами, и я знаю, что вещи оказываются иногда совсем не такими, какими кажутся сначала. Поверьте мне, Пейдж, я знаю, что говорю. Просто сейчас все перевернуто с ног на голову. Нельзя возлагать ответственность на другого за все сказанное и сделанное. Вы устали, вы на грани истощения, не ели должным образом и не спали почти два дня. Ваша дочь чуть не погибла. Вы получили колоссальную травму. И это естественно, все травмированы: я... и Брэд... наши дети. Неужели вы можете доверять своим чувствам, своим эмоциям в такое время? Когда я иду за продуктами, то боюсь, что куплю птичий корм для собаки, а собачий — для ребят. Послушайте... вам нужно отдохнуть. Постарайтесь не думать ни о чем. Пока. Постарайтесь пройти через это, переждать этот момент. Не делайте поспешных выводов.

— Вот уж не думала, что вы можете заниматься семейной терапией, — робко улыбнулась Пейдж, а Тригви расхохотался.

— У меня, увы, был самый печальный опыт. Так что, если происходит что-то хорошее, можете ко мне не обращаться.

— Неужели вам пришлось так плохо? — Почему-то она чувствовала себя рядом с ним спокойно, как со старым другом.

— Хуже, — улыбнулся он. — Наверное, наш брак был худшим из всех неудачных. Пожалуй, мне удалось прийти в себя, но вряд ли я решусь на новый эксперимент.

Она припомнила, что в тот роковой вечер Алисон сказала, что у Тригви нет приятельниц и он никогда не ходит на свидания, и Пейдж тогда еще пожалела его — он ведь такой умный и привлекательный мужчина.

— Может быть, пройдет время, и все изменится, — посочувствовала она ему, но он только рассмеялся в ответ.

— Ага, еще лет сорок или пятьдесят. Нет, я не тороплюсь совершить новую ошибку, сделать снова несчастными себя и детей. Мне и так неплохо. И дети заслужили лучшую участь. Не так-то просто найти достойного человека.

— Когда у вас отболит сердце, может быть, это окажется проще, — мягко возразила она.

— Может быть, но я не тороплюсь, я и так счастлив, и дети тоже. А для меня это главное, Пейдж.

Лучше жить одному, чем с женщиной, которая тебе не подходит.

— Наверное. Не знаю. Я-то была замужем всего раз, с двадцати трех лет, и знала только одного мужчину. Мне казалось, что у нас все хорошо, и в одно мгновение все рухнуло. Я просто не знаю, что думать, как теперь относиться к мужу. Все произошло так быстро — за пару дней, часов или минут...

— Главное, помните, что я вам сказал, — снова предупредил он, — не принимайте решений сгоряча.

— Хорошо, — ответила Пейдж, удивляясь тому, почему она с такой готовностью рассказывала ему о своей жизни. Но ее личная катастрофа с Брэдом потрясла Пейдж до глубины души, ей нужно было выговориться, а Тригви можно было доверять. Это было необъяснимо, но Пейдж чувствовала, что он человек надежный. За эти сорок восемь часов он словно стал единственным другом, единственной опорой. Даже Брэд предал ее, а Тригви поддержал, и она этого не забудет, чем бы ни закончился этот кошмар.

Наступила полночь. Они много разговаривали, несколько раз заглядывали к Алисон и Хлое в палату интенсивной терапии. Хлоя спала, а Алисон по-прежнему была без сознания. Тригви уже собирался домой, когда появился врач и сказал Пейдж, что у Алисон намечаются осложнения: начался отек мозга, которого они опасались, и внутричерепное давление резко повысилось. Это и была «третья травма», о которой ее предупреждали. Врач сказал, что больше всего они боятся тромбов.

Тригви решительно остался с ней в госпитале, был вызван главный хирург. Состояние Алисон резко ухудшилось. У нее поднялось давление, пульс едва прощупывался, и это внушало врачам тревогу. К часу ночи они начали терять надежду. Пейдж не верила в то, что происходит на ее глазах... ведь еще час назад состояние Алисон было стабильно. Оно было таким уже два дня. Без всякого предупреждения жизнь снова повернулась на сто восемьдесят градусов.

К тому времени появились и остальные хирурги, и Пейдж пыталась несколько раз дозвониться Брэду домой, но попадала на автоответчик. Он не брал трубку. Наконец она в отчаянии попросила Тригви позвонить Джейн и попросить, чтобы та сходила и разбудила Брэда. Джейн могла бы снова посидеть с Энди, если Брэд приедет в госпиталь. Но Тригви, вернувшись, только покачал головой — Джейн сказала, что Брэд так и не заехал за Энди и тот спит в ее кровати, а она сама представления не имеет, где может быть Брэд. Он даже не звонил ей.

— Так и не позвонил?! — Пейдж была потрясена. Теперь, когда он все знает и все уже обговорено?! О чем же он думает в первую очередь — о своей сексуальной жизни или о жизни дочери?

— Она сказала, что от него не было никаких известий, Пейдж. Мне жаль. — Он взял ее за руку. Теперь он понял, что его подозрения были небеспочвенны — у Брэда Кларка наверняка есть любовница или же он напился в дугу. Но он выбрал для этого не самое подходящее время.

Тригви было жаль Пейдж, которой приходилось в одиночку справляться со всем этим, принимать всю ответственность на свои плечи. Но его-то этим не удивишь — он все это уже пережил с Даной.

— Не волнуйтесь, — успокаивал он ее, пока они ждали конца очередного консилиума врачей. — Он появится. Хотя ему нечего тут делать. Да и нам, в сущности, тоже. — И все-таки он мог бы приехать сюда, как она или как Тригви из-за Хлои. — Вы же понимаете, что тут мы бессильны. Меня от этих больниц и лечебниц раньше просто бросало в дрожь.

— И что же изменилось?

— Дети. Я должен был привыкнуть из-за детей, так как Дана никогда этим не занималась. А у Брэда есть вы, и он знает, что Алли в надежных руках. — Он ласково улыбнулся ей, словно извиняясь за Брэда, вовсе этого не заслуживавшего. А кто есть у нее? Если бы не Тригви, она осталась бы совершенно одна. Она догадывалась, что Брэд со своей любовницей, но не могла связаться с ним.

К ним вышел один из хирургов. Положение Алисон несколько улучшилось, но опасность оставалась. Отек был грозным признаком, следствием травмы или же операции. Врачи не хотели вселять ложных надежд, считая, что у Алисон не слишком много шансов выжить.

— Вы имеете в виду сегодня? — в ужасе спросила Пейдж. — Сегодня ночью? — Неужели они имели в виду именно это? Она должна умереть... Боже, не допусти этого!.. Пожалуйста...

Как только врачи разрешили Пейдж увидеть дочь, она поспешила в палату и сидела подле Алисон, держа ее за руку, а по щекам ее снова текли слезы. Ей казалось, что так она сможет удержать Алисон в этом мире, не дать ей ускользнуть.

Врачи разрешили Пейдж остаться, и она просидела так всю ночь, держа дочь за руку, глядя на нее и молясь.

— Я люблю тебя, — шептала она время от времени. — Я люблю тебя. — Словно Алисон могла услышать ее! Когда рассвело, отек не увеличился, но дыхание поддерживалось только благодаря аппарату искусственного дыхания. Она еще была на этом свете. Врачи посоветовали Пейдж поехать домой. В случае необходимости ей позвонят, но, судя по всему, состояние дочери медленно стабилизируется.

В половине седьмого утра, поцеловав Алисон, Пейдж вышла в коридор. Все тело ныло и болело, голова кружилась, глаза слипались. В коридоре Пейдж, к своему удивлению, увидела Тригви, спящего на стуле. Он остался здесь на худший случай, а Брэд так и не позвонил. Он просто дерьмо, подумал Тригви, но не сказал этого Пейдж. Он был рад не меньше Пейдж, что Алисон удалось продержаться эту ночь.

— Идемте, я отвезу вас, оставьте машину здесь, я привезу вас сюда, как только вы сможете вернуться.

— Но я могу взять такси, — попыталась возразить Пейдж. Она слишком устала даже для того, чтобы ходить, не говоря уже о том, чтобы вести машину. Если бы только Алисон выжила, думала Пейдж, садясь на переднее сиденье его машины. Если бы только они спасли ее.

— Вы держались мужественно, — тихо сказал Тригви и, наклонившись, поцеловал ее в щеку, обнял за плечи и похлопал по руке. Машина тронулась.

— Я так боялась, Тригви... мне хотелось убежать куда-нибудь и спрятаться, — призналась она. Эта ночь была для нее чудовищным испытанием.

— Но вы же не убежали. Она выжила. Так что

нужно преодолеть это шаг за шагом, — мудро ответил он. Подъехав к ее дому, он посмотрел на Пейдж — она спала. Тригви не хотелось будить ее, но все же он ласково растолкал ее. Она проснулась и улыбнулась ему.

— Спасибо... вы такой верный друг...

— Мне хотелось бы, чтобы мы стали друзьями не только в беде, — сказал он, — ну, как члены одной команды по плаванию... или как в вашей росписи. — Тут он внезапно вспомнил: — Вы по-прежнему собираетесь на похороны Филиппа?

Она кивнула. Теперь она была уверена, что Брэда туда не затащишь.

— Я подъеду за вами в два пятнадцать. Постарайтесь выспаться за это время. Вам это просто необходимо.

— Постараюсь. — Она коснулась его руки и вышла. Он проследил за ней взглядом, пока она искала ключ от дома. Там никого не было, хотя было ровно семь утра.

Тригви помахал ей рукой и отъехал, а Пейдж закрыла дверь, думая о том, что сказать Брэду, когда она увидит его. Слов уже не оставалось, разве что «прощай». Или они уже попрощались?

Глава 7

В семь утра Пейдж стояла в гостиной, раздумывая — то ли лечь спать, то ли проведать Энди у Джейн. Она устала до смерти, и больше всего ей хотелось спать, но ведь Энди наверняка хотел ее увидеть. Поэтому она умылась и причесала волосы, потом прослушала сообщения на автоответчике. Не было ни одного от Брэда, и это добавило масла в огонь — как он может заниматься этим теперь, когда Алисон едва жива? И что представляет собой Стефани, если позволяет ему такое?

Пейдж пошла к Джейн и обнаружила там Энди, завтракавшего вместе с ней. Работал телевизор, и Джейн, напевая, готовила Энди свежие вафли.

— Счастливчик! — сказала Пейдж, целуя его в макушку. Она улыбнулась Джейн, и та заметила, что черные круги под глазами подруги стали еще больше.

— Как Алли? — немедленно спросил Энди, и Пейдж некоторое время не знала, что сказать, пытаясь справиться с подступающими слезами. Она поняла, что просто не может сказать: «Чуть не умерла ночью, но господь не допустил этого». Джейн заметила ее состояние и, похлопав по плечу, приготовила ей кофе.

— В порядке, — ответила она наконец Энди, а потом, повернувшись к Джейн, добавила, понизив голос: — Сегодня ночью дело было плохо — начался отек мозга после операции, и пришлось подключить искусственное дыхание.

— Она умрет? — вдруг спросил подслушивавший Энди. Пейдж отрицательно помотала головой. По крайней мере пока она еще жива и умирать не собирается.

— Надеюсь, что нет.

Некоторое время он молчал, раздумывая над ее словами, а потом задал вопрос потруднее:

— А где папа? Он не заехал за мной вечером.

— Наверное, он заработался, а когда приехал домой, ему не хотелось тебя будить.

— Ага. — Этот ответ, кажется, устроил Энди. Он как-то почувствовал, что прошлой ночью между ними что-то произошло, и ему это не понравилось.

Казалось, что несчастный случай с Алисон изменил весь мир: люди, которых он любил, стали испуганными и сердитыми, и не осталось ничего надежного. — А я смогу увидеть Алли сегодня?

— Пока нет, дорогой. — Не могла же она показать ему Алисон сейчас — без волос, всю в бинтах, трубках, подключенную к машинам, а вокруг аура смерти и страха. Этот вид мог испугать кого угодно, тем более семилетнего ребенка. — Вот когда ей станет лучше, когда она проснется... — ответила она, снова пытаясь остановить слезы. На этот раз ей пришлось отвернуться, чтобы он не увидел, как она плачет, а Джейн обняла ее за плечи.

— Теперь тебе нужно поспать. Почему бы тебе не лечь в постель, а я отвезу Энди в школу.

Но Энди, услышав это, поник — он и понятия не имел, как она устала, как страшно было в госпитале. Ему не хотелось, чтобы мама покидала его.

— Ничего, я в порядке. — Пейдж глубоко вздохнула и отхлебнула кофе. — Я вернусь через несколько минут и лягу спать. — Она хотела выспаться перед тем, как Тригви приедет за ней, чтобы взять на похороны. В госпитале знали, где ее найти. Она настолько хотела спать, что, казалось, и шага не могла ступить. Но она все-таки отвезла Энди, но потом едва довела машину до дома. На автоответчике так и не было ничего от Брэда, а звонить ему на работу было еще рано.

У Пейдж не укладывалось в голове: как он мог остаться на всю ночь и даже не позвонить? Чем он сможет это объяснить? «Извини, дорогая, я провел ночь со своей любовницей»? Насколько же далеко зашло дело всего за несколько дней! Их брак, их отношения полетели к черту.

В 8.15 Пейдж была в кровати. Она долго ворочалась, не умея засыпать при утреннем свете и думая об Алисон и ужасах прошлой ночи, но к 8.30 усталость одолела мозг, и она крепко уснула, даже не раздеваясь. Так она проспала до полудня, когда ее разбудили долгие звонки телефона. Пейдж выскочила из постели, боясь, что это звонят из госпиталя.

— Да? — крикнула она в трубку. Слава богу, это была ее мать.

— Боже, что с тобой стряслось?! Ты заболела?

— Нет, мама... я... я... просто спала. — Нужно было слишком многое объяснить матери, и это было непросто сделать.

— Днем? Что-то новенькое. Ты что, беременна?

— Нет-нет. Я просто припозднилась... — У твоей внучки, что лежит при смерти... Пейдж вдруг почувствовала себя виноватой, что не позвонила матери раньше.

— Ты не звонила мне весь уик-энд, хотя обещала. — Мать любила жаловаться и выступать в роли обиженной. Она всегда говорила, что Пейдж не уделяет ей должного внимания, хотя, по правде говоря, она была гораздо ближе к старшей сестре Пейдж, Алексис. Та жила в Нью-Йорке и много времени проводила с матерью.

— Я была очень занята, мама... — Ну и как же сказать ей об этом, какие слова подобрать? Она закрыла глаза, пытаясь справиться с собственным волнением. — В субботу вечером с Алисон произошел несчастный случай.

— С ней все в порядке? — Даже ей не удалось избежать этих слов и того, что было заключено в них. Вообще-то она была довольно здравой женщиной, но скрывала это, предпочитая жить в мире мечтаний.

— Нет. Она в состоянии комы. В воскресенье ей сделали операцию на мозге. Результат еще не ясен. Извини, что я не позвонила тебе, мама. Я просто не знала, что сказать, и хотела подождать, пока ситуация станет более стабильной.

— А Брэд?

«Странный вопрос», — подумала Пейдж.

— Брэд? С ним все в порядке... его не было в машине. Она была со своими друзьями.

— Наверное, он очень переживает. — Как это похоже на мать — концентрироваться на нем, а не на дочери, не на том, выживет Алисон или нет, главное для нее — Брэд. Если бы она не знала хорошо мать, то подумала бы, что ослышалась.

— Нам всем трудно. Брэду, мне, Энди... Алли...

— С ней все будет в порядке?

— Пока не ясно.

— Я уверена, что она выживет. Сначала все ужасно, но потом люди все равно выживают. — Боже! Как это похоже на ее мать! Она всегда стремится спрятаться от реальности. Ничто не изменилось. Впрочем, на расстоянии, не видя Алисон, трудно представить, в каком она состоянии. — Я читала немало статей об авариях и людях, которые лежали в коме, и они потом поправлялись. Она такая молодая. Она справится. — Голос матери звучал так уверенно, что Пейдж почти поверила в ее слова.

— Надеюсь, — отчужденно ответила Пейдж, глядя в пол... И как еще люди могут общаться с ее матерью! С тех пор как ей исполнилось четырнадцать лет, ровным счетом ничего не изменилось. Мать по-прежнему видела только то, что ей хотелось, игнорируя все остальное. Что бы ей ни говорили. — Я буду держать тебя в курсе.

— Скажи ей, что я люблю ее, — уверенно добавила Марибел Аддисон. — Говорят, что люди в коме все слышат. Ты ведь говоришь с ней, Пейдж?

Пейдж кивнула, и слезы снова потекли по ее щекам. Разумеется, она говорит с ней... говорит, как любит ее... просит ее не умирать, не покидать их...

— Да, — сдавленно проговорила она.

— Хорошо. Тогда скажи, что бабушка и тетя Алексис любят ее. — И потом добавила, словно это только что пришло ей в голову: — Ты хочешь, чтобы мы приехали? — Они все делали вместе — ее мать и сестра.

Но Пейдж торопливо оборвала мать:

— Нет!.. Я позвоню, если будет нужна ваша помощь.

— Обязательно, детка, я позвоню тебе завтра. — Это прозвучало как договоренность о бридже в уик-энд. Нет, все-таки ее уверенность в себе просто потрясающа! Она не сомневается, что с Алисон будет все в порядке, и совершенно не боится последствий. И, как обычно, она не собирается утешать или поддерживать младшую дочь.

— Спасибо, мама. Я позвоню, если будут новости.

— Обязательно, детка. Мы с Алексис завтра поедем за продуктами. Я позвоню тебе, когда мы вернемся домой. Передай привет Брэду и Энди.

— Передам.

Пейдж повесила трубку и невидящим взглядом уставилась в пол. Она старалась не думать о годах, проведенных в родном доме с матерью... Вся эта ложь, притворство, нежелание жить в реальном мире. Алексис еще лучше поднаторела в этом. Она в совершенстве играла в те же игры, что и мать. Все хорошо, никто не совершает ничего дурного, а если совершает, то об этом не говорится; они всегда спокойны, голоса всегда ровные, а внутри страх. Пейдж чуть не умерла от этого, она не могла дождаться, когда сможет расстаться с ними, и, как только поступила в художественный колледж, сразу же захотела уехать. Они не отпускали ее, отказались платить за обучение, и тогда она нашла работу официантки в ночном ресторане, так что могла заплатить за себя сама. Она все сделала, только бы вырваться из дома, отлично понимая, что от этого зависит сама ее жизнь.

Пейдж настолько погрузилась в свои мысли, что так и не услышала, когда пришел Брэд, а он не заметил ее. Брэд дошел уже до середины комнаты, когда она пошевелилась, и оба вздрогнули, увидев друг друга.

— Господи!.. — выдохнул он.

— Вернулся передохнуть? — холодно спросила она, продолжая сидеть на кровати — в измятой одежде, непричесанная, но уже более уверенная в себе.

— Я вернулся, чтобы переодеться. — Со смущенным видом он прошел в ванную, снял рубашку и бросил ее в корзину для грязного белья.

— Значит, ты пришел переодеться, чтобы снова провести ночь не дома? — В ее голосе слышались презрение и гнев. — Ты не мог хотя бы позвонить? Или ты уже считаешь, что можно не делать вид, что мы все еще состоим в браке?

— Тебя тоже дома не было. Так что какая разница? — Его слова были настолько несправедливы, что ей захотелось его ударить.

— Ты мог бы позвонить в госпиталь или Джейн. Энди тебя ждал. Он думал, что с тобой тоже произошел несчастный случай. Неужели тебе и на него наплевать? Алисон этой ночью чуть не умерла. — Она решила выстрелить по нему дуплетом и попала в цель.

— Она в порядке?

— Пока держится. Но едва-едва.

Он явно расстроился. Ему хотелось забыть обо всем этом хотя бы на одну ночь. Ему было так хорошо, когда он не думал о госпитале, Пейдж и даже об Энди.

— Знаешь, я как-то отключился... — Он и сам понимал, что это всего лишь нелепая отговорка.

— Хотела бы я тоже хоть на мгновение забыть обо всем этом. Тебе повезло, — грустно ответила она. Она-то никогда не забудет и не хочет забывать. Всего три дня назад она не забыла бы и о нем. Но теперь все переменилось. — Тебе не удастся укрыться от этого, Брэд. Это реальность, и тебе придется считаться с ней. Интересно, что бы ты чувствовал, если бы она прошлой ночью умерла?

— А как я должен себя чувствовать? — мрачно спросил он.

— Энди тоже в тебе нуждается. Может быть, ты навестишь Алисон? Если что-то случится... — Она сама не смогла бы быть где-то еще в это время, но у Брэда было явно иное мнение.

— То, что ты постоянно сидишь с ней, ничего не изменит, — возразил он. — Она выживет или умрет независимо от того, сижу я с ней или нет. Меня это напрягает, и, кроме того, неужели ты думаешь, что мы должны сохранить ее любой ценой?

— Что ты несешь?! — ужаснулась Пейдж. — Ты хочешь сказать, что мы должны дать ей умереть? — Пейдж вся дрожала. Что с ним случилось? Как он мог говорить такое?

— Я хочу сказать, что я молюсь о том, чтобы

Алисон выздоровела. Но именно Алисон. Девочка, какой она была и какой бы стала, если бы этого не произошло. Прекрасная, сильная, умная и способная девушка. Неужели ты хочешь, чтобы она выжила и осталась калекой? Неужели тебе нужна идиотка, за которой придется ходить до конца жизни? Ты этого бы хотела? А я нет. Если бы это оказалось так, то я бы позволил ей уйти. Неужели ты думаешь, что твое сидение около нее, когда у нее отекает мозг и она дышит с помощью аппарата, что-то изменит? Мы сделали все что могли, теперь остается только ждать. А где ждать — все равно. Для нее в частности.

А что, если разница все-таки есть? Что, если она ощущает их присутствие рядом?

Пейдж слушала его с отвращением.

— А Энди? Он уже ничего для тебя не значит? — Она не собиралась щадить его, он этого не заслуживал. Он предал их всех и в такое время!

— Может быть, это для меня непосильная ноша? У тебя не возникало такой мысли? — спросил он, подойдя к ней ближе. Ему было неприятно ее присутствие, она была для него живым упреком.

— У меня возникает мысль, что ты погряз в собственных удовольствиях и не в состоянии принимать ответственные решения. Время не остановится только ради тебя, Брэд. Твои разборки с собственной сексуальной жизнью — это вовсе не простые «тайм-ауты». Ты нужен Алли, что бы ты ни думал о ее состоянии и будущем. Именно поэтому ты даже еще больше ей нужен. И Энди тоже. Ребенок напуган, на его глазах разваливается семья, сестра на грани смерти, где ты, он не знает, и ни с того ни с сего ему приходится жить у соседки.

— Тем более тебе следовало приехать домой ночевать, — зло возразил Брэд и изумленно отшатнулся, когда Пейдж поднялась и подошла к нему.

— Тебе придется усвоить вот что, Брэд: я не отойду от Алисон, пока не будет ясно, что она будет жить, или пока она не умрет. А если она умрет... — на ее глазах выступили слезы, но голос не дрогнул, — то я собираюсь остаться с ней до конца, держа ее за руку, обнимая ее, пока она не покинет этот мир, точно так же, как я обнимала ее, когда она появилась на свет. Я не собираюсь отсиживаться дома, проводить время с тобой — если только ты не появишься в госпитале — или даже с Энди. И уж точно я ни с кем не стану трахаться, чтобы забыть о том, что случилось. — Пейдж резко отвернулась от мужа, не желая видеть его лица, такого далекого и чужого, как будто он уже давно был для нее посторонним человеком.

— Пейдж! — Она повернулась к нему — ее поразило, что в его голосе слышались слезы. Брэд сидел на стуле, уронив голову на руки. — Я просто не могу смотреть на нее. Мне кажется, что она уже умерла... я просто не могу перенести этого. Ну что же мне делать?!

Пейдж не могла понять — с чего он взял, что у нее есть какой-то выбор? Ей тоже было тяжело видеть Алисон, но она знала, что это нужно выдержать. Она должна. Ради девочки.

— Она еще не умерла, — спокойно ответила Пейдж, словно хотела утешить Брэда. Но подойти к нему, успокоить было выше ее сил. Между ними теперь лежала пропасть из боли, гнева и разочарования. Она не знала, как ей теперь быть рядом с ним, кем он стал для нее. — У нее еще есть шанс,

Брэд. Ты не можешь бросить ее, пока она не использовала его.

— Лучше бы она умерла, чем осталась калекой, Пейдж.

— Замолчи! — яростно крикнула она, не понимая, почему он хотел так легко отделаться от Алли и даже решил все за нее, хотя это и значило потерять ее навсегда. Нет, она так легко не сдается.

— Я не знаю... — начал он, сознавая вину за то, что чувствовал и говорил, но ничего не мог поделать с собой. — Когда я увидел ее, то понял, что она не сможет выкарабкаться из всего этого. Я не хочу, чтобы она осталась на всю жизнь растением... Когда подумаешь о том, что они там говорили... о коме... параличе... потере моторики... рассудка... Неужели ты не поняла, что они имеют в виду, что она никогда не сможет после всего, что перенесла, стать нормальной?

— Но еще есть надежда. Это будет нелегко... может быть, она никогда не станет прежней... может быть, она даже не выживет... но если есть шанс... — У Пейдж снова потекли слезы. — Но если она выживет... мы должны помочь ей сделать это.

Он в отчаянии взглянул на жену.

— Я не могу... я не могу этого сделать, Пейдж... Не рассчитывай на меня.

Пейдж поняла, что он и в самом деле был напуган, сердце ее дрогнуло и сжалось от боли. Она подошла к Брэду и обняла его. Он уткнулся лицом ей в грудь. Пейдж гладила его по голове, и ей больше всего хотелось, чтобы они опять были вместе, чтобы ничего не менялось. Но того, что случилось, уже нельзя было изменить, как нельзя было предотвратить несчастный случай с Алисон.

— Я так боюсь... — прошептал он, — ... я не хочу, чтобы она умирала... но я не хочу, чтобы она жила в таком состоянии, Пейдж... я этого не перенесу... извини за прошлую ночь... я не должен был пропадать... но я просто не в состоянии справиться с этим.

Она кивнула, понимая, что творится в его душе, но это ничего не меняло для нее. Он хотел укрыться от этого кошмара, но это значило, что ей придется остаться с этим кошмаром одной.

— Что, если она умрет? — Брэд с тоской посмотрел на нее. От его слов Пейдж словно задохнулась.

— Не знаю, — чуть слышно ответила она. — Я боялась этого ночью... но она не умерла. Впереди еще день... еще время... и мы должны молиться.

Он кивнул, завидуя ее мужеству. Ему все еще хотелось сбежать, и он думал, что Стефани поможет ему в этом. Стефани искренне жалела его и хотела утешить, ослабить боль от несчастья, что стряслось с его ребенком. Он сказал ей, что Пейдж сама справится с этим, и Стефани поверила. Но когда он увидел, как мучается Пейдж, его охватило чувство вины, он понял, что не должен был оставлять ее.

Его голова лежала на ее груди, и он внезапно ощутил мощное, нарастающее влечение. Он обнял ее и попытался привлечь к себе, посадить на колени и поцеловать. Но Пейдж вдруг напряглась и оттолкнула его со всей силой.

— Как ты можешь?! — После всего, что вышло на свет из-за несчастного случая с Алисон, она не могла даже представить себе, что между ними возможна физическая близость.

— Пейдж, ты нужна мне!

— Это чудовищно, — сказала она. У него же

есть Стефани, чего он хочет теперь? Если бы она не знала о любовнице! Но теперь она не могла быть с ним. Все-таки ему удалось поцеловать ее, и она почувствовала, что он и в самом деле хочет ее. Но что с того? Она глуха к его ласкам, он для нее уже чужой. Теперь он принадлежит другой женщине, а не ей.

Она оттолкнула его и вырвалась из его рук.

— Извини, — сказала она и бросилась из комнаты. Брэд понимал, что его поведение причиняет ей боль теперь, когда она узнала о Стефани, но она была права — в таком состоянии он был не способен совершать верные шаги.

Через несколько минут Брэд нашел Пейдж на кухне — она готовила себе кофе. Когда он вошел, она даже не повернулась на звук шагов.

— Прости меня. Я просто потерял голову. Я понимаю, как это было неуместно.

Ей просто не верилось, что всего неделю назад они занимались любовью и она даже не подозревала, что у него есть любовница. Как все изменилось! Она уже знала, что значила для него Стефани, и не могла представить себе, что он прикоснется к ней. Может быть, если бы он раскаивался в происшедшем, говорил, что оставит Стефани, просил прощения... Но ничего такого и в помине не было. Это был конец их отношениям — он сам так решил и объявил об этом во всеуслышание, хотя именно сейчас он так был им нужен. Стефани заменила ему их всех — жену, дочь и сына, она была нужна ему, она, а не Пейдж. Этот удар Пейдж, кажется, не почувствовала во всю его мощь — ее мысли и чувства были с Алисон. И только тупая боль и непреходящее недоумение говорили ей о том, что в ее жизни произошли и другие перемены.

— Мне кажется, тебе следует дать мне номер ее телефона. Если что-то случится, а ты будешь там, я должна иметь возможность известить тебя. — Она по-прежнему не поворачивалась к нему, чтобы он не мог видеть струящихся по ее щекам слез.

— Я... этого больше не случится. Я останусь сегодня вечером с Энди.

— Мне все равно. — Выражение ее лица поразило его: на нем ясно читались и боль, и гнев, и решимость. Между ними все было кончено, это был последний момент, когда они были близки. — Не обманывайся на свой счет, ты пойдешь к ней, и я должна знать ее номер.

— Хорошо, я запишу в блокноте.

Она кивнула и принялась за кофе.

— Когда ты поедешь к ней? — Он думал, что Пейдж вернется в госпиталь, но она, к его удивлению, ответила:

— Я поеду на похороны Филиппа Чэпмена. Ты поедешь со мной?

— Ты с ума сошла! Конечно, нет. Этот паршивец чуть не убил мою дочь. Я не понимаю, как ты-то можешь идти? — Он выглядел оскорбленным, но она посмотрела на него с плохо скрытым презрением.

— Чэпмены потеряли единственного сына, никто не доказал его вины. Неужели ты не понимаешь, что мы должны пойти?!

— Я им ничего не должен, — холодно ответил он. — Анализы показали, что в его крови был алкоголь.

— Микродоза! А та женщина, что была в другой машине? Разве она не могла быть виновной? — Тригви пытался понять, Пейдж тоже, но Брэд не сомневался — ему было проще обвинить во всем Филиппа Чэпмена.

— Лора Хатчинсон — жена сенатора. У нее трое своих детей, она не могла сесть за руль в нетрезвом виде или быть невнимательной на дороге. — Его уверенный тон говорил о том, что он ни капли не сомневается в своей правоте.

— Откуда ты знаешь? — Теперь она не верила никому: ни жене сенатора, ни собственному мужу. — Почему ты так уверен, что она не виновата?

— Просто уверен, вот и все, и полиция тоже уверена. Ее даже не стали проверять на алкоголь. Значит, они были уверены в том, что она трезва, иначе не стали бы так поступать. Они ее ни в чем не обвиняют. — Было ясно, что он не сомневается в их заключении.

— Может быть, они просто не хотят иметь дела с ее мужем. — В последние дни они только и делали, что ссорились, слава богу, что Энди этого не слышит. — Так или иначе, я на похороны иду. Тригви Торенсен приедет за мной в четверть третьего.

Брэд удивленно поднял бровь.

— А вот это интересно! И как это надо понимать?

— Только, пожалуйста, не надо этого. — Ее глаза яростно блеснули. — Три последних дня мы с ним провели вместе в госпитале, которого ты так боишься, ожидая, выживут ли наши дочери. Его дочь тоже была в машине, которую вел Чэпмен, но он тем не менее считает своим долгом выразить соболезнование его родителям.

— Отличный парень. Может быть, вы подружитесь, тем более что я тебя теперь не привлекаю. — Брэд все еще переживал ее отказ, хотя и понимал, что вряд ли могло быть иначе. Но его, несомненно, задели ее слова.

— И твоя ирония абсолютно неуместна, он и в самом деле отличный человек. Он хороший друг, и он очень помог мне. Прошлую ночь он провел в госпитале, он держал меня за руку, когда никто не знал, где ты, а ты развлекался со своей подружкой. Он — настоящий мужчина. И при этом умеет держать свою штуку в штанах, думать о своих детях, а не о сексе. Так что ты напрасно пытаешься поддеть меня. Я не думаю, что Тригви без ума от меня, и слава богу, потому что мне любовник не нужен. Мне нужен надежный друг, так как мужа у меня теперь нет.

Брэду нечего было на это сказать, и он молча направился в ванную. А еще через десять минут хлопнула входная дверь — он так и не сказал ей ни слова. Его поведение привело ее в такое бешенство, что ей хотелось убить его, но в то же время она ощущала болезненную грусть. Как быстро и легко можно все разрушить! В это почти невозможно было поверить. На них обрушилась страшная беда, но оказалось, что их жизнь — совсем не такая, как она представляла. Она и не подозревала, что несчастный случай с Алисон обнажит истинное положение вещей и разрушит весь ее сложившийся и казавшийся таким счастливым мир.

Пейдж приняла душ и оделась надлежащим для похорон образом. Тригви Торенсен приехал за ней в 2.15. На нем были темно-синий костюм, белая рубашка и черный галстук, он выглядел печальным. На Пейдж был черный льняной костюм, купленный в Нью-Йорке в последний раз, когда она навещала мать.

Панихида проходила в церкви Святого Иоанна.

Пейдж не ожидала, что на нее придет столько подростков. На юных, обычно сияющих лицах было написано неподдельное горе. При входе распорядители раздавали траурные листы, где была отличная фотография Филиппа вместе со школьной командой по плаванию. Распорядителями были, как тут же поняла Пейдж, члены этой команды, в том числе и Джейми Эпплгейт. Потом он сел рядом с родителями с несчастным видом. Родители Джейми понимали его состояние — отец обнял его за плечи, мать зашептала что-то на ухо.

Звучала музыка, и Пейдж почувствовала, как по щекам ее текут слезы. В церкви было множество друзей и одноклассников Филиппа, и Алисон наверняка была бы здесь, если бы не лежала в коме.

По проходу между рядами прошли родители Филиппа, убитые постигшим их горем, и заняли места в первом ряду, с ними была и более пожилая чета — дедушка и бабушка Филиппа, и при виде их измученных лиц не заплакал бы только бесчувственный.

Пастор заговорил о таинствах божьей любви и о боли, которую мы испытываем при потере близких. Он сказал, каким необычайно талантливым, удивительным юношей был Филипп, какое великолепное будущее открывалось перед ним, как восхищались им все, знавшие его, как все его любили. Пейдж не услышала и половины проповеди, так как все время всхлипывала, отгоняя от себя мысли о том, что сказали бы об Алисон, если бы она умерла. Наверное, то же самое — ведь ее тоже любили и восхищались ею. Нет, Пейдж не могла себе представить, как бы смогла она все это вынести, как жила бы дальше. А Энди? Что чувствовал бы он?

Миссис Чэпмен плакала, не пряча слез, во время всей службы. В конце школьный хор исполнил «Милость всевышнюю». Потом пастор пригласил всех к алтарю, чтобы отдать последний долг усопшему и помолиться за него. Подростки, поодиночке и группами, с цветами в руках приблизились к алтарю. К этому времени плакали все, и Пейдж, смятенная и страдающая, смотрела на подростков. И вдруг она увидела Лору Хатчинсон — та тихо плакала, сидя через несколько рядов от Пейдж. Казалось, она пришла одна и была взволнована не меньше остальных собравшихся. Пейдж некоторое время наблюдала за ней, но не заметила ничего, кроме искренней скорби. Речей почти не было — все были слишком потрясены и подавлены горем. Боль была слишком остра.

Только выйдя из церкви, Пейдж и Тригви заметили репортеров. Они сначала сопровождали Лору, но та быстро скрылась в ожидавшем ее лимузине, ничего не сказав журналистам. Тогда репортеры стали фотографировать скорбные лица подростков, столпившихся во дворе, а потом переключились на Чэпменов. Разъяренный отец Филиппа кричал им сквозь слезы, что они бессердечные подонки, и наконец друзья увели его. Но даже и тут репортеры не отступились, следуя за Чэпменом на некотором расстоянии. Катастрофа все еще оставалась сенсацией.

После службы в церкви был устроен еще и прощальный прием в зале школы, а потом Чэпмены пригласили близких друзей сына домой. Однако силы Пейдж были уже на исходе, сердце ее разрывалось от страха за жизнь дочери и сострадания к Чэпменам. Она взглянула на стоявшего рядом Тригви и поняла, что и он тяжело пережил эту процедуру.

— Как вы? — тихо спросил Тригви. Пейдж хотела ответить, но тут у нее из глаз снова потекли слезы. — Молчите. Возьмите меня под руку, пойдем к машине, я отвезу вас.

Она лишь кивнула и послушно пошла рядом с ним. Несколько минут они сидели в машине молча. У нее не хватило мужества сказать что-то Чэпменам, но они оба расписались в гостевой книге, выставленной у входа в церковь. Впоследствии она прочла в газете, что на службе присутствовало около пятисот человек.

— Боже, это было слишком тяжело, — выдавила она, наконец совладав со слезами.

— Да, просто ужасно. Просто не представляю себе ничего более горестного. Не дай мне бог дожить до смерти кого-либо из моих ребят. — Он тут же пожалел о сказанном, так как жизнь Алисон все еще висела на волоске. Но Пейдж не осуждала его, она понимала его чувства — ей тоже не хотелось бы до этого дожить.

— Я видела миссис Хатчинсон. С ее стороны было довольно рискованно приходить на службу. Мне кажется, Чэпмены могли быть оскорблены ее появлением.

— Да, но это произвело благоприятное впечатление на прессу. Это проявление ее чувств, ее сердечности. Надо признать, неглупый ход, — усмехнулся Тригви.

— Что дает вам право так говорить? — удивилась Пейдж. — Может быть, она пришла выразить свои искренние соболезнования.

— Сомневаюсь. Я знаю политиков. Поверьте мне, это муж настоял на ее появлении здесь. Может быть, она и не виновата в этой катастрофе, может быть, она совершенно невиновна, но в любом случае это пошло на пользу и ей, и ее мужу.

— Неужели только ради этого? — изумилась Пейдж.

— Вероятно. Не знаю. Все-таки я продолжаю считать, что скорее всего она была невнимательна, а ребята не виноваты. Может быть, мне просто хочется верить в это.

Тригви тронул, и они пристроились в хвост длинной цепочки машин, выезжавших из школьного двора. Пейдж вдруг вспомнила, что ей надо забрать свою машину со стоянки у госпиталя, и, потом, вдруг из госпиталя звонили домой в ее отсутствие, а она ничего не знает, как там ее девочка. Пейдж надо было немедленно услышать, что Алли жива, увидеть ее, быть с ней рядом.

— Не подбросите меня до госпиталя? — попросила она Тригви.

— Господи! А как вы думали, куда еще я могу направиться! Неужели наши девочки поправятся? Неужели все будет как прежде?!

Пейдж рассеянно кивнула. Она вспомнила, что говорил ей Брэд несколько часов назад об Алли. «Если только она не сможет быть прежней, лучше ей вообще не жить». Похоже, он говорил это вполне искренне.

— Только бы Алисон выжила, что бы там ни было дальше. В любом случае это лучше, чем смерть. Знаете, Тригви, а мой муж так не думает. Он считает, что лучше умереть, чем жить калекой.

— Довольно бескомпромиссный подход к жизни у вашего Брэда. Я лично солидарен с вами — лучше хоть что-то, чем ничего.

Да, он прав. Но, увы, к ее браку эту формулу

применить нельзя. У нее именно ничего нет. Тут уже невозможны были компромиссы.

— Брэд не в состоянии справиться с ситуацией. Он бежит от того, что произошло, — спокойно, стараясь не раздражаться при воспоминании об их разговоре, сказала Пейдж.

— Да, не все способны справиться с таким горем.

— Да, люди типа Брэда... и Даны... Как же мы-то в это влипли? Неужели мы мужественнее их? Или просто примитивнее? — улыбнулась Пейдж.

— Наверное, и то, и другое, — ухмыльнулся он. — Лично у меня просто нет выбора. Когда у вашего ребенка никого нет, кроме вас, приходится делать то, что нужно. — Он посмотрел на нее — после всего, что им пришлось пережить вместе, он думал, что имеет право на откровенный вопрос. — Неужели то, что случилось, не приводит вас в бешенство? — Его искренне занимал вопрос о том, как она жила в браке, который оказался таким непрочным. Тригви понимал, что, после того как произошел несчастный случай, Брэд не вернулся домой. Его дневное появление уже ничего не меняло.

— Да, я бываю просто вне себя от ярости, — улыбнувшись, призналась она, — а сегодня мы поговорили весьма бурно.

— Значит, вы тоже переживаете это. Меня просто убивало то, что Дана ускользала именно в тот момент, когда больше всего была нужна мне или детям.

— Ну, в любом браке бывают свои сложности.

Тригви кивнул, стараясь удержаться от дальнейших расспросов. Но все же уточнил:

— Свои сложности?

— Похоже на то, — призналась она, — впрочем, иногда они оказываются временными.

— А иногда возникают совершенно неожиданно? — мягко спросил он.

— Да, именно так. Я замужем уже шестнадцать лет и вплоть до позавчерашнего дня считала, что у меня очень счастливый брак. — Они подъехали к госпиталю. — Но, как видите, я ошиблась.

— Может быть, и нет. Может быть, это просто сложный период. В каждом браке такое бывает, раньше или позже.

Она отрицательно покачала головой:

— О многом я просто не догадывалась. Я долго тешила себя иллюзиями и не знала всей правды. Но теперь, когда я все знаю, думаю, незачем делать вид, что ничего не случилось. И время для этого совсем неподходящее. — Ее лицо помрачнело при этих словах.

— Не забывайте, что я вам уже говорил: в период кризисов люди склонны совершать поступки, о которых потом раскаиваются.

— Мне кажется, он уже давно этим занимается. Просто на этот раз удалось его поймать без штанов. — Она жалко улыбнулась, и Тригви невольно улыбнулся в ответ — так забавно было сочетание ее детской улыбки и грубых слов.

— Не повезло ему.

Пейдж поразилась, как легко было ей разговаривать с ним. Казалось, она может рассказать ему обо всем — даже о том, чего не сказала бы сестре или старой подруге Джейн. Она, конечно, самый близкий ей человек, но все равно... После того, что ей пришлось пережить в ранней юности, она не была по-настоящему близка ни с кем, кроме Брэда, вот почему смириться с его предательством было особенно тяжело. А сейчас она чувствовала, что Тригви она может сказать то, чего никогда не сказала бы даже Брэду.

Пейдж и Тригви поднялись в отделение интенсивной терапии. После прощания с Филиппом видеть своих дочерей живыми было радостно для них обоих. Тревога не отпускала их, да и состояние девочек было далеко от стабильного. Но основные страхи, кажется, были позади.

На этот раз Пейдж уехала из госпиталя раньше Тригви — ей нужно было забрать Энди от Джейн. После школы его должны были отвезти на бейсбол, так что к пяти часам кто-нибудь из родителей завезет его домой. Она не могла дождаться момента, когда увидит сына, она скучала по нему, нуждалась в нем.

Весь день прошел под впечатлением от похорон. Когда Пейдж нажимала на звонок у двери Джейн, в ее ушах звучала траурная мелодия.

— Привет, как ты? — Джейн обняла подругу и нахмурилась, увидев, в каком состоянии Пейдж. — Что-то случилось? — Пейдж была бледна, у нее был несчастный вид.

— Нет, со мной все в порядке, Алли тоже, кажется, получше, — ответила Пейдж. — Я была на похоронах Филиппа Чэпмена.

— Представляю, какое тяжелое зрелище, — проговорила Джейн, когда Пейдж рухнула на диван.

— Господи, это что-то ужасное. Было столько ребят, все они рыдали. На близких было невозможно смотреть. Как они справятся со своим горем, просто не представляю.

— Брэд был с тобой?

Пейдж отрицательно покачала головой:

— Меня отвез Тригви Торенсен. Знаешь, в церковь пришла и жена сенатора — она выглядела убитой горем и вообще держалась соответствующе. Я думаю, ей потребовалось немало мужества, чтобы прийти. Тригви считает, что это все напоказ, для прессы, чтобы уверить всех в своей невиновности.

— А она виновата? — спросила Джейн.

— Я начинаю думать, что мы этого никогда не узнаем. Может быть, это ничья вина, просто им не повезло.

— Да... Там была пресса?

— Телевидение, несколько фотографов из газет. Наверняка весь этот шум из-за миссис Хатчинсон. Конечно, на такой церемонии появление репортеров выглядит неуместным. Отец Филиппа был просто вне себя. Его еле успокоили.

— Вчера я читала в газете... в статье как-то хитро обвинялся во всем Чэпмен. Они просто врут или это действительно так? Он в самом деле много выпил?

— В том-то и дело, что слишком мало, чтобы его можно было обвинить. Я слышала, что мистер Чэпмен собирается предъявить газете иск, чтобы оправдать Филиппа. Но я действительно думаю, что вряд ли мы когда-либо узнаем правду. Может быть, не виноваты ни он, ни миссис Хатчинсон, но ведь он подросток и все-таки выпил полбокала вина... и две чашки кофе. — Пейдж и Тригви долго обсуждали это, но так и не пришли ни к какому выводу — скорее всего несчастный случай, в котором никто не виноват. Так что можно понять Чэпмена в стремлении обелить сына — это был отличный парень, он не заслужил, чтобы его репутацию марали после смерти.

В комнату вбежал возбужденный Энди и кинулся к ней. Он был такой смешной и трогательный в бейсбольной форме, что она чуть не зарыдала, увидев его: мальчик был полон жизни. Его вид был единственным напоминанием о недавних днях, когда она возила его на соревнования и все казалось таким естественным: Алисон не лежала в коме, а Брэд еще не признался в том, что изменяет ей.

— Ну как вы сегодня, мистер Эндрю Кларк? — спросила она. Он обнял ее.

— Отлично! Мы выиграли! — Мальчик был явно доволен собой. Пейдж улыбалась, глядя на сына.

— Ты молодец!

Мальчик был счастлив, что наконец видит мать, но потом в его взгляде появилась тревога.

— Ты собираешься назад в госпиталь? Я снова останусь тут?

— Нет, мы идем домой. — Она решила провести с ним ночь дома, чтобы не травмировать его. Пейдж понимала, в каком состоянии находится сын. Пока состояние Алисон стабильно, можно позволить себе это. Она решила приготовить ему сегодня настоящий ужин, а не просто размороженную пиццу, посидеть с ним и поговорить, чтобы он не чувствовал себя заброшенным.

— А папа приготовит мясо? — Но она не знала, приедет ли Брэд сегодня домой, и не хотела чего-либо обещать. Поэтому отрицательно помотала головой. — Ладно. Пусть будет обычный ужин. — Его радовала и эта перспектива, так что они отправились домой.

Пейдж запекла картошку, приготовила гамбургеры, салат с авокадо и помидорами. Только они уселись за ужин, как, к ее удивлению, появился Брэд.

— Папа! — восторженно закричал Энди, и Пейдж поняла, как он соскучился по ним обоим. Энди явно был травмирован сложившейся ситуацией.

— Просто сюрприз! — иронически сказала Пейдж. Брэд мрачно глянул на нее.

— Давай не будем начинать, Пейдж, — с тревогой сказал Брэд. У него был нелегкий день, и ему непросто было вернуться домой после разговора с Пейдж, но он сделал это ради сына. — На меня хватит? — спросил он, взглянув на накрытый на двоих стол.

— Нет проблем, — ответила Пейдж и поставила еще один прибор.

Энди принялся рассказывать отцу про то, как он помог команде выиграть в четвертом периоде, про школьных друзей. Он был похож на губку, впитывающую все, что доставалось ему от внимания родителей, поглощенных судьбой несчастной сестры. Наблюдая за сыном, Пейдж поняла, что мальчик переживает не меньше ее, ведь он не видел сестру и не представлял реально ее состояния. Он был во власти неизвестности и собственных страхов.

— А могу я в этот уик-энд поехать в госпиталь и увидеть Алисон? — спросил он, доедая картошку. Пейдж была рада, что Энди сыт, он явно повеселел и оттаял. Но все-таки к сестре его нельзя было пока пускать, состояние Алисон все еще тревожное. Пейдж не хотела, чтобы это тяжелое зрелище сопровождало Энди всю жизнь. К тому же как знать, как будут развиваться события.

— Не думаю, что это уже можно, мой дорогой. Пусть она еще немного поправится. — Пейдж знала, что посещать отделение интенсивной терапии могут дети старше одиннадцати лет. Но главный врач сказал ей, что для Энди будет сделано исключение, если она захочет.

— А если она долго не поправится? Я хочу ее видеть! — Он начал хныкать, и Пейдж взглянула на Брэда. Но тот был целиком поглощен своими мыслями. Нахмурившись, Брэд углубился в газету. Стефани ему устроила сцену, когда он сказал ей, что не останется ужинать. Он уже начинал к этому привыкать — кто-то всегда на него сердился.

— Посмотрим, — уклончиво пообещала Пейдж и убрала со стола. Она подала на десерт мороженое с шоколадным сиропом, а себе приготовила кофе. Никто из них даже не заметил, что она ничего почти не ела. Через несколько минут, не в силах сдержать раздражение, она спросила Брэда:

— Брэд... почему бы тебе не почитать газету после ужина? — Она терпеть не могла, когда он читал за столом, и он отлично это знал.

— А что? Ты хотела мне что-нибудь сказать? — недовольно спросил он, и она тут же напряглась. Энди с тревогой следил за ними. Он никогда не видел родителей такими, а за последние дни они только так себя и вели, и он никак не мог понять, почему.

После ужина Брэд пошел в свою комнату, а Энди поплелся к себе, сопровождаемый Лиззи.

Пейдж убрала со стола, вымыла кухню, приготовила все к завтраку, а потом прослушала сообщения на автоответчике. Их оказалось около дюжины, в основном интересовались здоровьем Алисон; несколько подростков, видевших Пейдж на похоронах, спрашивали, когда можно будет проведать Алисон. К ней пока еще никого не допускали, а присланные цветы отсылали в детское отделение, так как в интенсивную терапию вносить цветы запрещалось. Пейдж была рада, что до сих пор ей не пришлось сталкиваться с друзьями Алисон — это была бы для нее слишком тяжелая психологическая нагрузка. Еще звонил какой-то журналист, пожелавший задать ей несколько вопросов. Его имя Пейдж даже не стала записывать.

Некоторым друзьям Алисон она перезвонила, хотя это было невыносимо тяжело — снова и снова рассказывать о состоянии дочери или пересказывать всю историю матерям ребят. Она даже подумывала, не поместить ли на автоответчике сообщение о текущем состоянии Алисон, но потом решила этого не делать — незачем пугать ребят, да и надежда пока слишком мала.

Наконец она пошла проведать Энди и нашла его плачущим в кровати. Он рассказывал Лиззи о несчастном случае, случившемся с Алисон, о том, что она выздоровеет, но пока еще спит, и на глазах у нее повязка, а голова распухла — это было своего рода резюме происшедшего, как Энди его представлял.

— Ну как ты, милый? — спросила Пейдж, садясь рядом. Она была рада, что наконец могла побыть с сыном, но мальчик был слишком взволнован, а она практически не могла успокоить его. Но по крайней мере она сможет провести ночь с ним дома. Однако ему нужны были и мать, и отец, так что хорошо, что Брэд дома. Хотя лично для Пейдж его присутствие было теперь еще одним испытанием.

— Почему вы с папой все время ссоритесь? — грустно спросил Энди. — Раньше вы никогда так не делали.

— Мы просто расстроены из-за Алли... Иногда

и взрослые, когда им очень грустно или они обижены, не знают, как выразить это, поэтому они пристают друг к другу или ссорятся. Извини, милый, мы не хотели огорчать тебя. — Она погладила сына по голове, стараясь успокоить его.

— Ты так придираешься к нему...

Не могла же она объяснить ему, что теперь все изменилось, папа больше не любит ее и что их семьи в общем-то больше нет. Она не могла и не собиралась ничего объяснять.

— Просто я очень устала в госпитале с Алисон, — сказала она.

— Но почему, ведь она просто спит? — Он ничего не понимал в происходящем. Все так усложнилось, а его любимые папа и мама вели себя так странно.

— Я очень волнуюсь за нее, точно так же, как за тебя, — улыбнулась она. Но он снова нахмурился:

— А папа? О нем ты волнуешься?

— Разумеется. Я забочусь обо всех вас. Это ведь моя работа. — Она улыбнулась и пошла наполнять ванну для него. Выкупав сына, она читала ему книгу. Мальчик пошел пожелать спокойной ночи отцу, но Брэд говорил с кем-то по телефону и только издали помахал ему рукой. Брэда теперь раздражали не только Пейдж, но и Энди, и он уже жалел, что вернулся домой ужинать. Теперь придется лебезить перед Стефани, чтобы та простила его — после того как все вышло наружу и Пейдж узнала о ней, Стефани стала менее терпеливой.

Пейдж уложила Энди, укрыла одеялом. Мальчик попросил ее не гасить свет, что бывало с ним только тогда, когда он был серьезно болен или напуган чем-то.

Проходя мимо гостиной, Пейдж заметила сидящего там Брэда, но не стала с ним заговаривать — похоже, им больше нечего было сказать друг другу. Кроме того, она поняла, с кем Брэд говорил по телефону, когда Энди побежал к нему прощаться.

Пейдж помыла посуду, навела порядок в комнатах, сделала несколько звонков и наконец приготовила себе кофе. На кухне с несчастным видом появился Брэд. Сегодня опять был нелегкий день — сначала их ссора, потом похороны Чэпмена и ужин в натянутой обстановке. Пейдж стала поспешно разбирать почту, накопившуюся за два дня.

— Да, похоже, все не так-то легко, — жалобно сказал Брэд. В джинсах и футболке он выглядел на удивление молодо. Пейдж вдруг вспомнила все, что было между ними за эти годы. Нет, невозможно было вообразить, что он стал для нее чужим. Их объединяло двое детей, шестнадцать прожитых вместе лет — и вдруг он оказался совсем не тем, с кем она жила все эти годы.

— Пожалуй, — грустно ответила она, наливая себе еще одну чашку кофе. — Мне кажется, Энди кое о чем догадывается. — Впрочем, это и нетрудно. Между ними возникло такое поле напряженности, что его можно было потрогать руками.

— Тяжелая у нас неделя.

— Да. В два раза тяжелее, чем могла бы быть.

— Что ты имеешь в виду? — озадаченно спросил Брэд.

— Алли и наш брак.

— Может быть, это единая проблема, и, если она выздоровеет, мы сможем наладить и наши отношения.

Удивительно, особенно учитывая то, что он не собирался отказываться от Стефани. На что он надеется? Или он передумал, или что-то у него изменилось? Откуда ей знать, Брэд для нее теперь — закрытая книга.

— Может быть, нам все-таки удастся помириться, — повторил он, но его слова звучали не слишком-то убедительно. — Если мы захотим...

— Мы — это ты, я и Стефани? Ты это имеешь в виду, Брэд? — спросила она с сарказмом. — Давай не будем начинать снова, незачем давать мне ложные надежды. Пока пусть Алисон выздоравливает, а потом мы разберемся с этой проблемой. И все, Брэд, хватит. Честно говоря, сейчас у меня просто нет сил даже говорить об этом.

Брэд понимающе кивнул. Она права. А вот Стефани все больше и больше стала давить на него, словно несчастный случай с Алисон подстегнул ее. Она стала предъявлять ему такие требования, которые раньше трудно было ожидать от нее: хотела проводить с ним все свободное время, постоянно быть с ним, спать с ним именно тогда, когда он не мог этого сделать. Она словно пыталась доказать что-то, показать, что он целиком принадлежит ей, а не Пейдж. Брэд метался между домом и Стефани и всюду натыкался на претензии и упреки.

Но прежде чем он успел что-либо сказать Пейдж, раздался ужасный крик из комнаты Энди — они оба помчались туда, Брэд вбежал первым. Энди, полусонный, был в истерике — ему приснился кошмар.

— Все в порядке, все хорошо, сынок... Это просто сон... — Но они так и не смогли успокоить его. Ему приснилось, что с ними тоже произошел несчастный случай и все погибли, кроме него и Лиззи. Он сказал, что все вокруг было залито кровью... везде были осколки стекла, а несчастный случай произошел потому, что папа и мама ссорились. Брэд и Пейдж виновато переглянулись, поговорили с Энди, отвлекая его, и он наконец успокоился. Правда, тут же выяснилось, что он описал кровать, и Пейдж пришлось сменить белье. Такого с Энди не случалось с четырехлетнего возраста, и это встревожило Пейдж — значит, он был глубоко потрясен даже на подсознательном уровне.

— Я думаю, можно не терзать себя догадками, почему это случилось, — тихо сказал Брэд, когда они вернулись в спальню.

— Он очень расстроен из-за Алли. Очень испуган. Он слышал наши разговоры о том, насколько тяжело ее положение, и он ведь до сих пор не видел ее. Для него она словно исчезла из жизни.

— Его беспокоит не только это, ты же прекрасно понимаешь, о чем я говорю, — возразил Брэд.

— Я знаю, — спокойно согласилась она. — Нам обоим нужно быть осторожнее. — Очевидно, мальчик слышал их громкий разговор.

— Мне не хотелось бы расстраивать тебя, — начал наконец он, — но, может быть, нам стоит пожить отдельно, чтобы мы немного остыли и потом спокойно разобрались в наших отношениях.

Пейдж едва сдержала обиду.

— Ты не мог бы выражаться определеннее — к чему эти трогательные объяснения? Ты ведь хочешь переехать к ней?

Вопрос был поставлен вполне определенно, но Брэд не ответил прямо.

— Я могу пожить в отеле или снять комнату на Бродвее.

Но Пейдж отлично понимала, что это просто отговорка, для себя Брэд уже все решил — он будет жить у Стефани и избавится от упреков жены. Но в нынешних обстоятельствах она не стала устраивать сцену. Только вот как объяснить это Энди?

— Не знаю даже, что сказать, — растерянно проговорила Пейдж. За такой короткий срок так много изменилось в их жизни, и теперь они пытаются решить проблему, которой вчера еще просто не могло быть. Пейдж пристально посмотрела на Брэда, но тут внезапно зазвонил телефон, и трясущимися руками она схватила трубку, думая, что это из госпиталя. Так оно и было. Отек мозга увеличился, и положение становилось опасным. Если не будет улучшения, завтра предстоит еще одна операция. Поэтому было необходимо получить от родителей соответствующее разрешение. Эту ночь они будут наблюдать за Алисон, возможно, утром наступит улучшение, но скорее всего операции не миновать. Это будет вторая операция на мозге за четыре дня, но доктор Хаммерман не видел другого выхода. Точно так же, как и четыре дня назад, врачи и сейчас не могли поручиться за ее жизнь без операции.

— Снова оперировать? — мрачно посмотрел на нее Брэд, и она кивнула. — И что потом? Снова и снова... Боже, сколько это еще продлится?

— Столько, сколько нужно... пока она не выздоровеет... пока ее мозг не станет нормально функционировать.

— А если нет? — Брэд намеревался снова изложить свои соображения, но Пейдж больше не хотела слушать его — в сложившейся ситуации для нее это уже ничего не меняло.

— А если нет, она останется нашей дочерью. Я подпишу разрешение, Брэд. Алли имеет право рассчитывать, что мы сделаем для нее все, что только можем. — Пейдж не остановилась бы ни перед чем, если бы он начал препятствовать ей, но Брэд все-таки был человеком разумным и любил свою дочь. Пейдж выразительно посмотрела на него, но Брэд не собирался больше спорить с ней.

— Делай что хочешь, Пейдж. — Он направился в спальню и растянулся на кровати. Перед глазами стояло лицо дочери — какой она была. Но прежнюю Алисон вытеснял образ несчастной девочки, лежавшей в госпитале, почти неузнаваемой. — Ты собираешься провести эту ночь не дома? — спросил он, когда Пейдж вошла в спальню и вынула из гардероба свою ночную сорочку. Но она отрицательно покачала головой.

— Я буду спать с Энди.

— Ты можешь спать и здесь, — натянуто улыбнулся он. — Я не так уж опасен. Вот увидишь.

Они вдруг улыбнулись оба. Ну, вот их взаимоотношения и дошли до такого грустного этапа, когда приходится решать, кто где будет спать и стоит ли ему уезжать из дома. Ей снова показалось, что это какое-то безумие.

Лежа на узкой кровати в комнате сына, она сжимала Энди в объятиях и беззвучно плакала, пока слезы не затекли ей в ухо, а подушка вся не промокла. Было о чем плакать — она в одночасье лишилась так многого. А сколько ей еще предстоит вынести! Сможет ли она?!

Утром, увидев рядом мать, Энди был удивлен, но не задал ей никаких вопросов. Он встал и оделся, а Пейдж тем временем приготовила завтрак на троих. Мальчик не вспоминал о своем ночном кошмаре, но, когда она везла его в школу, он был какой-то заторможенный. Брэд сказал, что заедет в госпиталь утром. Она ответила, что бумаги нужно подписать в четверть девятого и она непременно будет в госпитале к этому времени. В десять все должно быть готово к операции, так что Брэду нужно успеть к этому часу.

Глава 8

В коридоре около палаты интенсивной терапии Пейдж встретилась с главным нейрохирургом. За ночь положение не улучшилось, так что Пейдж подписала все бумаги, а потом отправилась к дочери. Алисон по-прежнему лежала в коме, все аппараты работали как и раньше. В этот час посетителей, кроме нее, не было, и медсестры позволили ей посидеть одной — за состоянием Алисон они могли следить и по экранам мониторов, установленных на центральном пульте. Пейдж сидела рядом с дочерью, держа ее за руку и говоря с ней, время от времени касаясь ее рукой и нежно целуя. В половине десятого Алисон увезли.

Почти вечность она сидела около палаты, ожидая, пока Алисон подготовят к операции — операции, в случае неудачи которой Алисон умрет. Отек увеличивался, и в конечном итоге возникшая патология могла оказаться устойчивой.

Доктор Хаммерман предупредил ее, что операция продлится от восьми до десяти часов, ее будет делать та же бригада хирургов, которая делала и первую. Пейдж не представляла, где ей взять силы, чтобы выдержать такое долгое ожидание. Она не переживет, если ее дочь умрет.

Когда наконец приехал Брэд — он опоздал на полчаса, но все-таки приехал, как обещал, — она была бледна как мел и дрожала от страха.

— Что говорят врачи? — встревожился он.

— Ничего нового, — прошептала Пейдж. — Алли была такой милой, когда лежала в постели, и они пришли и забрали ее. Я пыталась разбудить ее, но она не слышала меня. — У Пейдж на глазах выступили слезы, и она отвернулась. Ей не хотелось, чтобы Брэд видел ее плачущей. Она больше не доверяла ему и боялась откровенности, которая раньше была естественной. Ее мужа словно подменили. Как странно бывает, когда близкий человек становится чужим, как меняется все вокруг! Однако сейчас она не будет думать об этом.

День был долгим. Супруги Кларк сидели в приемной отделения интенсивной терапии на неудобных стульях, а вокруг сновали люди. Брэд и Пейдж почти не разговаривали. Брэд был выдержан и терпелив, словно считал своим долгом обращаться с ней осторожно. Имя Алли они упоминали два-три раза — это было слишком больно. Большей частью они сидели, погрузившись в свои мысли, избегая смотреть друг на друга или говорить.

Наконец в четыре часа дня, сказав дежурной сестре, где их искать в случае необходимости, они пошли перекусить. Новостей по-прежнему не было. По дороге они столкнулись с Тригви. Он осторожно спросил об Алисон, пожелал им удачи и отправился к Хлое. Через полчаса они вернулись в приемную.

Наконец в шесть пятнадцать, когда они окончательно извелись от ожидания, в дверях появился доктор Хаммерман. У Пейдж не было сил подняться на ноги.

— Как она? — бросился к врачу Брэд. Тот ободряюще кивнул:

— Лучше, чем мы ожидали.

— А именно? — настаивал Брэд, а Пейдж сидела

и напряженно вслушивалась. Она боялась, что если встанет, то не удержится на ногах, поэтому так и осталась сидеть.

— А именно она выжила, и все жизненные показатели пока удовлетворительны. Правда, сначала она заставила нас поволноваться. Мы ослабили черепное давление, насколько могли, все оказалось сложнее, чем мы предполагали. Однако сейчас я могу сказать определенно, что есть надежда на выздоровление. Теперь нужно отследить ее состояние. Необходимо, чтобы она находилась в абсолютном покое, поэтому мы ввели ей соответствующие транквилизаторы. Через пару недель начнем осторожно выводить ее из этого состояния.

— Через пару недель? — ужаснулся Брэд. — И столько времени она будет находиться в коме?

— Возможно... Скорее всего так и будет. В общем-то и более долгое пребывание в коме вовсе не исключает выздоровления, мистер Кларк. При лечении мозговых травм необходимо время и терпение.

Брэд закатил глаза, а хирург улыбнулся и посмотрел на Пейдж.

— Она перенесла операцию хорошо, миссис Кларк, но это не значит, что все уже в порядке. Мы надеемся, что со временем она выкарабкается окончательно. Есть некоторые признаки. Однако нам нужно набраться терпения, мы должны ждать. Путь излечения будет долгим.

Значит, опять ждать и надеяться на выздоровление. Алисон по-прежнему в опасности.

— Сегодня ночью она останется в послеоперационной палате. Вы можете вернуться домой. В случае необходимости мы позвоним вам.

— А вы полагаете, что-то может случиться? — дрожащим голосом спросила Пейдж.

Хирург ответил не сразу:

— Нет, но все возможно. Вторая черепно-мозговая операция за четыре дня — это не шутка. Она пострадала от травм, перенесла хирургическое вмешательство, так что пока положение остается критическим. Будем надеяться, что в ближайшие дни оно стабилизируется. Мы будем постоянно наблюдать за ней.

— Ее положение сейчас более опасное, чем после первой операции? — спросила Пейдж, и врач кивнул.

— Она ведь сильно ослабела. Но мы надеемся на лучший исход.

— Надеемся, — повторила Пейдж ненавистное ей слово. Она отлично поняла врача — операция прошла хорошо, но была слишком тяжелой для Алисон. Девочка могла умереть в любую минуту.

Хирург отошел, и они с Брэдом остались одни. Брэд с тяжелым вздохом сел на стул и посмотрел на нее. Они оба напоминали двух чудом спасшихся при кораблекрушении — лежа на пляже, куда их, обессиленных, выбросили волны, они были способны только молча переглядываться.

— Да, это ожидание вытрясает из человека душу. У меня такое чувство, словно я сегодня, не сходя с этого места, взобрался на Эверест, — жалобно произнес Брэд.

— Я бы предпочла взобраться на Эверест, — печально вымолвила Пейдж, и он улыбнулся ей.

— И я. Но она жива. Большего мы пока и не можем ожидать. — Он вдруг подумал о том, как говорил все это время, что не хочет, чтобы она осталась калекой, и понял, что теперь ему все равно —

он хотел, чтобы она жила... хотя бы еще час... день... а может быть, им вообще повезет — их дочь выживет. — Ты хочешь поехать домой? — спросил он, но Пейдж отрицательно покачала головой.

— Я останусь здесь.

— Но зачем? Они все равно не пустят тебя к ней. А если что-то случится, они нам позвонят.

— Просто когда я здесь, мне спокойнее. — Она не могла передать это словами, но чувствовала, что ее место — здесь. Точно такое ощущение у нее было, когда крошечный Энди лежал в кувезе. Были такие моменты, когда она точно знала — ей нужно быть рядом, близко. Именно это чувство было у нее и теперь. Разрешат они ей увидеть Алисон или нет — неважно, она останется в госпитале, рядом с ней. — А тебе лучше ехать домой к Энди. Он волнуется. — После кошмара вчерашней ночи они стали внимательней относиться к сыну. Днем она даже звонила знакомому педиатру, который сказал, что тревожное состояние и кошмары — это именно то, что и следовало ожидать в такой ситуации. Он переживает несчастный случай с сестрой так же тяжело, как они, а может, еще тяжелее. Потом педиатр выразил Пейдж соболезнования в связи с состоянием Алисон.

— Ты уверена, что обойдешься без меня? — тихо спросил Брэд перед уходом, но она только помотала головой и поблагодарила его. Ей не так-то просто было просидеть с ним молча целый день, когда о столь многом хотелось спросить его: сколько это будет продолжаться? почему он лгал ей? почему ему было недостаточно ее одной? неужели он разлюбил ее? Впрочем, она понимала бессмысленность этих вопросов — поэтому и заставила себя молчать. Но у нее весь день ныло под ложечкой: он был так привлекателен, но больше не принадлежал ей, у него была другая женщина. Пейдж все больше и больше отдалялась от мужа. Они были корректны друг с другом, и она была рада, что он сидит здесь с ней, но все же по-настоящему им было тяжело разговаривать, во всяком случае, о том, что было важно для них обоих.

— Скажи Энди, что я его люблю, — попросила она перед уходом. Брэд кивнул, помахал ей рукой и исчез за дверью, пообещав, что позвонит утром. Она же вернулась на свой пост в приемной, только сейчас осознав, что при прощании Брэд даже не притронулся к ней, не поцеловал. Связь между ними прервалась.

В приемной появился Тригви с Бьорном. Он сразу понял, что Пейдж не настроена беседовать — она выглядела усталой и грустной. К тому же Бьорн со всей непосредственностью начал интересоваться, где же ее дочь и повреждены ли ее ноги так же, как у Хлои. Пейдж объяснила ему, что у Алли повреждена голова, а не ноги, на что он ответил, что у него тоже временами бывает головная боль и ему жаль, что Алисон страдает, как он.

Они оставили ей несколько сандвичей, а Тригви на прощание пожал руку. Она казалась такой маленькой, худой и усталой.

— Держитесь, — сказал он на прощание. Она кивнула, к глазам подступили слезы, но, когда она осталась одна, ей почему-то стало легче. Отчего-то людское сочувствие раздражало ее. Когда ей начинали выражать сочувствие относительно Алисон, она всегда принималась плакать.

Эту долгую ночь она провела на кушетке в комнатке при приемной. Лежала и думала, теперь у нее было для этого больше времени, чем когда-либо. Думала о Брэде, и как о́ни были счастливы... как родилась Алисон, и какой та была чу́дной... Она закрыла глаза и вспомнила свой городской дом. Какая это была развалина, когда они его купили, и в какую конфетку они превратили его к тому времени, когда решили переехать за город и продать его.

Потом Пейдж стала думать об их загородном доме, о тех днях, когда родился Энди. Но мысли ее снова и снова возвращались к Алисон. Ей казалось, что она, совсем здоровая, стоит в этой комнате... Пейдж словно слышала, как она говорит, видела, как выглядит. Пейдж даже не удивилась, когда в полночь к ней зашла медсестра. Ее сердце словно предчувствовало, что нужно Алисон, и, когда сестра открыла дверь, Пейдж уже вскочила на ноги, зная, что от нее потребуется.

— Миссис Кларк?

— Да? — Все происходило словно во сне. Она не могла поверить, что это происходит с ней наяву, но с реальностью спорить нельзя.

— Я должна сообщить вам, что у Алисон возникли послеоперационные осложнения.

— Хирургам сообщили? — Сердце Пейдж сжалось.

— Они уже в пути. Но я подумала, что вы, может быть, захотите быть рядом с ней... Она все еще в послеоперационной, я могу проводить вас туда.

— Да, я бы хотела... — Пейдж пристально посмотрела на сестру. — Скажите мне, ради бога, она умирает?

Та немного поколебалась, потом ответила:

— Алисон угасает... Она в критическом состоянии, миссис Кларк. Хотя, может быть, она справится. — Такие уж они, эти сестры в послеоперационной — немедленно вызывают врача, а сами даже не задаются вопросом, будет ли пациент еще жив к тому времени, как подоспеет помощь.

— Я успею позвонить мужу? — Пейдж поразилась своему голосу, который звучал спокойно, словно она заранее знала, что произойдет. Она словно ждала этого. Она родила Алисон, она и будет с ней перед смертью. Хотя ее глаза были полны слез, она чувствовала в себе холодное спокойствие. Сестра покачала головой и направилась к лифту.

— Мне кажется, вам лучше подняться наверх. Мы сами позвоним вашему мужу, если хотите. У нас есть его номер телефона. — Пейдж не хотелось, чтобы Брэд узнал эту новость от сестры, но она не захотела отойти от Алисон. В этот момент она должна быть рядом с дочерью. Пейдж чувствовала, что, как бы далеко ни находилась душа Алисон, та слышала ее.

Ей дали халат и маску и проводили в палату. Алисон лежала, окруженная аппаратурой, на голове такие же повязки, что и раньше, но почему-то теперь она выглядела такой маленькой и спокойной.

— Привет, милая моя, — прошептала Пейдж, подходя к ней поближе. Она плакала, но испытывала не горечь, а радость от того, что видит дочь. — Мы с папой любим тебя... ты должна помнить об этом... и Энди. Ему не хватает тебя и мне тоже... нам всем не хватает. Но ты навсегда останешься с нами...

Сестра принесла ей стул, и Пейдж села, взяв в свои руки руку Алисон, которая казалась такой хрупкой, безжизненной. Пальцы не сгибались, и рука одеревенела — следствие нарушений в работе мозга. Именно поэтому Пейдж и не хотела, чтобы Энди видел Алисон. Это было бы ужасное для него зрелище.

— Мы позвонили вашему мужу, — прошептала ей подошедшая сестра.

— Он едет? — спокойно спросила Пейдж. Она чувствовала не страх, а какое-то необъяснимое спокойствие и еще большую близость к Алисон. Теперь они были вместе — мать и дочь, связанные навеки не меньше, чем при рождении девочки. В каком-то смысле они составляли единое целое. Начало — и конец. Полный круг. Правда, она не думала, что все это случится так скоро, — но пока они все еще вместе.

— Он сказал, что не может оставить сына.

Пейдж кивнула. Он просто боится и не в состоянии заставить себя приехать в госпиталь. Но она его понимала — Брэд не хотел видеть всего этого. Сестра положила руку на плечо Пейдж и слегка сжала. Она много раз видела такое, и всегда это было нелегко, особенно если под угрозой была жизнь ребенка.

— Алли, — прошептала Пейдж. — Милая... все хорошо... не бойся... я здесь, с тобой. — Алисон никогда не любила новые места, переезды, а теперь ей предстоит переселиться в одно из них, и Пейдж не могла последовать туда за ней, чтобы помочь привыкнуть. Но духом она всегда будет с дочерью, как и Алисон — с матерью.

— Миссис Кларк... — Это был доктор Хаммерман. Она и не слышала, как он вошел. — Мы теряем ее, — тихо добавил он.

— Я знаю. — Она жалобно улыбнулась, не замечая слез. У доктора сердце разрывалось от ее вида.

— Мы сделали все, что могли. Но повреждения

были слишком серьезны. Я надеялся, что девочка все-таки выживет... но, увы... мне жаль... — Он стоял чуть поодаль, чтобы не мешать ей, и следил за экранами мониторов. Потом просмотрел несколько распечаток, проверил пульс и что-то сказал сестрам. Он видел — девочка не протянет и часа. Жаль мать. — Миссис Кларк, — наконец снова обратился он к ней. — Можем мы чем-то помочь? Может быть, пригласить священника?

— Все в порядке, — ответила она, вспоминая первый миг, когда ей дали на руки Алисон, маленький комочек с розовым личиком и прядью светлых волос над лобиком. Несмотря на то что роды проходили трудно, Пейдж засмеялась и протянула к ней руки. Это воспоминание вызвало у нее улыбку, она повернулась к Алисон и начала снова, в тысячный раз, рассказывать ей об этом. Две сестры, утирая слезы, отошли в сторону.

Теперь рядом с ней был только хирург. Примерно через час он снова проверил данные мониторов — ничего не изменилось, состояние Алисон не улучшилось, но и не ухудшилось. Вопреки прогнозам, она черпала силы откуда-то изнутри и продолжала бороться.

Пейдж по-прежнему сидела рядом, тихо разговаривая с дочерью. В душе она уже разрешила Алисон уйти — раз уж ей не было суждено удержать ее. Она не имела на это права. Алисон была похожа на ангела, и Пейдж, без эмоций и сил, просто сидела рядом с ней.

— Я люблю тебя, моя дорогая. — Она повторяла это снова и снова, словно желая достучаться до Алисон, прежде чем та покинет этот мир. — Я люблю тебя, Алли... — В каком-то уголке души Пейдж осталась крохотная надежда, что вот сейчас Алисон встанет и скажет: «Мама, я тоже люблю тебя», но она знала, что этого не случится.

Доктор Хаммерман снова подошел к ним, проверил датчики на руках Алисон, посмотрел внимательно на приборы, проверил работу аппарата искусственного дыхания. Пейдж сидела в палате уже почти два часа и начала жалеть, что Брэд так и не приехал — ему тоже следовало бы попрощаться с Алисон. Когда доктор наклонился к ней и стал шептать что-то на ухо, она испуганно вздрогнула.

— Вы видите этот агрегат? — Он указал на один из экранов. Пейдж кивнула. — Пульс стал более наполненным и частым. Она заставила нас поволноваться... но теперь я могу предположить, что она возвращается к нам.

Пейдж вспоминала, как однажды Алисон упала в плавательный бассейн и чуть не утонула — когда Пейдж до нее добралась, больше всего на свете ей хотелось отшлепать ее. Теперь она смотрела на Алисон сквозь катящиеся слезы и жалела, что теперь она не может ни отшлепать дочь, ни накричать на нее.

— Вы уверены?

— Посмотрим.

Пейдж осталась рядом с кроватью, продолжая разговаривать с Алисон. Она рассказала ей о том случае с бассейном, когда ей было четыре или пять лет, а потом о другом случае, когда Алисон выехала на велосипеде на шоссе, забитое машинами. Пейдж тогда была беременна Энди. Она рассказала ей и эту историю, повторяя, как она любит ее.

Когда солнце перевалило через вершины холмов, Алисон тихо вздохнула и спокойно уснула. Она словно совершила тяжелое путешествие и теперь вернулась домой — так она устала. Пейдж почти физически ощутила ее перемещение в новое пространство. Ей уже не казалось, что дочь покидает их: она вернулась на землю и решила не оставлять родных.

— На моей памяти немало подобных чудес, — сказал доктор Хаммерман, улыбаясь, а сестры о чем-то шушукались рядом, наблюдая за этой сценой, — они были уверены, что девочка не дотянет до рассвета. — Эта юная леди отчаянно боролась за жизнь. Она еще не готова сдаться... и я, признаюсь, тоже.

— Спасибо, — сказала Пейдж, не в состоянии от прилива чувств сказать что-то еще. Она была уже готова к уходу Алисон, как ни грустно это было для всех них. Теперь Пейдж почти физически ощутила, как Алисон покинула госпиталь и затем снова вернулась. Целуя кончики пальцев дочери, она чувствовала, что теперь уже ее ничем не испугать. На них снизошла милость господня, и по дороге домой Пейдж снова и снова поражалась этому — словно бог простер над ними свою руку, и теперь ей казалось, что они с Алисон навсегда защищены.

Ведя машину по озаряемому первыми лучами солнца городку, Пейдж была благодарна ему за все гораздо больше, чем когда-либо прежде, — за свое такое безоблачное и полное тогда счастье.

Глава 9

Весь этот день Пейдж не покидало ощущение, что ее жизнь кардинально изменилась. Никогда еще она не испытывала такой легкости и счастья. Почему — она не смогла бы объяснить, но ее больше не пугали никакие несчастья, она ощущала себя необычайно уверенной и была в ладу со всем окружающим.

Даже Брэд почувствовал это, когда она кормила их завтраком. Несмотря на бессонную ночь, Пейдж не выглядела ни усталой, ни раздраженной, наоборот, она удивительным образом посвежела и похорошела.

Брэд обрадовался тому, что Алисон удалось выкарабкаться этой ночью, что она выжила. Он был взволнован тем, что рассказала ему Пейдж. Брэд повез Энди в школу и сказал, что приедет ужинать. Когда они уехали, Пейдж позвонила матери и рассказала ей о событиях прошедшего дня. Мать снова предложила приехать, но Пейдж показалось, что она по-прежнему не понимает ситуации, но теперь это уже ее не волновало. Пообещав матери звонить и повесив трубку, она почувствовала себя почти счастливой. Никогда она еще не была так близка с дочерью, и теперь она чувствовала, что Алли выживет, что ее жизнь в руках господа. Она уже не ощущала необходимости как можно больше времени проводить в госпитале.

Пейдж приняла душ и провалилась в глубокий сон, проснувшись как раз вовремя, чтобы быстро заехать в госпиталь, прежде чем забрать из школы Энди. Алисон снова лежала в отделении интенсивной терапии, и Пейдж провела некоторое время около нее, чувствуя, что прошлой ночью они с дочерью совершили далекое путешествие.

— Привет, дочурка... я рада снова видеть тебя... — Ей казалось — нет, она знала, — что Алисон каким-то образом слышит и понимает ее, где бы они ни побывали прошлой ночью. — Я ужасно тебя люблю... ты меня обманула прошлой ночью —

я навсегда прощалась с тобой, а ты вернулась. Я рада этому. — Она сердцем почувствовала, что Алли чуть заметно улыбнулась в ответ. Вообще ей казалось, что теперь она понимает Алисон без слов. — Ты нужна здесь, Алли... нужна нам всем... тебе нужно поспешить и скорее поправляться. Нам не хватает тебя. — Ей было легко сидеть и говорить с ней.

Когда Пейдж уже уходила, она столкнулась с Тригви, и тот отметил происшедшую в ней перемену: походка Пейдж стала легкой, волосы блестели, впервые за эти дни на ее лице сияла улыбка.

— Боже, что с вами произошло?

— Не знаю, Тригви. Поговорим обо всем позже.

— Как Алисон?

— Лучше. Или вернее — в том же состоянии. Вчера была еще одна операция, и после некоторого осложнения ночью они сказали, что положение стабилизировалось. Это уже кое-что. — Конечно, у нее было что рассказать, но не сейчас, в коридоре интенсивной терапии. — Кстати, Хлоя спит, я ее видела. Когда я пришла, она бодрствовала и очень жаловалась на боль, но это, наверное, хороший признак. Выглядит она лучше.

— Слава богу. Когда вы вернетесь сюда? — поинтересовался он.

Она покачала головой.

— Не знаю. Мне нужно захватить из школы Энди и отвезти его на бейсбол. А потом постараюсь остаться дома на ужин, если только мисс Алисон снова что-нибудь не выкинет. — Но Пейдж была уверена, что ничего страшного уже не произойдет. Что бы ни случилось, так тяжело, как прошлой ночью, уже не будет. Такое бывает только раз в жизни.

— Тогда увидимся завтра. — Похоже, он был этим расстроен: они немало пережили вместе за эти дни.

— Я заеду, после того как отвезу Энди утром в школу, — улыбнулась она и пошла дальше.

День прошел отлично. Энди хорошо играл, хотя не так блестяще, как раньше. Его тревога за сестру еще не прошла. И все же, когда он уютно устроился с мороженым на сиденье машины, она вспомнила прошлую субботу. Трудно поверить, что всего лишь пять дней назад они жили нормальной жизнью — всего пять дней назад несчастный случай перевернул вверх дном всю их семью, и, казалось, безвозвратно.

Однако Брэд не приехал ужинать, позвонив и сообщив, что занят на работе и будет разумнее, если он останется ночевать в городе. Она отлично понимала, что это значит, но он все-таки позвонил, так что можно было хоть как-то объяснить его отсутствие Энди. Удивительно, насколько это не волновало теперь ее — ей было вполне достаточно, что она одна с сыном и Алли ничего не грозит.

Уложив сына, она позвонила Джейн, и та сообщила ей неожиданные новости. Она разговаривала с одной своей подругой, которая знала Лору Хатчинсон много лет. Та сказала, что у Лоры были проблемы с алкоголем еще с подросткового возраста, в свое время она даже лечилась от алкоголизма, и вроде бы успешно.

— Но что, если это не так? — обеспокоенно спросила Джейн. — Что, если она снова начала пить и той ночью была пьяна?

Теперь им этого не узнать. Пейдж размышляла над сообщением Джейн — похоже, что все это слухи, злые сплетни. И все равно это уже ничего не изменит — погиб Филипп, девочки искалечены.

— Скорее всего у них нет никаких доказательств, — пыталась быть справедливой Пейдж.

— Может быть, но если это не так, то вскоре ты прочитаешь об этом в какой-нибудь бульварной газетенке, — ответила Джейн, — похоже, после случившегося газетчики заинтересовались ею. Они сядут ей на хвост.

— Я бы не хотела, чтобы это случилось, — спокойно ответила Пейдж. — Надеюсь, что она чиста. Не думаю, что слухи пойдут кому-либо на пользу.

— Ну, мне показалось, что тебе все-таки необходимо это знать, — ответила Джейн. Ее эта информация потрясла — что, если виновата эта женщина, а не Филипп?

— Все-таки нечестно говорить о ней, полагаясь на эту давнюю информацию, — сказала Пейдж подруге. — Но в любом случае — спасибо, что сказала.

— Если я что-нибудь еще узнаю, я тебе позвоню или забегу.

Потом они поговорили об Алисон, а после Пейдж оплатила кое-какие счета и просмотрела почту. Впервые за эту неделю у нее выдалось время, чтобы заняться привычными делами, и от этого она даже получила удовольствие.

Наутро она отвезла Энди в школу, а потом вернулась в госпиталь к Алли. Пейдж была наконец в уравновешенном состоянии: она остыла, нашла время для общения с Энди и поняла, что, если даже случится худшее, у нее есть силы, чтобы справиться с этим, чтобы жить дальше.

В девять она вошла в палату к Алли. Состояние девочки стабилизировалось, и все сестры приветливо улыбнулись Пейдж: они знали, насколько близка была Алисон к смерти в ночь после второй операции.

— Как она? — нерешительно спросила Пейдж. Накануне она несколько раз звонила, и ей отвечали, что все нормально, ничего не изменилось. Состояние оставалось стабильным.

— По-прежнему, — улыбнулась ей сестра. Это была милая женщина, примерно одного возраста с Пейдж, ее звали Френс. — Доктор Хаммерман осматривал ее час назад и остался доволен.

— Отек спал хоть немного? — Под всеми этими повязками и простынями Алисон почти не было видно, но Пейдж показалось, что девочка выглядит более умиротворенной и порозовевшей.

— Да, чуть-чуть. Операция обусловила снижение давления.

Пейдж кивнула и, сев рядом с Алли, взяла ее за руку, как обычно, и начала разговаривать с ней. Видимых улучшений не было, но чувствовалось, что Алисон лучше, и теперь Пейдж лучше воспринимала окружающее, даже разлад с Брэдом ее не волновал так, как раньше. Непонятно почему, но после прошлой ночи, проведенной с Алисон, она очень изменилась — она изнутри ощущала себя другой.

В десять появился Тригви с пакетом булочек.

— Вы выглядите повеселевшей, — улыбнулся он. — Рад сказать вам об этом. — Люди обладают удивительной приспособляемостью — он тоже почувствовал себя лучше после этих дней, когда не вылезал из госпиталя. Хлою уже перевели из отделения интенсивной терапии в обычную палату, а через несколько недель ее должны отпустить домой. Страшная была неделя, но все-таки они пережили ее.

Пейдж улыбнулась смущенно, и они вышли из отделения. Позже днем она зашла к Хлое. Ей уже давали меньше наркотиков, хотя девочка еще испытывала сильную боль. Ее палата была полна цветов, и ее часто навещали друзья. Вот и сейчас у нее были подруги. Тригви вышел из палаты, предоставив подростков самим себе. Впервые за неделю к Хлое допустили друзей — до этого пускали только отца и братьев. Звонил Джейми Эпплгейт и тоже хотел прийти, но Тригви просил его подождать до уик-энда. Джейми говорил с ним очень вежливо, он явно рвался проведать Хлою. Самый большой букет в ее палате был именно от Джейми и его родителей.

— Дело налаживается, — улыбнулась ему Пейдж. Она была рада, что и Тригви немного успокоился и воспрянул духом.

— Не уверен, — горько усмехнулся Тригви. — Может быть, следующая стадия окажется потяжелее. Ей нужны друзья, музыка, она хочет переехать домой на следующей же неделе, что просто невозможно, и хочет, чтобы я вымыл ей голову. — Они оба понимали, как приятны теперь, после всего, что они пережили, эти проблемы — проблемы, не касающиеся жизни и смерти.

— Вам повезло, — убежденно сказала Пейдж. — Хотела бы, чтобы у Алисон были те же самые проблемы.

— Знаю, — тихо ответил он. — Я слышал, что вы чуть не потеряли Алисон в ночь после операции. — Одна из медсестер рассказала ему обо всем, что случилось в ту ночь.

Пейдж лишь кивнула, раздумывая, можно ли ему рассказать об этом, чтобы он не решил, что она сошла с ума.

— Это было самое странное ощущение за всю мою жизнь. Я знала, что происходит. Я почувствовала ее состояние еще до того, как они пришли за мной. Я была уверена, что она умрет, и они тоже... и я никогда не была так близка с ней... Я вспомнила каждый день, каждый час, каждую минуту — то, о чем уже, казалось, давно забыла. А потом вдруг почувствовала — что-то изменилось. Я почувствовала, что она возвращается откуда-то издалека. Я никогда не переживала ничего похожего. Ничего столь мощного. Это было просто невероятно. — Она до сих пор еще была под впечатлением этого чувства, и Тригви прекрасно это видел.

— Да, такое случается... Слава богу, она вернулась. — Тригви явно жалел, что его не было с Пейдж в ту ночь. Сестра сказала ему, что по просьбе Пейдж они звонили Брэду, но он так и не приехал к дочери.

— Она удивила всех нас, — радостно сообщила Пейдж.

— Я надеюсь, она будет продолжать это делать.

— Я тоже, — ответила Пейдж.

— Как Энди? Он уже справился с потрясением?

— Не слишком хорошо. У него бывают кошмары. — Она автоматически понизила голос, чтобы не услышал Энди, хотя его и близко не было. Но ему бы не понравилось, что она рассказывает кому-то об этом. — Он описал постель. Мне кажется, что все эти события тяжело отразились на нем, я пока не хочу, чтобы он видел Алисон.

— Ну что ж, вы, пожалуй, правы, Пейдж.

Алисон действительно выглядела не самым лучшим образом, и нового человека ее вид мог бы испугать, несмотря на стабильность положения. Даже Хлоя была потрясена, когда ей сказали, что это Алли, и долго плакала. В первую минуту она даже не узнала свою подругу.

— Для мальчика это будет слишком сильная травма.

— Кроме того, Тригви, у нас дела в семье вообще обстоят не лучшим образом. — Она сделала паузу, некоторое время смотря мимо него куда-то вдаль, и только потом подняла глаза. — С Брэдом совсем тяжко, и Энди это видит. Муж редко бывает дома теперь. Он... ну... в общем, поговаривает о том, чтобы пожить отдельно от нас. — Она внезапно успокоилась. Когда она произнесла эти слова, ее голос слегка дрожал, но она все-таки сумела сказать это, как бы тяжело ей ни было. После шестнадцати лет брака он покидал ее. В сущности, уже бросил. Утром он позвонил ей и сказал, что на уик-энд его дома не будет.

— Бедняжка моя. Слишком много обрушилось на вас за одну неделю, — искренне произнес Тригви.

— Конечно, я еще ничего не сказала Энди. Но он понимает, что-то происходит, и очень расстроен, встревожен. Бедный мой мальчик!

— Это не Энди бедный, а вы. Значит, с вами это в самом деле случилось. Я-то думал, что Брэд просто нервничает после этого несчастного случая, что он выбит из колеи, а теперь получается, что все гораздо сложнее. Это не истерика. — Тригви действительно расстроился.

— Так и есть. У него связь с женщиной, вот уже восемь месяцев. Похоже на то, что он в нее влюблен. Я просмотрела все это — наверное, слишком много внимания уделяла своим делам и детям. — Она старалась сделать вид, что это не очень-то ее трогает, но ей не удалось обмануть его. Тригви пристально следил за выражением ее лица.

— Представляю себе. Не так-то просто все это перенести, — с сочувствием заметил он.

Она пожала плечами, по-прежнему пытаясь делать вид, что ей все это безразлично. Но у нее не слишком хорошо это получалось.

— Я даже ни о чем не подозревала... Можете себе представить? Я просто дура... Обманутая, несчастная, брошенная и одинокая.

— Все мы время от времени бываем наивными глупцами. Вообще это не так-то легко перенести и принять: у нас в городке все знали о том, что Дана мне изменяет, но я все равно пытался делать вид, что мы по-прежнему дружная пара.

— Вот и я... — У нее снова заблестели от слез глаза, и ему внезапно захотелось обнять ее. Если бы они сейчас говорили об Алисон, это было бы не так трудно, но они говорили о Брэде, и это было совсем другое дело... — Просто странно, что все это свалилось на меня сразу: Алли, Брэд. Такой удар! Энди никак не может привыкнуть к этому. Я тоже, но я все-таки взрослый человек, а вот как это все отразится на нем?

— Самое лучшее для вас и для сына — отвесьте хорошего пинка своему Брэду. Пусть катится подальше.

Она рассмеялась, представив себе эту картину.

— Мы всю неделю занимаемся дурацким выяснением отношений. Я просто не могла поверить, что все обстоит именно так, но после того как Алли чуть не умерла, я начала смотреть на все это несколько иначе. Это уже не казалось мне такой катастрофой — я Брэда имею в виду, нам просто необходимо окончательно определиться. Мне нужно справиться с этим несчастным случаем. Почему-то теперь — даже не знаю почему — я чувствую себя сильнее.

— Да, человек существо непредсказуемое и даже загадочное. У него всегда, когда нужно, откуда-то неожиданно появляются новые силы, помогая перенести катастрофу.

Она кивнула. Ей было хорошо с ним, уютно и надежно. Вдруг он как-то странно, почти с испугом посмотрел на нее.

— А что вы с Энди делаете завтра?

— Не знаю, завтра нет тренировки по бейсболу, и я собиралась оставить его с соседкой. Брэда опять не будет дома, но Энди я этого не сказала. Я не могу оставить его одного на весь день. Так что еще просто не думала над этим. А что, у вас какие-то планы?

— Я был бы рад угостить вас ленчем у себя. Бьорну нравится общаться с ребятами возраста Энди, так что они смогут поладить. Если это случится, то вы можете поехать в госпиталь, а Энди оставить у нас и забрать после ужина. А то присоединяйтесь и вы к нам. — Он искренно предлагал ей это, и она была тронута его поддержкой.

— Вы уверены, что хотите этого? Мы ведь создадим вам массу проблем. А что с Хлоей?

— Я обещал Бьорну, что завтра утром мы ее навестим, а потом вернемся домой. Кроме того, к ней в госпиталь приедут две ее подруги и Джейми. Так что вечером мне тоже нужно будет вернуться к ней.

— Да, у вас прямо весь день забит. — Она некоторое время колебалась, не зная, что решить. Его глаза умоляли ее согласиться: ему было так хорошо с ней, и ему нравился ее сын, и, кроме того, им обоим нужна была передышка от той боли, что принесла эта неделя. И ей не меньше, чем ему.

— Правда, Пейдж, мы были бы рады... и Энди это тоже может понравиться.

И это отвлечет Энди от размышлений, куда делся папа.

— Мне это тоже нравится, — тихо ответила она. — Согласна... и спасибо за все...

Из палаты Хлои вышли две навещавшие ее девочки, и Тригви нужно было возвращаться к дочери. Он сказал, что будет ждать Пейдж к полудню.

— И не забудьте напомнить Энди захватить бейсбольные перчатки. Бьорн обожает бейсбол.

— Я передам. — Она улыбнулась и помахала ему рукой. Потом поехала домой, рассказала об их планах Энди и сказала, что папа уедет на уик-энд по делам.

— И на субботу, и на воскресенье? — недоверчиво спросил он. Но больше задавать вопросов не стал.

Она попыталась рассказать ему о Бьорне и его болезни, и это не столько испугало, сколько заинтриговало его. Он знал Бьорна, конечно, но они никогда не играли вместе. Энди сказал еще, что у них в школе тоже есть такой парень, но учится он в специальном классе.

Но следующий день превзошел все их ожидания. Бьорн помог приготовить настоящие гамбургеры, а Тригви сделал хот-доги и салат с помидорами. Бьорн, правда, сказал, что Ник, вернувшийся в колледж университета Южной Калифорнии, делает хот-доги гораздо лучше папы. Он сообщил это с таким серьезным видом, что Энди не выдержал и рассмеялся, обнажив беззубые десны, и сунул в рот хот-дог.

— А что с твоими зубами? — заинтересовался вдруг Бьорн.

— Выпали, — невозмутимо объяснил Энди. Он привык к Бьорну, и теперь его не так интересовал сам синдром Дауна, как то, что Бьорну уже восемнадцать лет и это самый старший из мальчиков, с которыми Энди приходилось играть до сих пор.

— Значит, доктор поставит тебе новые? — продолжал расспросы Бьорн. — В прошлом году у меня сломался зуб, так доктор его приладил снова. — Он показал Энди зуб. Тот восхищенно кивнул — зуб ничем не отличался от своих здоровых соседей.

— Нет, мои вырастут снова. У тебя тоже так было, наверное, когда тебе было столько лет, сколько мне, ты, наверное, забыл.

— Может, я просто не обратил внимания.

Тригви и Пейдж с любопытством наблюдали за этим диалогом — ребята отлично ладили друг с другом.

— А ты играешь в бейсбол? — спросил теперь Бьорн.

— Ага, — снова улыбнулся в ответ Энди, на этот раз выбирая себе гамбургер.

— И я. Еще я люблю боулинг. Ты любишь боулинг?

— Никогда не играл, — признался Энди, — мама говорит, я еще мал. Шары там слишком тяжелые.

Бьорн кивнул — это он понимал.

— Мне тоже кажется, что тяжелые, но папа меня возит... а иногда мы ходим на боулинг с Ником. Или с Хлоей. Хлоя сейчас больна. Она на прошлой неделе сломала ногу. Но скоро она вернется домой.

— Ага, — серьезно кивнул Энди, — моя сестра тоже больна. Она ударилась головой при аварии.

— Разбила голову? — сочувственно покачал головой Бьорн — он понимал, как это плохо, когда сестра болеет, плакал, когда впервые увидел Хлою после аварии.

— Да, что-то в этом роде. Я ее еще не видел, она пока не пришла в себя.

— Ох, — вздохнул Бьорн, довольный, что теперь у него с Энди так много общего — у обоих больны сестры, и они оба играют в бейсбол. — Я участвую в Олимпийских играх для инвалидов. Вместе с папой.

— Здорово! А в каких видах спорта?

Бьорн принялся объяснять ему, как играет в бейсбол и как любит прыжки в длину, а Тригви и Пейдж поняли, что их присутствие уже необязательно, и направились в сад.

— Я так и думал, что они подружатся, — улыбнулся Тригви. — Возраст Энди как раз соответствует уровню развития Бьорна. Он сейчас на уровне десяти-двенадцатилетнего мальчика, но ему проще общаться с детьми помладше. Энди — то, что надо. — Тригви был тронут тем, как уважительно и спокойно разговаривал Энди с Бьорном — ясно, что тот понравился ему. — Вам повезло.

— Нам обоим повезло. Они чудесные ребята. Как жаль, что две знакомые нам юные леди солгали в прошлую субботу, и теперь из-за этого столько неприятностей, — сказала Пейдж, наблюдая за мальчиками через огромное стекло. Кто бы мог подумать, что прошла всего неделя с того момента, как драматическое событие в жизни их дочерей свело их вместе. Всю эту неделю Пейдж исповедовалась Тригви и даже не задумывалась о том, как он выглядит, симпатичен ли он ей. Просто он был все время рядом. Но теперь она заметила, что Тригви вовсе недурен собой.

— Иногда мне хотелось бы перевести часы назад, — сказал он и посмотрел на нее. Она сидела в длинном шезлонге, откинув волосы и подставив лицо солнечным лучам. Пейдж наслаждалась этим днем.

— Не думаю, что это будет правильно... может быть, лучше, наоборот, вперед, только побыстрее, чтобы миновать крутые повороты, — улыбнулась она.

— Да, но кажется, что именно крутые повороты и столкнули нас, ведь так? — Они одновременно рассмеялись, хотя дело обстояло именно так.

— И все-таки я бы очень хотела, чтобы поскорее наступил тот момент, когда Алли встанет на ноги, — вздохнула Пейдж.

— Она обязательно поправится, — ободрил ее Тригви. — Алисон уже доказала всем свою жизнестойкость. Никто не мог представить, что она выкарабкается после второй операции. А теперь врачи дают обнадеживающий прогноз. Конечно, это, видимо, будет не скоро. Вы готовы к долгим испытаниям, Пейдж?

— Я отдаю себе отчет, сколько сил нам всем понадобится. Доктор Хаммерман сказал, что могут потребоваться годы для окончательного выздоровления.

— Возможно. Не знаю, как это все сложится с вашей дочерью, но я хорошо знаю, как это было с Бьорном. Он носил памперсы до шести лет, и до одиннадцати с ним то и дело случались неприятности. Я волновался из-за того, как он будет переходить дорогу, а в двенадцать лет он очень сильно обжегся, пытаясь что-то приготовить на плите. Прошло много, очень много времени, пока он стал таким, какой он есть, потребовалась масса терпения и усилий как с моей стороны, так и с его. Я встретил на этом пути много добрых людей, они очень мне помогли. Наверное, вам это тоже придется пройти, если вы начнете с Алли с самого начала. — Он не стал говорить о том, что Алли — они это оба прекрасно понимали — может никогда не стать снова нормальной девушкой. Дай бог, чтобы она поправилась, но никто не дает гарантий, что она будет нормальной.

— Об этом страшно и думать... Но какая бы судьба ни была ей уготована, я молю об одном — только бы она осталась с нами, только бы жила!

— Я понимаю.

Как же хорошо было ей рядом с этим человеком, так ее понимавшим! Ей даже не хотелось уезжать из его дома. Но не могла же она оставить Алисон одну, и, кроме того, она должна была кое-что захватить и для Хлои. Девочка просила привезти ей журналы, пирожные и косметичку. Она почувствовала себя лучше настолько, что даже захотела поесть чего-нибудь вкусненького.

Когда Пейдж отправилась в госпиталь, мальчики играли в бейсбол на лужайке перед домом. Тригви помахал ей рукой на прощание. Впервые за столько дней она почувствовала себя счастливой — независимо от того, что ждало ее впереди, он ее поддержит. Тригви — надежный друг. Проведенное с ним время было островком спокойствия в океане кошмара.

В госпитале все было спокойно: Алисон спала,

подключенная к аппарату искусственного дыхания, состояние ее определялось по-прежнему как критическое, но стабильное. Пейдж, как обычно, села рядом, тихонько разговаривая с дочерью. Потом она сделала небольшой перерыв и сходила к Хлое. Рядом с ее кроватью сидел Джейми Эпплгейт. Он принес ей несколько лазерных дисков и букет цветов. Он был очень вежлив с Пейдж и спросил, когда он сможет навестить и Алли.

— Боюсь, что не скоро, — ответила она. Алли пока точно не до посетителей, да и ее вид мог испугать ее сверстников. Пейдж рассказала Хлое о Бьорне и Энди, отдала привезенные журналы, косметичку и сладости и оставила молодежь.

Пейдж вернулась к Тригви ближе к вечеру и нашла мальчиков весело играющими в карты. Оба плутовали и хохотали, а Тригви готовил ужин и что-то напевал себе под нос.

— Я собираюсь приготовить любимое блюдо — жаркое по-норвежски, макароны и шведские мясные шарики.

— Бульон с шариками — это хорошо, — воскликнул, влетая в кухню, Бьорн, за которым гнался Энди. Потом они умчались наверх смотреть кино.

— Мне кажется, Энди так просто не уйдет, придется вам остаться с нами ужинать, — усмехнулся Тригви. Она рассмеялась и предложила помочь ему с ужином: поставила столик для себя и начала готовить макароны с грибами. Жаркое уже распространяло по кухне аппетитный запах, и Тригви предложил попробовать ей один шарик. Бьорн был прав — они и в самом деле вкусные. Тригви ко всему прочему еще и отлично готовил!

— Как там моя Хлоя? — спросил он, пробуя жаркое. Пейдж улыбнулась.

— Отлично. У нее был Джейми. В общем, он неплохой парень, хотя, конечно, в моем присутствии он чувствует себя неловко и у него такой виноватый вид. Он принес ей несколько дисков, и когда я уходила, они вместе слушали музыку. — Пейдж посерьезнела. — Знаете, Тригви, мне так не хватает Алли. Подумать только, всего неделю назад она выпросила у меня мой любимый розовый свитер. Его раскромсали на куски, раздевая ее в госпитале. — Странно, сегодня Пейдж впервые вспомнила об этом.

— Хотел бы я как-то помочь вам, — сказал Тригви после того, как они сели за стол, ожидая, когда будет готово жаркое, и он налил вина Пейдж и себе.

— Вы и так помогли мне. Все равно мне предстоит нелегкий период в жизни — рано или поздно Брэд покинет нас, и вот это будет тяжело... особенно для Энди, но и для меня, а тут добавляются и проблемы с Алисон. — Да, ее окружал почти невыносимый кошмар, но ведь такова жизнь, и Пейдж готова была принять ее такой, как она есть, — эта неделя научила ее очень многому, и прежде всего терпению и терпимости.

— А как, по-вашему, Энди воспримет его уход, если он оставит вас?

— Боюсь даже представить. К тому же нужно говорить не о «если», а о «когда», а это выяснится в ближайшее время.

— Иногда дети так тонко чувствуют, что догадываются обо всем задолго до того, как вы скажете им.

— Может быть.

В кухню снова вбежали ребята, и Тригви сказал им, что через пять минут можно садиться за стол.

— Настало время для мясных шариков, ребята! — объявил он и послал мальчиков мыть руки. Ужин они начали с благодарственной молитвы, и это удивило Пейдж — в ее семье этого никогда не делали, в церковь ходили только по праздникам. Ее поразила религиозность Тригви.

— Я хожу в воскресную школу, — объяснил Бьорн своему новому другу, — там учат меня, говорят о боге. Он очень хороший и добрый, тебе понравится.

Пейдж с трудом сдержала улыбку и переглянулась с Тригви. Он едва заметно улыбнулся ей в ответ.

Мальчики продолжали болтать и с аппетитом ели жаркое, а взрослые вышли в сад. Убирать после ужина было обязанностью Бьорна, а Энди вызвался помочь ему.

— Хороший парень ваш Бьорн, — сказала она, когда они снова уселись в шезлонги в саду. Стоял прекрасный весенний вечер, и они долго молча любовались оранжевым закатом над холмами.

— Да, — согласился Тригви. — К счастью, Хлоя и Ник тоже любят его. Так что, надеюсь, они не бросят его, когда меня не станет. Мне бы хотелось, чтобы он попробовал жить самостоятельно, но, кажется, пока он не готов.

Пейдж тоже надо задумываться над этим, ведь ей придется привыкать теперь к тому, что Алисон не сможет позаботиться о себе и, возможно, это придется сделать Энди. Никогда прежде у нее не было подобных мыслей, теперь она вступала в совершенно новый, незнакомый для нее мир.

— Как здорово, что вы сегодня пришли к нам, — улыбнулся Тригви. — Я правда очень рад, Пейдж.

— Я тоже, — тихо ответила она. — Вы дали и мне, и Энди возможность расслабиться и немного отдохнуть от кошмара, в который превратилась наша жизнь.

— Ну, кошмар не бывает вечным, — начал успокаивать ее Тригви.

— Пока мне кажется, что он может продлиться вечность. Я даже не представляю, что меня ждет впереди, за поворотом, — все так резко изменилось, что я никак не могу отдышаться. То, что было главным в моей жизни еще неделю назад, теперь просто исчезло. Не знаю, что с этим делать, — покачала она головой. Тригви наклонился и взял ее за руку — он знал, что она так уязвима сейчас, и ему хотелось сделать что-то, чтобы успокоить, защитить ее, уверить в своей поддержке.

— Вы все делаете правильно, — сказал он. — Просто нужно пройти это шаг за шагом, медленно, чтобы не ошибиться.

Но Пейдж только рассмеялась.

— Мне кажется, единственное, что здесь движется медленно, — это я. Вся остальная жизнь распадается так быстро, что я даже не успеваю подобрать осколки.

Он рассмеялся при ее словах, они помолчали, снова наблюдая за закатом.

— Иногда жизнь кажется простой и понятной, но ведь это не так, правда? — сказал он, когда солнце скрылось за холмами. — Нам кажется, что мы разработали четкий план и все должно идти по нему, и вдруг — бац! — все разваливается на кусочки. Единственное утешение, что эти кусочки можно снова собрать. По крайней мере надо попробовать.

— Хотелось бы верить, — ответила она. Какой он все-таки славный — искренний и добрый!

— Сейчас я гораздо счастливее, чем был, — вдруг признался Тригви. — Никогда и не думал, что мне в жизни будет так хорошо, но это факт. Вряд ли я рискну жениться снова! Впрочем, кто знает, что нас ждет... Я даже хотел бы иметь еще детей. Но если не появится такая женщина, которая нужна мне, я буду доволен и тем, что имею. Я счастлив, так как у меня есть дети, работа... Я сходил с ума, я был в отчаянии, пытаясь наладить отношения с Даной. Но мне так это и не удалось. Она всегда делала так, что это становилось невозможным, а я всегда и во всем оказывался виноватым и чувствовал себя последним идиотом. Больше я этого не хочу. Мне нравятся моя жизнь, мои дети и мой душевный покой. Я думаю, и вы скоро почувствуете то же самое. У вас прекрасные дети, вы красивы, добры, вы вообще замечательная женщина. Вы заслуживаете того, чтобы быть счастливой, Пейдж, и когда-нибудь, одна или с кем-либо, вы станете счастливой.

— Неплохо было бы высечь эти слова в камне. Тогда это звучало бы более монументально и успокаивающе.

— Хорошая идея. Но вот увидите, у вас точно все наладится, я чувствую это.

— Поскорее бы, — тихо ответила она.

Он пристально посмотрел на нее. Вдруг он наклонился к ней, и ей на мгновение показалось, что он собирается поцеловать ее. Но в этот момент на лужайку с криком ворвались мальчики. Они опять собирались играть в бейсбол.

— Никакого бейсбола, ребята! — твердо приказал Тригви. Момент был упущен, и Пейдж даже подумала: а был ли он? — Бьорн, уже поздно. Почему бы вам не посмотреть спокойно телевизор? Скоро уже спать ложиться. — Он повернулся к Пейдж: — Может быть, вы оставите Энди сегодня у нас? Вы собираетесь вернуться в госпиталь?

— Я бы поехала домой, Брэд может завтра заехать домой и захватить Энди. Тогда я смогу провести побольше времени с Алли. А вы когда поедете к Хлое? — Теперь вся их жизнь определялась этими поездками в госпиталь, и требовалось немало поломать голову, чтобы устроить встречу или свидание с кем-то еще.

— Но я поеду ненадолго и скоро вернусь, — ответил Тригви.

— Все-таки мы поедем домой, — с заметным сожалением сказала Пейдж. Они явно не спешили расставаться, еще немного посидели на открытом воздухе, наслаждаясь теплой ночью и обществом друг друга. Но Тригви больше не смел приблизиться к ней, и по дороге домой она размышляла: уж не почудилось ли это ей? Он так независим, у него своя налаженная жизнь. К тому же, как сказала неделю назад Алисон, а он только что подтвердил, ему хорошо и без женщин. Дана все-таки оставила слишком глубокий след в его жизни, боль воспоминаний еще жила в нем.

Но ведь и Брэд сильно ранил ее — как странно, что при этом ее влекло к Тригви! Раньше она никогда не думала об этом, но теперь, после целой недели, проведенной с ним вместе, она поняла, что он не только внешне привлекателен, но и вообще замечательный человек. При этих мыслях Пейдж улыбалась. Вдруг на заднем сиденье заше-

велился Энди и задал ей вопрос, который заставил
ее вздрогнуть:

— А кто это — Стефани?

— Ты это о чем? — У нее бешено колотилось
сердце.

— Я слышал это имя, когда вы с папой ругались.
А потом он ей звонил.

— Наверное, кто-то из его знакомых на работе, — ответила Пейдж как можно спокойнее. Тригви прав — дети не так наивны. Интересно, что
еще ему удалось услышать в ту ночь, когда у него
был кошмар?

— Она красивая? — настаивал Энди.

— Я ее не видела, — равнодушно ответила Пейдж.

— Тогда почему же ты кричала на папу из-за
нее?

Его настойчивость начинала бесить ее.

— Я на него не кричала, и вообще я не хочу говорить об этом.

— Почему? У нее голос такой красивый.

— А ты откуда знаешь? — Ее словно ударили под
ложечку. Пусть теперь она знает о существовании
Стефани, ей совсем не нравилось слышать это имя
от Энди.

— А она звонила вчера, когда ты была в госпитале. Она просила меня передать папе, что она
звонила.

— И ты передал?

— Я забыл. Она на меня не рассердится, как ты
думаешь?

— Просто уверена в этом, — ответила Пейдж,
но на ее лице, когда она припарковалась и они пошли к пустому дому, было написано совсем другое
выражение.

— А ты на меня сердишься? — обеспокоенно

спросил Энди, когда она раздевала его на ночь. Она глубоко вздохнула и посмотрела на сына: как же можно сердиться на него из-за того, что вытворяет его отец?

— Нет, дорогой, я на тебя не сержусь. Просто я устала.

— Ты теперь всегда усталая, мама... после этого несчастного случая с Алисон.

— Да, всем нам теперь нелегко. И тебе тоже. Я это знаю.

— А на папу ты сердишься?

— Иногда. Мы просто сильно устаем и волнуемся из-за Алли. Но мы вовсе не сердимся на тебя. Ты к этому не имеешь никакого отношения.

— А на Стефани ты сердишься? — Он старался собрать всю доступную информацию. Для своего возраста он был, пожалуй, слишком смышлен. Пейдж только вздохнула, услышав этот вопрос.

— Я с ней незнакома. — И это была правда — ей следовало сердиться только на Брэда, именно Брэд затеял все это, лгал ей, изменял. Он просто разбил ее сердце. Во всем виноват только Брэд, а вовсе не девушка, с которой он спал. — А вообще ни на кого я не сержусь. И на папу тоже.

— Тогда хорошо. — Наконец-то он облегченно улыбнулся ей. Пейдж понимала, что очень скоро им придется ввести сына в курс дела, особенно если Брэд все-таки решит уехать от них. — Знаешь, мам, а мне Бьорн понравился.

— И мне. Хороший парень.

— Он самый старший из всех, с кем я знаком. Ему ведь восемнадцать. Он не такой, как все, я это понимаю, но он все равно хороший.

— Да, он не как все, — улыбнулась она. — И ты тоже. Я тебя люблю, моя прелесть.

Она поцеловала его и уложила в постель, а потом пошла в свою комнату и долго думала перед сном о перемене, произошедшей со всеми за эту неделю, — как все было просто устроено тогда, когда Алисон отправилась на ужин к Торенсенам, а Брэд в Кливленд. Все было так просто в этой жизни! А теперь... Детская ложь чуть не убила их всех.

Глава 10

Почти все воскресенье Пейдж провела в госпитале, оставив Энди в семье его школьного друга. Утром позвонил Брэд и сказал, что не сможет приехать к ним. Энди сначала расстроился, но потом перспектива провести воскресенье с другом заставила его забыть о своих огорчениях.

В приемную отделения интенсивной терапии, где сидела Пейдж, на пару минут забежал Тригви и принес ей сандвичи и пирожные, а потом снова вернулся к Хлое, у которой в этот день собралось много посетителей. Она была просто счастлива от того, что снова была в окружении друзей, и чувствовала себя гораздо лучше.

— Кстати, Бьорн просто в восторге от вашего субботнего визита, — сказал Тригви, когда они вместе уплетали сандвичи в коридоре. Судя по его виду, он был рад видеть ее, однако Пейдж твердо решила, что тот субботний эпизод наверняка нафантазировала она сама. Он вел себя как друг, а не как потенциальный ухажер.

— Энди тоже очень доволен. Он здорово повеселился. Если бы сегодня не пришлось отвезти его к другу, он наверняка попросил бы, чтобы мы пригласили Бьорна к нам. Но позвонил Брэд и сказал, что он не сможет приехать.

— Ладно, у Бьорна все равно немало работы по дому. А как вел себя Энди, когда узнал, что Брэда не будет дома и в воскресенье?

— Он не слишком обрадовался, но потом быстро переключился на другое.

Они еще немного поболтали, и Тригви вернулся к Хлое. Вечером Пейдж заехала за Энди, и по дороге домой они остановились, чтобы съесть мороженое. Этот маленький ритуал помогал им поддерживать чувство устойчивости в этом мире, ставшем таким зыбким после роковой ночи.

Только они вернулись домой, как, к их удивлению, появился Брэд и сказал, что собирается поужинать дома. Он расспросил ее об Алисон, и Пейдж повторила слова медиков — состояние стабильное, но без выраженных признаков улучшения.

Они поужинали в кухне, и, только когда Брэд начал собирать чемодан после ужина, у Пейдж кольнуло сердце.

— Ты уезжаешь? — спросила она, и по ее тону чувствовалось, что она давно ожидала этого. Это почему-то опечалило обоих. Вот к чему они пришли в своей семейной жизни — всего-то за восемь дней!

— Я еду в командировку в Чикаго, — ответил он. Он не стал говорить, что с ним едет и Стефани. Но Пейдж продолжала расспросы:

— Когда ты уезжаешь? — Она была готова ко всему.

— Сегодня вечером. Ночь в самолете.

— А Алисон? Что, если за это время ее состояние ухудшится? — Но она заранее знала, что он ей ответит.

— Я должен лететь. Это важная сделка, мне нужно довести ее до конца. — Его голос был совершенно спокоен, но Пейдж не смогла удержаться от нового вопроса:

— В самом деле или так, как тогда с Кливлендом?

— Пейдж, не начинай, — вскинулся он. — Я говорю правду.

— И я. — Она ему больше не доверяла, но теперь это было уже не так важно.

— Все-таки я еще пока работаю, понимаешь ли. У меня есть служебные обязанности. И в них входят командировки.

— Я понимаю, — сказала она и быстро вышла. Брэд поцеловал Энди на прощание и уехал, оставив в блокноте на кухне название и телефон отеля. Он улетал на три дня, а ей было все равно. Даже лучше, если его не будет — это позволит разрядить отношения.

— Вернусь в среду, — сказал он перед уходом. Только это. Никаких «я тебя люблю», «до свидания». Просто закрыл дверь и сел в машину. Ему еще нужно было заехать за Стефани по пути в аэропорт.

— Ты на него сердишься? — настороженно спросил ее Энди. Он почувствовал напряженный тон их разговора — Энди даже прикрылся подушкой, чтобы не слышать их криков, если они вдруг опять начнут ругаться.

— Нет, вовсе нет, — успокоила его Пейдж, но выражение ее лица говорило о противоположном.

Когда Энди ушел, она еще почитала, пытаясь отвлечься от мыслей о том, что стряслось за эти дни. Но слишком многое нужно было переосмыслить, так что она позвонила в госпиталь, справилась об Алисон, выключила свет и постаралась заснуть.

На следующее утро Пейдж отвезла Энди в школу, а потом снова отправилась к дочери. Старшая сестра Френс уже хорошо ее знала, ведь Пейдж столько дней провела почти неотлучно у постели Алисон. Она стала просто своей в отделении. У нее теперь не было никаких других обязанностей, никакой жизни, кроме заботы о сыне и бдения в госпитале. И еще ссор с Брэдом, когда они пересекались дома. Она стала бояться возвращаться к себе домой.

Пейдж почти оцепенела, сидя около Алли и следя за работой аппарата искусственного дыхания. На ее глазах сняли повязки с лица Алисон. На миг ей показалось, что веки дочери дрогнули — но только на миг. Иногда так бывает, когда очень хочешь что-нибудь увидеть, но увы... это была только иллюзия.

На мгновение Пейдж сама смежила веки, сидя на неудобном стуле около кровати Алисон, и тут ее разбудила Френс. Она пришла, чтобы помочь физиотерапевту. Пришло время для процедур — даже когда человек лежит в коме, с ним немало хлопот: нужно разминать и массировать конечности, чтобы не атрофировались мышцы и были подвижны суставы.

— Миссис Кларк!

Пейдж даже подпрыгнула от испуга при звуке ее голоса.

— Да, что такое?

— Вам звонят. Вы можете подойти к телефону в приемной.

— Спасибо. — Наверное, Брэд звонит из Чикаго, хочет узнать о состоянии Алисон. Сюда мог звонить только он, ну еще в крайнем случае Джейн. Энди в школе. Но оказалось, что это звонят как раз из школы — им очень неудобно беспокоить ее, но возникла чрезвычайная ситуация — ее сын получил травму.

— Мой сын?! — не в состоянии осознать информацию, безучастно спросила Пейдж, словно речь шла о неизвестном ей ребенке. Ее тело ослабло, стало вмиг тяжелым и непослушным. — Повторите еще раз... — Голос ее в эту секунду задрожал от напряжения.

— Мне очень жаль, миссис Кларк. — Это была секретарша директора, которую Пейдж мало знала. — Произошел несчастный случай... Он упал с трапеции...

Боже, он погиб! Сломал спину... у него тоже черепно-мозговая травма... — наконец осознала Пейдж. Она не сможет выдержать еще и это! Нет! Этого не может быть!

— Что случилось? — еле слышно пролепетала она. Одна из сестер, внимательно смотревшая на Пейдж, увидела, как у нее посерело лицо и она стала дрожать, как в лихорадке.

— Скорее всего он сломал ключицу... Его везут в Морской госпиталь... если вы сейчас спуститесь в отделение неотложной помощи, то вы его там встретите.

— Да. — Пейдж медленно опустила трубку.

— Успокойтесь... с ним все будет в порядке. — Френс мгновенно перехватила инициативу и усадила Пейдж на стул, дала ей воды. — Не волнуйтесь, Пейдж. Что случилось? Где он?

— Его везут в приемное отделение травматологии.

— Я вас туда провожу, — твердо сказала сестра. Она договорилась, что вместо нее останется другая сестра, и повела Пейдж в отделение неотложной помощи. На Пейдж было страшно смотреть — она вся дрожала. Но когда они пришли в отделение, Энди там еще не было.

Френс оставила Пейдж на попечении сестер неотложки. И вдруг Пейдж неожиданно для самой себя бросилась к таксофону и набрала номер. Впервые в своей жизни она чувствовала, что не может оставаться одна. Она должна позвонить ему. Он должен немедленно сюда приехать, иначе она просто не вынесет всего этого.

Тригви поднял трубку после второго гудка. Голос у него был какой-то рассеянный — наверное, она оторвала его от работы: он должен был писать статью для «Нью рипаблик».

— Алло! — раздался в трубке его голос.

— Извините, Тригви, это я. Я не могла не позвонить. В школе произошел несчастный случай...

Сначала он не узнал ее голоса и решил, что кто-то звонит из школы по поводу Бьорна, и только потом понял, кто это.

— Пейдж? С вами все в порядке? Что случилось? — Судя по голосу, она была в ужасном состоянии.

— Еще не знаю, — заплакала она и стала бессвязно кричать в трубку: — Энди... звонили из школы... у него травма... упал с трапеции... — Она кричала и всхлипывала, как будто уже произошло самое худшее.

— Я немедленно еду. Где вы?

— В неотложной помощи, отделение травматологии в Морском госпитале.

Место, хорошо теперь знакомое им обоим, так что Тригви гнал машину на полной скорости. Он въехал на стоянку как раз в тот момент, когда учитель — судя по всему, физкультуры, так как был в спортивном костюме, кроссовках и со свистком на цепочке на шее, — выносил Энди на руках из машины. Тригви подбежал к ним. Мальчик был явно напуган, бел как полотно, ему было больно, но оставался в сознании. Не было заметно никаких наружных повреждений.

— Ну-с, что вы тут делаете, молодой человек? Это все-таки больница, а вы, похоже, здоровы? — Тригви пристально посмотрел на него.

— У меня что-то с рукой... и со спиной... я упал с трапеции, — жалобно выдавил Энди, пока Тригви придерживал дверь, чтобы учитель пронес его внутрь.

— Мама тебя ждет, — улыбнулся он и вошел за ними в отделение. Они тут же наткнулись на Пейдж. Ее била дрожь. Увидев Энди, она начала рыдать. Все силы, которые у нее находились для Алисон, вдруг покинули ее. Тригви обнял ее за плечи и притянул к себе, стараясь остановить дрожь, а учитель пронес мальчика в комнату первичного обследования, где их уже ждал дежурный врач, чтобы осмотреть ребенка и записать данные внешнего осмотра. Он ласково приветствовал ребенка, быстро осмотрел и ощупал его: ясно, что у него была сломана рука и вывихнуто плечо. Кроме того, он осмотрел его глаза, светя фонариком, чтобы отследить возможную черепно-мозговую травму.

— Все ясно, мой милый, — подначивал мальчика Тригви, — ты решил стать инвалидом, как моя Хлоя. У нее ноги сломаны, а у тебя рука... Парень, да вы просто сладкая парочка!

Энди старался улыбнуться ему в ответ, но у него не очень-то получалось, боль была слишком сильной. Санитар положил мальчика на носилки и повез в рентгеновский кабинет, а Тригви не отходил от Пейдж.

— С ним будет все в порядке. Не волнуйтесь, — успокаивал он ее, пока врачи делали рентгеновский снимок.

— Я даже не поняла, что стряслось. — Она все еще была бледна и тряслась от страха. — Я впала в панику... простите, что я потревожила вас. — Но когда она услышала о несчастном случае, то нуждалась только в одном — она хотела, чтобы Тригви оказался рядом так же, как в первые дни кошмара с Алли и все дни после. Эта мысль потрясла ее — в момент опасности она хотела быть рядом с Тригви, а не с Брэдом. На Тригви она могла положиться. Хорошо, что он здесь.

— Хорошо, что вы позвонили. Вот беднягу Энди жаль! Но ничего, он быстро поправится. — Учитель физкультуры к этому времени уже уехал обратно в школу, так что именно Тригви держал Энди за руку, когда тому вправляли плечо и фиксировали руку. Это была болезненная процедура. Потом Энди наложили шину — тоже неприятная вещь. Врачи сказали, что он должен отправиться домой и провести день в постели, после этого может ходить. Шесть недель придется проходить в гипсе. Довольно неприятный эпизод, но, сказали врачи, в возрасте Энди такая травма не повлечет за собой никаких последствий.

— Я отвезу вас домой, — сказал Тригви. В таком

состоянии Пейдж нельзя было доверить и трехколесный велосипед, не то что машину. Пейдж кивнула, но сначала решила зайти в интенсивную терапию за своей сумочкой и сказать сестрам, что она уезжает. Тригви тоже решил зайти к Хлое. Он поцеловал ее и сказал, что скоро вернется. Узнав о несчастье с Энди, она просила передать ему привет. Сколько несчастий обрушилось на них всего за несколько дней!

— Скажи ему, что я распишусь на его гипсе, когда он придет навестить меня.

— Передам... ну ладно, пока... — Тригви поспешил назад, в травматологию, и осторожно перенес в машину Энди, который уже засыпал под действием анальгетика. Пейдж дали домой таблетки для мальчика. Будет лучше, если он проспит весь день.

Когда они приехали к Пейдж, она подержала дверь, а Тригви внес мальчика внутрь. Он помог Пейдж раздеть его — малыш даже не проснулся. Но Тригви волновался не столько за Энди, сколько за Пейдж — она по-прежнему была в ужасном состоянии.

— Лучше бы вам тоже лечь. Вид у вас тот еще...

— Я ужасно запаниковала, вот и все... Я не знала, что случилось, чего ждать... я думала, что...

— Могу себе представить. — Пейдж все еще была бледна, голос ее предательски дрожал. — Ладно... где ваша спальня?

Она направилась в спальню и рухнула на кровать, не раздеваясь.

— Я просто была в шоке... со мной теперь все в порядке.

— Что-то не похоже. Хотите немного бренди? Это может помочь.

Она рассмеялась, покачала головой и внимательно посмотрела на этого мужчину, который, бросив все дела, примчался ей на помощь.

— Спасибо за все, что вы для меня сделали. Я ничего не соображала, когда позвонила вам. Мне просто хотелось, чтобы вы были рядом.

Он уселся в легкое кресло рядом с кроватью и укоризненно посмотрел на нее.

— Я рад, что вы мне позвонили. Бедная вы моя, вам пришлось так тяжко. — Вдруг Тригви пришла в голову мысль — интересно, а ее муж знает о случившемся? — А Брэду вы уже позвонили?

Пейдж отрицательно покачала головой.

— Позвоню позже. Он сейчас в Чикаго. — И вдруг она проговорила: — Знаете, Тригви, я даже не подумала разыскать его, когда мне позвонили из школы. — Она хотела, чтобы он понял это. — Я поняла, что должна немедленно позвонить вам... Мне нужно было, чтобы вы были рядом...

— Ну что же, я рад это слышать, — спокойно сказал он, наклоняясь к ней. Он испытывал что-то такое, чего не ощущал уже много лет, и она тоже была явно смущена. — Пейдж... мне не хотелось бы делать что-то такое, чего бы вы не хотели... — прошептал он, но единственное, что ему пока удавалось сделать, это не прикасаться к ней. Она притягивала его как магнит, и Пейдж поняла, что ей не показалось тогда, в саду, — он и в самом деле хотел тогда поцеловать ее. И сейчас хотел. Наверняка он хотел этого уже давно, все то время, пока они сидели рядом, бок о бок, там, в госпитале.

— Я и сама не знаю, чего хочу, Тригви. Десять дней назад мне казалось, что я счастлива. А теперь я знаю, что меня обманули, что моему браку конец, и тут появились вы, единственный человек за много лет, на которого я могу положиться, единственный друг, который меня понимает... единственный мужчина, рядом с которым я бы хотела быть... — Ее большие голубые глаза с мольбой смотрели на склонившегося над ней Тригви. — Я ничего не понимаю, я не знаю, кто я, что мне делать, что будет со мной дальше... ничего не знаю... разве что... нет, не знаю... — Она смущенно замолчала, но не стала останавливать его, когда он придвинулся к ней еще ближе.

— Шшш... ничего не говорите... не надо... — прошептал он, садясь на край кровати и обнимая ее. Он давно не испытывал такого страстного желания обнять и поцеловать женщину... Его губы прикоснулись к ее губам, и тут же кончик языка раздвинул их и проник глубже. Их тела словно слились воедино. У нее перехватило дыхание: она была потрясена и испугана, но чувствовала, что хочет его, — и это была не игра, не стремление отомстить Брэду... это был единственный мужчина, который не подвел ее в самый тяжелый момент жизни, который не дал ей сломаться и к которому ее непреодолимо влекло.

— Что с нами происходит?!

Он оторвался от нее и снова сидел на краю кровати, наслаждаясь ее красотой и смущением.

— Давайте не будем выяснять это сейчас. Но я теперь знаю по крайней мере, что нужно сделать, чтобы у вас восстановился нормальный цвет лица. Так-то оно лучше, — счастливо улыбнулся он.

— Перестаньте! — Она ласково хлопнула его по руке, но он тут же снова заключил ее в объятия. И на этот раз его поцелуй был гораздо настойчивее. Ему казалось, что он не ощущал такого желания даже в лучшие времена с Даной.

— Не перестану. Никогда не перестану, — объявил он. — Я просто забыл, на что это похоже.

— И я, — честно призналась она: Брэд всегда был настолько поглощен собой, что — правда, она поняла это только сейчас — мало интересовался ее ощущениями, физическими или психологическими. Поцелуй Тригви потряс ее, словно удар грома. Она счастливо засмеялась, когда они поцеловались снова. Хорошо, что Энди получил дозу снотворного... Впрочем, сейчас им было не до глупостей. И вообще, прежде чем что-то начинать с Тригви, нужно было все решить с Брэдом. Но кое-что очень важное для себя она поняла.

— И что мне теперь делать? — наивно спросила она и села, спустив ноги на пол, словно маленькая девочка. Она давно не ощущала себя такой счастливой и одновременно беззащитной. Тригви откровенно любовался ею.

— Рано или поздно решение придет само. Похоже, что все теперь само собой образуется. Я вас не тороплю... вы можете быть уверены в этом. — Ему хотелось казаться серьезным, но это у него не получалось. — Я буду стоять у вас под окнами и рыдать, пока вы не поймете, что не можете жить без меня. — Они оба отлично понимали, что этот поцелуй не был случайным.

Она лукаво улыбнулась и — на этот раз сама — поцеловала его. Это просто поразительно!

— Как это с нами стряслось? — спросила она, когда они наконец разжали объятия.

— Не знаю. Может быть, атмосфера госпиталя на нас так повлияла?

Она не могла понять, что случилось и как, но факт был налицо: они стали очень близкими людьми. Они вместе пережили самое страшное, что может быть в жизни, и выдержали, хотя им не помогал больше никто, и в особенности Брэд — наоборот, он сделал все, чтобы причинить ей как можно больше боли.

— Не правда ли, жизнь удивительна? — все повторяла изумленная Пейдж. — И все-таки мне кажется, не нужно торопить события. Брэд ведь еще не определился в своих желаниях.

— Скорее всего он определился, просто еще не сказал вам. А вы? Вы сами знаете, чего хотите в этой ситуации? — Хочет ли она, чтобы муж снял себе другую квартиру? Или собирается подать на развод? Может быть, они решат остаться вместе ради детей? Он не представлял себе, чего она хочет, да и сама она вряд ли представляла. Это совершенно естественно — брак Пейдж распался так стремительно, что она еще не привыкла к новой ситуации, не осознала ее в полной мере.

— Каждый раз, когда я встречаюсь с Брэдом, я понимаю, что так больше продолжаться не может. Он ведь действительно живет с этой женщиной, но я все еще его жена по закону. Не так-то просто решить все в один момент.

— Никто от вас этого и не требует, — мягко возразил Тригви. Он отлично понимал, каково ей сейчас, — он сам был в подобной ситуации. И он был готов ждать, пока жизнь сама не поставит все на свои места и Пейдж не определится в ней. Он же понял теперь, что Пейдж — единственная женщина, к которой его влечет с неумолимой силой.

Резко и неожиданно зазвонил телефон. Пейдж подпрыгнула: в такое время могли звонить только из госпиталя. Если еще и с Алисон что-то, она этого не перенесет. Она закрыла глаза, поднесла трубку к уху и ощутила, как на ее руку легла рука Тригви — ей так нужна была сейчас его поддержка!

— Алло? — осторожно спросила она, словно боясь услышать ответ. И вдруг она раскрыла глаза и затрясла головой — это звонила ее мать. Но новости были не легче: оказывается, мать весь уик-энд думала о ее положении, и они с Алексис все-таки решили приехать. Они поняли, что Пейдж нуждается в поддержке, как она ни убеждала их, что справится.

— Мама, уверяю тебя, в этом нет необходимости, — уговаривала она ее. — Наоборот, сейчас все утряслось. У Алисон положение стабилизировалось, появилась надежда. Я вполне справлюсь сама.

— И тем не менее все может измениться в мгновение ока. Алексис хотела поговорить с тобой. Дэвид дал ей телефон одного знаменитого специалиста по пластической хирургии. — Это, возможно, и пригодится, но не сейчас. Алисон должна выжить, а потом предстоит долгий путь возвращения, и кто знает, что их ждет на этом пути?! Однако на уме у ее сестры была только внешность племянницы, и она хотела немедленно взяться за дело.

— Я все-таки считаю, что вам не нужно беспокоиться, — говорила Пейдж, безуспешно стараясь сохранить хладнокровие: только ее мамочки, не говоря уж об ее сестрице Алексис, сейчас не хватало здесь!

— И не спорь со мной, — твердо возразила мать, — мы приедем в воскресенье.

— Мама... это ни к чему... у меня просто нет времени возиться с тобой и с Алексис. Я должна все свободное время проводить с Алли, и, кроме того,

Энди тоже получил травму. — Она готова была на все, чтобы только убедить мать остаться в Нью-Йорке.

— Что?! — наконец-то ее мать, кажется, услышала ее. — Что ты сказала, Пейдж?

— Ничего серьезного, он только сломал руку. Но я вынуждена заниматься только ими.

— Теперь-то я поняла, что мы должны приехать, дорогая. Мы же любим тебя и хотим помочь. И не спорь со мной, пожалуйста!

Пейдж вздохнула — ну что еще она могла им сказать?

— И все-таки подумайте еще раз, стоит ли вам приезжать. .

— Не будем это обсуждать. Мы приедем в воскресенье в два часа дня. Алексис сообщит Брэду все остальное по факсу. Пока. — И прежде чем Пейдж успела вымолвить хоть слово, мать повесила трубку. Пейдж в отчаянии посмотрела на Тригви.

— Ну что же тут делать? — простонала она.

— Ваша мать собирается приехать с востока. Какие проблемы?

— Проблемы? Не то слово! Я почти неделю удерживала ее дома, но теперь приезжает не только она, но и моя сестра.

— Которую вы ненавидите? — Тригви попытался угадать сразу все семейные отношения Пейдж.

— Которая ненавидит меня... но главные силы она тратит на обожание себя самой. Она — законченная эгоистка. У нее никогда не было детей, ее муж — пластический хирург. В свои сорок два она дважды переделывала глаза, трижды — нос, у нее новые груди, полная подтяжка лица и удалены все жировые отложения. Она — это просто совершенство... ногти, лицо, волосы, одежда, тело. Она занимается собой круглые сутки. Она никогда ни за кем в жизни не ухаживала, как и моя матушка. Так что сценарий тут такой — это мне придется заботиться о них, когда они заявятся сюда, уверять их, что с Алисон ничего не случилось, а если случилось, то это все несерьезно и никак не повредит им и не затронет их.

— Не очень-то приятная перспектива — судя по вашему описанию, от них не дождешься помощи, — сказал он, целуя кончик ее носа. Забавно она описала своих родственников. Его родители тоже предлагали ему прилететь в любое время, но он настоял на том, чтобы они оставались в Норвегии. Но по выражению лица Пейдж он понял, что дело серьезное — она в самом деле была в отчаянии от перспективы приезда матери и сестры.

— И что вы собираетесь делать? — спросил он, притягивая ее к себе.

— Устроить пожар в комнате для гостей.

Они снова начали целоваться, и все мысли о матери и сестре выветрились из ее головы в одну секунду.

— У меня есть более интересное предложение, — глухо сказал он, целуя ее в шею. Она вся замерла от наслаждения. Как это могло случиться? Всего за десять дней она потеряла одного мужчину, единственного, кого любила, и вот она в объятиях другого, того, кто был так добр к ней, кто нуждался в ней не меньше, чем она в нем... Это было полное безумие...

— Нет, еще нет, — прошептала она, и он улыбнулся, целуя ее.

— Я знаю, глупышка... я не настолько наивен.

У нас впереди масса времени. Нам незачем так спешить... У нас впереди много времени.

— Почему же нет? — поддразнила она, прикидываясь оскорбленной. Но выражение его лица было совершенно серьезным — он и в самом деле думал то, что говорил.

— Потому что, Пейдж, если вы придете ко мне, вы будете нужны мне надолго. Я не хочу терять вас. — Он снова поцеловал ее.

Прошло много времени, прежде чем они смогли оторваться друг от друга. Она благоразумно сказала, что ему лучше уйти, пока не проснулся Энди и не обнаружил их целующимися в ее спальне.

Он пообещал ей заглянуть чуть позже и проверить, как они справляются вдвоем. Может быть, он приедет вместе с Бьорном. Кроме того, он собирался заглянуть к Алисон — Пейдж не хотела сегодня расставаться с Энди, и он обещал проконтролировать все и даже, может быть, приготовить для них ужин.

— Что-нибудь еще? — крикнул он из машины, когда она провожала его, стоя в дверях дома.

— Да! — откликнулась она.

— Что же? — Он притормозил машину.

— Пристрелить мою мамочку!

Он рассмеялся, как мальчишка, и нажал на газ.

Глава 11

Брэд был очень расстроен, когда узнал о травме Энди. Было ясно, что он винил во всем Пейдж, хотя вслух этого и не говорил.

— С ним точно все в порядке? Это ведь правая рука, так?

— Да. Неприятный перелом, но врачи говорят, что все обойдется. Просто ему придется быть осторожнее с правым плечом. Возможно, он должен будет до будущего года забыть о бейсболе.

— Черт, — выругался Брэд. Его голос звучал столь же взволнованно, как в тот раз, когда он узнал об Алисон. Однако их реакции перестали быть адекватными — слишком много страха и несчастья обрушилось на них. Она прекрасно понимала, почему он прореагировал так, узнав об Энди.

— Мне очень жаль, Брэд.

— Да... — протянул он рассеянно и вдруг подумал: «Слава богу, что я был в Чикаго». — А как Алли?

— В том же состоянии. Я не видела ее с прошлого утра, пробыла весь день дома с Энди. — Она не сказала ему, что Тригви и Бьорн привезли им ужин, и, как ни странно, об этом промолчал и Энди. Причем она его не предупреждала, она не стала бы так унижаться — похоже, он сам почувствовал, что у родителей и без того полно своих проблем.

Пейдж и Тригви старательно следили за своими словами во время этого визита, боясь выдать себя любой мелочью, однако между ними установились уже иные, более теплые отношения — сегодняшнее утро все изменило, и было невозможно делать вид, что ничего не случилось.

Пока мальчики играли в комнате Энди с собакой, взрослые сидели и разговаривали в гостиной. Бьорну понравилась коллекция бейсбольных открыток Энди и коллекция камней, что он собрал прошлым летом. Бьорн хотел еще поиграть в карты, но Энди слишком устал.

И мать, и сын огорчились, когда гости стали

прощаться. Пейдж положила Энди спать на свою кровать, и он не обмочил постель, как это часто случалось с ним после того несчастного случая с Алисон. Теперь он стал гораздо спокойнее и благодаря обезболивающему мирно проспал до утра. А Пейдж обняла его и гладила по голове, размышляя о нем... о Брэде... и о Тригви. Что же делать? Ее очень влекло к Тригви, но Брэд вот уже шестнадцать лет был ее мужем. Она так и не могла привыкнуть к мысли, что теряет его — уже потеряла, она знала это. И все-таки... она никогда ему не изменяла, поэтому, что бы ни случилось, как бы ей ни нравился Тригви, она решила не делать глупостей, о которых потом пришлось бы жалеть.

Когда в среду вечером домой приехал Брэд, он был холоден и неприступен и вел себя так, словно они с Пейдж были чужие люди. В четверг Брэд не ночевал дома и даже не позвонил, а когда заглянул ненадолго в пятницу вечером, то вообще едва разговаривал сквозь зубы. Делать вид, что они близкие люди, было уже невозможно. Влияние Стефани ощущалось во всем — другие галстуки, другие костюмы, другая прическа. И все равно она не собиралась сводить счеты при помощи Тригви — сначала нужно полностью прояснить отношения с Брэдом, а тот упорно отказывался говорить на эту тему. Единственное, о чем он мог говорить с ней, — это о своем отношении к грядущему приезду тещи.

— Как ты могла позволить ей приехать? Да еще с твоей сестрой! Ты что, уже наняла постоянного парикмахера, чтобы он жил у нас в доме, или будешь звонить в экстренную службу?

— Что делать, Брэд. Я сама не рада их приезду. — Они обсуждали эту проблему в пятницу вечером, пока он не уехал ужинать — как он сказал, с клиентами. — Но что я могла им сказать? Алисон в критическом положении, и они имеют право навестить ее. — Это звучало разумно, но она отлично понимала, что ее родственники — не столь уж разумные люди. Брэд их терпеть не мог, и они его тоже, хотя ее мать и делала вид, что обожает его. Он слишком многое знал об их прошлом, и мать всегда обвиняла Пейдж в излишней откровенности. — Я все сделала, чтобы отговорить их, но не получилось, они сказали, что все равно прилетят.

— Просто скажи им, что они не смогут жить у нас. — По выражению его лица она понимала, что он непреклонен в своем решении не встречаться с ними.

— Я так не могу, Брэд. Ведь это родственники, — отбивалась она. Ей удалось сбежать от них в конце концов, но она была еще не в состоянии полностью отвергнуть их.

— Чушь, ты можешь это сделать, ты можешь сделать все, что хочешь, и прекрасно это знаешь.

Она начала злиться — он не сделал буквально ничего, чтобы помочь ей, и при этом еще ставит какие-то условия.

— Ты что, боишься, что они могут помешать твоей личной жизни, теперь, когда ты решил, что можно заниматься ею открыто? — Начиналась новая ссора. Да, пока он был в Чикаго, жизнь была проще.

— Я был занят на работе.

— Черта с два. В Чикаго ты тоже был перегружен работой.

Он бросил на нее злобный взгляд: нечего наезжать на него — он был, конечно, не прав, но это не значит, что она может делать все, что заблагорассудится. Все это не слишком красиво с его стороны, но тут уж ничего не поделаешь.

— Это не твое дело, — бросил он.

— Почему же нет?

— Потому, что все происходит слишком быстро.

Но ведь не только для него! Не ее вина, что их отношения за две последние недели менялись с такой скоростью.

— Нужно, чтобы все как-то утряслось, прежде чем принимать серьезные решения. — Тут он снова повернулся к ней и, к ее изумлению, сказал: — Я понял, что еще не готов переехать.

Она ошеломленно уставилась на него: в чем дело, может, он осознал, что все-таки любит ее, или поссорился со Стефани, или просто ему трудно на это решиться?

— Дело в квартире или в том, что мы еще не развелись? — У нее дрогнуло сердце — как бы он ни вел себя по отношению к ней в последние две недели, все-таки он был ее мужем.

— Сам не знаю, — грустно сказал он, не двигаясь, однако, с места. — Все эти перемены — это слишком серьезный шаг, и это меня останавливает. Может быть, я просто дурак... сам не знаю. Но и вернуться назад, к прежним отношениям, я тоже не могу. — Но они и так отлично понимали, что возврата к прежнему уже быть не может. Она уже не сможет доверять ему, да и они оба знали, что он не сможет отказаться от Стефани. Это самое важное... Однако бросить Пейдж — значит, бросить и Энди. Он много думал об этом в последние дни и просто извелся от этих мучительных мыслей. Стефани, похоже, не понимала его — она сказала, что Энди сможет навещать их, но это ведь не то, что жить с ним. — Я еще не знаю, что мне делать. — Он жалобно взглянул на Пейдж. — Мне нечего сказать. — Он провел рукой по волосам. Пейдж недоверчиво смотрела на него — после всего, что он сделал с ней, она не могла доверять ему.

— Может быть, нужно просто подождать. Ты не хочешь сходить на прием к семейному психологу?

Брэд отрицательно покачал головой:

— Нет. — Нет, если это означало отказ от Стефани, а он не был готов к этому. Но и Пейдж ему не хотелось терять. Как и Стефани. Но Стефани теперь для него важнее — казалось, в ней воплотилось ощущение молодости, надежды на лучшее завтра. Он сам понимал, что его жизнь превратилась в хаос.

— Я просто не знаю, что еще предложить. Разве что адвоката?

— Я тоже. — Он испытующе посмотрел на нее. — Ты сможешь пока выдержать все, как есть, или это для тебя слишком тяжело?

— Не уверена. Это не может длиться вечно или даже достаточно долго.

— Я тоже не выдержу, — устало проговорил он. Стефани изо всех сил давила на него, чтобы он бросил Пейдж и женился на ней. Рано или поздно придется принимать решение.

Пейдж олицетворяла собой прошлое, а Стефани — будущее. Однако, когда они лежали ночью рядом в постели, прошлое то и дело властно вторгалось в его память и в его сердце.

Энди спал, дверь в спальню была закрыта. Пейдж читала в постели, демонстративно не обращая на него внимания. И вдруг Брэд поцеловал ее — поцеловал так страстно, как не целовал уже давно, да и вообще она что-то не припоминала за ним такой страстности раньше. Сначала Пейдж лишь отстранилась, но потом Брэду как-то удалось опрокинуть ее на спину и задрать ночную рубашку. Он приник к ней, и какой бы неуместной ни представлялась ей сейчас мысль о близости с Брэдом, она почувствовала, что ее сопротивление тает — ведь, в конце концов, он все еще был ее мужем, и всего несколько недель назад она считала, что любит его.

Он медленно, как-то томно вошел в нее, и вдруг страсть покинула его — вместе с эрекцией. Он еще пытался скрыть это, как-то восстановить силы, но стало очевидно, что тревоги и волнения последних дней повлияли не только на их личные отношения.

— Извини, — прохрипел он и откатился на бок, вне себя от бешенства. Она лежала неподвижно, как статуя, кляня себя за то, что позволила этому случиться. После того, что произошло между ними, невозможно было спать с ним, несмотря на то, что они еще не развелись, — не может же она позволить ему делать с ней все, что он захочет, позволить ему еще раз ранить ее.

— Твое тело не солгало тебе, Брэд, — печально сказала она. — Вот и ответ на все твои вопросы.

— Я просто дурак, — раздраженно ответил он. Как бы он ни был привлекателен, как бы она ни любила его раньше — все было кончено. Может быть, навсегда. И она тоже поняла это.

— Может быть, тебе все-таки лучше принять решение до того, как ситуация осложнится?

Это было разумное предложение, и он кивнул в ответ. Просто смешно. И странно — весь прошлый год он перекочевывал из постели Стефани в постель Пейдж с разницей всего в несколько часов, и ничего, не возникало никаких проблем. Но теперь все изменилось потому, что она знала. Зря, наверное, он ей сказал. Впрочем, он же сам хотел получить свободу. К тому же он был в долгу перед Стефани, он был несправедлив к ней — с ней было так хорошо, так уютно. Она хотела, чтобы он немедленно переехал к ней, и даже грозилась бросить его, если он будет колебаться. Больше всего в этой жизни ему хотелось бы сдать Пейдж куда-нибудь на хранение или заморозить на год, провести это время со Стефани, а потом вернуться как ни в чем не бывало. Если бы только можно было все так устроить.

— Наверное, мне все-таки нужно уехать, — обреченно сказал он, садясь на кровати. Внезапно ему захотелось увидеть Стефани и немедленно проверить себя. Эта маленькая неприятность с Пейдж сильно задела его.

— Я вовсе ни на чем не настаиваю, — спокойно ответила Пейдж. Она лежала, вытянувшись на кровати, и ее стройное длинное тело просвечивало под тонкой тканью рубашки. Но он отвернулся в сторону.

Она тоже корила себя за то, что разрешила ему овладеть ею, и внезапно ей захотелось увидеть Тригви.

— Мне кажется, — сказала она, — что бы мы ни решили, все должно определиться в ближайшее время. Не думаю, что я так долго выдержу... К тому же мы должны подумать об Энди. Твои приходы, уходы, внезапные исчезновения — все это очень действует на мальчика.

— Я понимаю. — Подумать только, всего две недели назад они жили нормальной жизнью! Он переживал нисколько не меньше, чем Пейдж и Энди, и был не рад своим же решениям. — Посмотрим, что получится.

Она кивнула и отправилась в ванную, стараясь не думать о Тригви. Ей не хотелось, чтобы их отношения сложились как результат того, что Брэд бросил ее, или потому, что произошел несчастный случай. Если у них что-то получится, то пусть это будет потому, что у них действительно есть нечто общее, есть перспектива. Она хотела бы этого... а не того, что было с Брэдом. Пейдж чувствовала, что теперь ей будет трудно довериться кому бы то ни было, даже Тригви.

Когда она вернулась из ванной, Брэд спал, а утром, когда она проснулась, его уже не было. Брэд оставил записку, что уехал играть в гольф и чтобы его не ждали к ужину. Он не написал больше ни строчки, и Пейдж сразу же поняла, что это ложь — он просто поехал к Стефани, прошлая ночь напугала его, и теперь ему нужны доказательства и утешения. Она со вздохом отбросила записку в сторону, и тут же раздался звонок телефона.

— Привет, Пейдж, ну как жизнь? — Это Тригви беспокоился об Энди. Он знал, что теперь мальчик не может играть в бейсбол, и предложил привезти Энди к ним домой, чтобы тот поиграл осторожно с Бьорном, пока она будет дежурить у Алли. Разумеется, если им не займется Брэд, но Тригви все правильно рассчитывает: Брэд им заниматься не будет.

— Сегодня ко мне придет женщина, которая убирает дом, так что она присмотрит за ними обоими. Я хотел бы поехать к Хлое, — объяснил Тригви.

— Я уверена, что Энди будет в восторге. — Пейдж была благодарна Тригви за поддержку. Как бы ни сложились их отношения в будущем, все-таки он был замечательным другом, она никогда этого не забудет. — Я ему скажу. Когда лучше всего привезти его? — Было десять утра, и она хотела бы приехать в госпиталь к одиннадцати.

— Просто завезите его по дороге в госпиталь. А я скажу Бьорну, он тоже будет в восторге. Он расстроился из-за того, что я не беру его к Хлое. Но каждый раз, когда я его беру, он через некоторое время начинает волноваться — трогает приборы, чем просто выводит из себя сестер.

Пейдж рассмеялась, представив себе эту картину — теперь, когда она получше познакомилась с Бьорном, это было трогательно.

Энди и в самом деле с восторгом принял известие о предстоящей поездке, а женщина, убиравшая у Тригви раз в неделю, согласилась посмотреть за мальчиками. Мальчики немедленно исчезли в комнате Бьорна и принялись смотреть видео, а Пейдж подвезла Тригви в госпиталь.

— Как там Брэд? — осторожно осведомился он по дороге. — Или я, как вы полагаете, лезу в не свое дело? — Теперь это все больше становилось его делом, но он не хотел пугать ее своей настойчивостью — вид у нее был не слишком-то радостный, она все еще переживала случившееся прошлой ночью. И почему-то Пейдж испытывала чувство вины по отношению к Тригви.

— Сложно. Мне кажется, наступила агония, но он все еще боится признать это.

— А вы? Вы готовы действовать?

Пейдж бросила на него взгляд. Она слишком ценила его, чтобы обманывать.

— Я не хочу действовать слишком быстро или... — Она замолчала, подбирая нужные слова.

Но он понял и был доволен. Ничего другого он и не ждал. — ...Или делать что-то просто из чувства мести, — закончила Пейдж.

— Я тоже, — спокойно ответил он, целуя ее в щеку. — Я ни к чему не склоняю вас. У вас есть время. И если у вас с Брэдом все-таки наладится, мне, конечно, будет жаль себя, но я буду рад за вас. Брак — это главное... И в любом случае, если вам понадобится моя помощь, я всегда готов быть вам полезным.

Она припарковалась у госпиталя и с благодарностью повернулась к нему. Странно, несмотря на то, что когда-то она всем сердцем любила Брэда, именно Тригви обладал всеми качествами, которые она ценила в мужчине. Нет, определенно, жизнь — странная штука.

— И почему мне так везет, Тригви? Такие слова дорогого стоят.

— Ну, я бы не назвал это везением... Мы с вами чертовски много заплатили за это. Неудачные браки... особенно мой, хотя и ваш после всего случившегося — не сахар; несчастные случаи, едва не погибшие дети... так что мы, может быть, просто заслужили это.

Она кивнула — он был прав. Несчастный случай с дочерью перевернул всю ее жизнь и жизнь Тригви, но, может быть, это и к лучшему. Пока еще трудно сказать.

— Я люблю тебя, Пейдж, — сказал он, впервые обратившись к ней на «ты», и, наклонившись, поцеловал ее, а потом обнял и привлек к себе. Они долго сидели обнявшись под майским солнышком. Прошло всего две недели с того дня, как произошло несчастье, — просто невозможно было поверить в это!

Они вместе вошли в госпиталь. Пока Пейдж беседовала с врачами, Тригви принес ей ленч — сандвич с индейкой и чашку кофе, рассказывал что-то очень интересное о своей последней статье, которую он закончил минувшей ночью. Пейдж так нравилось, как он заботился о ней, как старался помочь ей и Энди.

— Как сегодня Алисон?

Пейдж разочарованно пожала плечами — она почти час вместе с физиотерапевтом занималась массажем конечностей, но Алисон не реагировала на их усилия. Девочка неуклонно теряла в весе, и этот процесс пока не удавалось затормозить.

— Не знаю... прошло всего две недели, а кажется, вечность... Сейчас я думаю только о чуде, пусть самом маленьком.

— Они же говорили, что это может продлиться долго. Может быть, несколько месяцев. Так что держитесь, — мягко сказал он.

Да, это легко сказать — ведь Хлоя, хоть травма и была тяжелой, уже вне опасности. Несколько пластических операций, и, наверное, придется учить ее заново ходить, но ее жизни ничто не угрожает. Она уже начинает привыкать к тому, что процесс выздоровления затянется, и рассталась с мечтой о балете. Но положение Алисон совсем иное. До сих пор за ее жизнь нельзя поручиться. Ужасно, что она может пролежать в коме еще какое-то время — это тяжело для любой матери и тем более несправедливо по отношению к ней, Пейдж.

— Я не сдаюсь, — сказала она, жуя сандвич. Тригви не уходил, потому что знал: тогда она не станет есть. Но и без этого ему хотелось быть рядом с ней. — Они сказали, что если за шесть недель не будет признаков улучшения, то она может так и остаться в коме.

— И все равно она может очнуться, даже позже этого срока. Это бывает с детьми в таком возрасте... ты сама говорила, три месяца или что-то в этом роде? — Он хотел подбодрить ее, но она только покачала головой, и на глаза набежали слезы. Временами ей казалось, что она просто не перенесет всего того, что свалилось ей на голову.

— Тригви, неужели мне удастся все это выдержать? — Она положила голову ему на грудь и зарыдала.

— Ничего, ты справишься, — сказал он, нежно гладя ее по спине. — Ты делаешь все что можно. Остальное — в руках господа.

Она подняла голову и пристально посмотрела на него.

— Лучше бы он поспешил.

Тригви улыбнулся.

— Он поспешит, только не нужно торопить его.

— У него было две недели, и за это время моя жизнь разлетелась на кусочки.

— Подожди, ты справишься.

Но она точно знала одно: без него ей не справиться. Брэд был бог знает где и бог знает чем занимался. Да, один раз в день или через день он навещал Алли в госпитале, но он был не способен выдержать эту атмосферу больше нескольких минут — у него просто не хватало духа. Его выворачивало от разлитой в воздухе тревоги, неподвижности и отсутствия изменений в состоянии Алисон, от того, что она могла умереть в любую минуту. Он бросил Пейдж, оставил ее один на один со всем этим. Когда родился Энди, впрочем, ситуация была нисколько не лучше, но тогда они все-таки были моложе, и маленький Энди был таким чудным малышом. В Институте педиатрии царила атмосфера надежды, а в госпитале чувствовалось присутствие смерти.

Тригви молча сидел рядом.

— Пейдж, скажи, почему ты так не любишь свою мать? — спросил он неожиданно. Он не представлял, почему Пейдж, такая мягкая и терпимая, питает неприязнь к собственной матери.

— Старая история. У меня было очень тяжелое детство.

— У большинства людей оно такое. Например, мой отец, добрый норвежец, все-таки считал, что хорошая порка никогда не повредит ребенку. У меня до сих пор остались шрамы на заднице.

— Это ужасно! — воскликнула Пейдж.

— Так было принято в то время. И думаю, что, если бы у него были дети сейчас, он все равно воспитывал бы их в том же духе. Он просто не понимает, почему я так миндальничаю с моими детьми. Поэтому-то мне кажется, что в Норвегии, куда родители в свое время вернулись, им гораздо лучше живется, чем здесь.

— А ты смог бы жить там? — поинтересовалась Пейдж, даже забыв на миг об Алли.

— Нет, пожалуй, не смог бы. После Америки — не смог бы. В Норвегии бесконечно длинная зима и темно круглые сутки. Это какая-то первобытная жизнь. Не думаю, что я смог бы жить где-то еще, кроме Калифорнии.

— Пожалуй, я тоже. — Она содрогнулась при мысли о переезде в Нью-Йорк. Она не прочь была бы продолжить свою карьеру дизайнера, но этим можно было бы заняться и в Калифорнии. Только вот Брэд... Он вообще считал все, чем она занималась, не слишком-то важным. Кстати, она ведь обещала расписать одну из стен в школе, но теперь, когда все время принадлежало Алли и Энди, ей было не до этого.

— Можно было бы попробовать придать современный вид и этому помещению, — сказал Тригви, оглядываясь. Приемная выглядела довольно уныло, коридор ненамного лучше. — Эта обстановка просто угнетает. Одна из ваших фресок могла бы заметно оживить ее.

— Спасибо за идею. Я была бы рада сделать это. — Пейдж обвела глазами стены, но про себя подумала, что лучше всего не задерживаться здесь надолго — по любой причине.

— Ну а мне предстоит встреча с вашей матерью? — спросил он, и Пейдж в притворном ужасе закатила глаза. Он рассмеялся: — Не может быть, чтобы она была так ужасна.

— Еще хуже, чем вы можете представить. Но она умеет притворяться, если это нужно. Она терпеть не может сталкиваться с тем, что ей не нравится, или говорить на темы, которые не доставляют ей удовольствия. Так что здесь ее ждет серьезное испытание.

— Ну, по крайней мере, судя по всему, она не пессимистка. А ваша сестра?

Пейдж только рассмеялась в ответ:

— Это нечто особенное. Впрочем, они обе такие. Первые несколько лет после того, как я уехала из дома, я вообще у них не бывала и встретилась с матерью только после смерти отца. Одно время мама жила у нас. Я просто ее пожалела. И это была ошибка — они с Брэдом начали ссориться каждый день, конечно, они не переходили границ, но все равно меня просто тошнило от их споров. И разумеется, мама считала, что я и понятия не имею, как нужно воспитывать Алисон.

— Ну теперь ей можно об этом не беспокоиться.

— Да, но зато она будет критиковать врачей, будет звонить моему зятю Дэвиду и говорить, что это просто знахари и на них нужно подать в суд за врачебные ошибки. Госпиталь ей тоже не придется по вкусу. Не говоря уже о более важных вещах — например, какие ужасные парикмахеры в нашем городе.

— Ну, это ерунда.

— Это вы так считаете. Нет, она им еще покажет. — За шутливым тоном Пейдж явно скрывалось что-то иное. Пейдж уже взрослая женщина, не может же она относиться так неприязненно к родственникам без серьезных на то причин. Но этим она явно не собиралась делиться с ним, по крайней мере немедленно, а он не хотел торопить ее — она имела право на собственные тайны.

Вскоре они расстались — Тригви пошел к Хлое, а Пейдж — к Алисон, а позже, часов в пять, и Пейдж заглянула к Хлое. Девочка еще сильно страдала от боли, но уже привыкла к своим растяжкам и гипсу и была счастлива, что вообще жива. Хлоя очень волновалась за Алисон — Тригви не стал скрывать от нее, что та может умереть. Тут же был и Джейми, он тоже хотел узнать о состоянии Алисон.

— Как она? — спросила Хлоя у вошедшей в палату Пейдж.

— В том же положении. Ну а как ты? Не слушаешься медсестер, флиртуешь с пациентами, всю ночь напролет ешь пиццу? Все как обычно? — усмехнулась Пейдж, и Хлоя рассмеялась в ответ.

— И многое чего еще, — добавил Тригви, и

Хлоя снова хихикнула. У него сердце радовалось от того, что дочь была в хорошем настроении.

— Отлично. — Хотела бы Пейдж, чтобы Алисон была так же весела, как сейчас Хлоя. Несомненно, и Чэпмены мечтали бы об этом. Прошло всего две недели после того, как погиб их сын, и у нее сердце сжалось при мысли, что они должны переживать сейчас. Что бы ни было с Алисон, все-таки она жива, и у Пейдж теплилась надежда. У Чэпменов надежды уже не было.

Джейми рассказал, что пару дней назад он виделся с Чэпменами и они были в ужасном состоянии. Мистер Чэпмен сказал, что подал в суд на газету, в которой косвенно в аварии обвинялся Филипп. Джейми упомянул и о том, что его разыскал репортер, желавший знать, каково это — остаться практически невредимым после такой катастрофы. В остальном интерес прессы к происшествию вроде приутих.

В шесть, когда принесли заказанную Тригви для дочери пиццу, они покинули Хлою и Джейми, оставшегося поесть с ней.

— Хотите, поужинаем вместе? — предложил Тригви.

— Я бы с удовольствием, но мне нужно домой на случай, если вдруг вернется Брэд. Я не очень-то верю в то, что он появится, но если он придет, а Энди не увидит его, мальчик будет очень расстроен.

Тригви не стал настаивать, и, несмотря на протесты Энди и Бьорна, Пейдж увезла сына домой. Но Брэд появился только утром, и тут, как ни крепилась Пейдж, разразилась очередная ссора.

— Какого черта ты обещал, что приедешь сегодня ночевать, если не был уверен?! Кого ты думаешь обмануть?! — Она просто взбесилась, ей надоела эта жизнь, в которой он делил ее с другой женщиной.

— Извини. Я должен был позвонить. Я не знал, что так получится... точно не знал.

Разумеется, он это знал, но не мог же он прямо сказать Пейдж, что они поехали развлекаться со Стефани, и не мог же он звонить при ней из гостиничного номера — Стефани следила за ним каждую минуту. Даже в воскресенье утром она устроила ему скандал за то, что он настоял на возвращении домой. Впрочем, не такой ужасный, как тот, что устроила ему Пейдж, когда он вошел в дом, так и не предупредив ее о своем расписании. Пейдж с Энди собирались в аэропорт встречать родных.

— Ну извини, правда, — жалобно сказал он, чувствуя себя полным идиотом. Не мог же он откровенно признаться в том, что разрывается между двумя женщинами.

— Тебе даже неинтересно, что с Алли, жива ли она, — безжалостно наступала Пейдж.

Не в ее правилах была такая жестокость, но ведь он просто довел ее до этого!

— О боже... что с ней? — В его глазах появились слезы, но Пейдж нисколько это не тронуло.

— Нет, она не умерла. Но где бы я искала тебя, Брэд? Ты ведь, как обычно, не оставил номера телефона. Ты что, так и не понял, что с твоей дочерью?

— Дрянь! — Он хлопнул дверью спальни, и Энди разрыдался. Почему они всегда ссорятся?

— Извини, мой милый. — Пейдж наклонилась и обняла сына.

Брэд так и не вышел из спальни. Пейдж не стала ничего ему говорить, и они отправились в аэропорт. Энди вел себя тихо, а Пейдж по дороге размышляла над сегодняшней сценой. Как молодо и счастливо выглядел Брэд, пока не увидел ее! Однако больше всего ее волновал Энди — вид у него был совершенно потерянный.

Мать и Алексис были в числе первых пассажиров, вышедших в зал. Мать, как всегда, была элегантна, с великолепно уложенными седыми волосами, в темно-синем костюме, прекрасно обрисовывавшем ее стройную фигуру. Алексис была вообще потрясающа в розовом платье от Шанель, а ее вылепленное хирургами лицо можно было хоть сейчас помещать на обложку «Вог». На плече у нее висела черная сумка от Гермеса из крокодиловой кожи, в руке она держала небольшой элегантный чемодан. Алексис изящно поцеловала воздух где-то рядом со щекой Пейдж и настороженно поздоровалась с Энди.

— Выглядишь великолепно, дорогая, — сказала ей мать, глядя куда-то в сторону. — А где Брэд?

— Дома. Он просил извиниться, что из-за дел не смог приехать вас встретить. — Пейдж не имела представления о том, будет ли Брэд дома, когда они вернутся. Его приходы и исчезновения были совершенно непредсказуемы, и она не знала, как скрыть это от матери. У нее не было желания обсуждать с ней проблему распада своего брака, да и мать не захотела бы слушать о таких ужасах.

Они дождались остального багажа. К счастью, все было цело. Все чемоданы от Гуччи принадлежали, разумеется, Алексис.

— Как Алисон? — сухо спросила Алексис уже в машине. Пейдж начала было объяснять, что Алисон по-прежнему в коматозном состоянии, но мать тут же прервала ее и стала расписывать, как великолепно смотрится после ремонта квартира Алексис.

— Это замечательно, — поддакнула Пейдж. Да, ничего не изменилось. Странно было не это, а то, что сама Пейдж почему-то все время ожидала каких-то перемен в них обеих. Она всю жизнь ждала, что мать превратится в милую, добрую женщину, по-настоящему заботящуюся о ней, а Алексис вдруг обзаведется косичками, веснушками и сердцем. Но нет, они не менялись. Мать по-прежнему говорила только о приятном, а Алексис вообще молчала, поджав губы. Единственное, о чем они искренне беспокоились, так это о том, хорошо ли они выглядят и что сделать, чтобы выглядеть еще лучше. Пейдж всегда мучила загадка — о чем Алексис говорит со своим мужем Дэвидом? Если они вообще разговаривают друг с другом. Он был значительно старше ее сестры и, похоже, всегда занят в клинике... Наверняка большая часть его заработков и времени уходила на Алексис... можно сказать, она была его постоянной клиенткой.

— А как у вас с погодой? — спросила мать, как раз когда они ехали по мосту, где едва не прервалась жизнь Алисон. Каждый раз, когда Пейдж приходилось проезжать по нему, она ощущала тошноту и головокружение.

— С погодой? — откликнулась она. В последнее время ей было не до погоды. Она все время проводила в госпитале или выясняла отношения с Брэдом. Когда ей было замечать, светит ли солнце или на улице пасмурно? — Кажется, прекрасно. Правда, я мало обращала на погоду внимания, надеюсь, ты понимаешь, почему, мама?

— Энди, а как твоя рука? Как можно было совершить такую глупость? — ворковала бабушка, пока мальчик показывал Алексис все подписи на гипсе. Бьорн даже нарисовал там маленькую собачку, правда, ухмыльнулся Энди, она больше напоминала хомяка Ричи Грина. Но вообще-то он был горд своей новой дружбой и любил хвастаться в школе, что у него есть восемнадцатилетний друг. Никто ему, правда, не верил.

К удивлению Пейдж, Брэд оказался дома и был весьма любезен с Алексис и тещей. Он оттащил в дом гору чемоданов и проводил мать Пейдж в комнату для гостей. Она решила вздремнуть на огромной кровати. У Алексис вошло в привычку пристраиваться рядом с матерью, но на этот раз она почему-то спросила Пейдж, нельзя ли ей расположиться в комнате Алисон. Пейдж не очень-то хотелось пускать туда сестру — для нее эта комната стала чем-то вроде святыни, она ничего не трогала там с тех пор, как Алисон ушла из дому в последний раз.

Но Брэд поспешно сказал, почему бы и нет, и Пейдж с трудом удалось переломить свое нежелание — и правда, глупо было бы им спать в одной кровати, если есть свободная комната. Такое положение дел, правда, еще сильнее подчеркивало отсутствие Алисон, и Пейдж это причиняло боль. Но что было делать? Отказывать ей теперь просто неприлично.

Алексис попросила что-нибудь попить — она предпочла бы холодную минеральную воду «Эвиан», а мать пожелала чашечку кофе и маленький сандвич, пока она будет распаковывать вещи. «Ну вот и началось их участие и помощь», — тоскливо подумала Пейдж. Не говоря ни слова, она прошла на кухню и приготовила все, что они просили.

Была уже половина пятого, и Пейдж нервничала, так как весь день не была в госпитале, к тому же она полагала, что и гостьи захотят навестить Алисон. Она намекнула на это, когда они все собрались в гостиной и мать похвалила ее новую мебель, занавески и росписи.

— Ты прекрасно все устроила, очень мило все выглядит, дорогая моя. — Мать, как и Брэд, рассматривала ее занятия дизайном как необременительное хобби. Так было всегда — тот краткий период, когда Пейдж работала в театре, ее мать вспоминала с ужасом и радовалась, что в Калифорнии дочь не вернулась к работе.

Пейдж беспокойно взглянула на часы — стрелки двигались к пяти.

— Может быть, мы поедем в госпиталь? Не сомневаюсь, что вы хотели бы увидеть Алисон.

Сестра и мать переглянулись, и Пейдж поняла, что сморозила очередную глупость — госпиталь явно не входил в их сегодняшнее расписание.

— Сегодня такой тяжелый день, — спокойно ответила Марибел Аддисон, откидываясь на спинку дивана. — Алексис тоже без сил — она еще не оправилась после ужасной простуды. — Сестра кивнула. — Ты не думаешь, что, может быть, удобнее нам поехать туда завтра утром? — спросила она, делая невинный вид, пока Пейдж пыталась найти слова для ответа.

— Я... да... разумеется... если вам так лучше... я просто подумала... — Какая глупость с ее стороны думать, что они хотят увидеть Алли! Да они просто до смерти боятся этого момента! «И зачем они притащились?» — обреченно думала она. Разве что ради перемены места и, кроме того, чтобы изобразить участие к Пейдж, чего на самом деле и в помине не было.

— Да, наве́рное, завтра утром это будет удобнее сделать, дорогая. Как ты думаешь, Брэд? — спросила Марибел вошедшего в гостиную Брэда. На лице ее зятя было написано смятение — только что, прямо среди дня, ему позвонила Стефани и поставила ультиматум! Она потребовала, чтобы он повез ее ужинать и за ужином обсудить их дальнейшие отношения.

— Я... эээ... вы правы, Марибел. Вы, наверное, устали, а это зрелище не из легких.

Пейдж была в ярости. Не говоря ни слова, она собрала свою сумку и сказала им, что вернется к шести часам, чтобы приготовить ужин.

— Ты присмотришь за Энди? — спросила она Брэда, прежде чем выйти из дома.

— Когда ты вернешься, мне нужно будет кое-куда поехать. Идет?

— А что, у меня есть выбор? — холодно ответила она вопросом на вопрос.

— Мне нужно захватить кое-какие бумаги в городе.

Она кивнула, попрощалась с матерью и, не говоря больше ни слова, вышла. Алексис уже отдыхала в комнате Алисон.

Всю дорогу до госпиталя Пейдж кляла себя за то, что позволила им приехать. А потом вдруг расхохоталась: ну и картинка получилась — Алисон в коме, у Брэда интрижка, Энди сломал руку, а в довершение всего на нее свалились сестра и мать. Просто классический кошмар!

Войдя в госпиталь, она столкнулась с уходящим оттуда Тригви, и он на минутку остановился поговорить с ней. Он заходил к Алисон, но не обнаружил там Пейдж и решил уже, что они разминулись.

— Как мамочка? — По его глазам было видно, что он рад видеть ее.

Пейдж рассмеялась.

— Смешно, насколько я предвижу каждый их шаг. Просто невероятно.

— А где они сейчас? — Похоже, его не удивляло их отсутствие.

— Мама наслаждается моей новой кроватью, и сестра отдыхает. Такое впечатление, что у нее очередной приступ анорексии. Она прибыла в костюме от Шанель и с крокодиловой багажной сумкой.

— Впечатляюще. Так что в госпиталь они уже не смогли добраться?

— Слишком устали, — объяснила Пейдж. — У Алексис еще не прошла простуда. А Брэд сказал им, что они правы — зрелище не из приятных.

— О боже...

— Именно. Так что завтра предстоит ответственный день, если только Алексис не потребуется сделать маникюр.

— А ты, почему же ты совсем другая? Почему ты не сидишь целыми днями у парикмахера, вместо того чтобы расписывать стены и заниматься детьми?

— Слишком глупа, наверное. Меня это почему-то никогда не привлекало.

— Но, может быть, твой отец был другим? — сказал он, чтобы найти хоть какое-то объяснение этому феномену, но Пейдж только покачала головой и поспешно отвернулась.

— Это не так. — Потом она мужественно посмотрела Тригви в глаза. — Наверное, я просто отклонение от нормы. Лучше всего было бы, если бы я была приемышем — сестра часто мне так и говорила, но она лгала, к сожалению. Это облегчило бы многое. — Такие характеристики родственников заставили его рассмеяться.

— Ник тоже часто говорит так Хлое — что она приемыш. Дети любят мучить друг друга такого рода вещами.

— В моем случае это было бы просто счастьем. — Пейдж взглянула на часы — она опаздывала, а нужно было еще вернуться домой и приготовить ужин. — Наверное, лучше мне все-таки навестить Алисон.

— Когда я заходил туда, там был физиотерапевт. Вроде все было в порядке, как обычно.

— Спасибо, что ты уделяешь ей время. — Она помедлила, и он, наклонившись, легко поцеловал ее в губы. Их глаза встретились. — Я рада, что встретила тебя, — прошептала она и побежала в палату к Алисон.

— Я тоже, — крикнул он ей вслед.

Алисон пребывала в обычном состоянии, все было без перемен. Пейдж посидела с ней примерно час, рассказала, что приехали бабушка и тетя Алексис, пересказала последние разговоры с Энди и снова сказала ей нежно и серьезно, как они любят ее. Она рассказала дочери все, кроме того, что касалось Брэда.

Поцеловав дочь в лоб, Пейдж встала и долго вглядывалась в неподвижное лицо девочки. Пожалуй, Брэд прав, она просто привыкла к ее повязкам, но постороннего они могут напугать.

Домой Пейдж ехала в подавленном состоянии. Открывая дверь, внезапно почувствовала, что страшно устала. О чем-то говорила мать, Алексис жаловалась по телефону Дэвиду на плохое обслуживание в самолете. Ни слова об Алисон, и только

Энди спросил о ней, когда она начала готовить ужин.

— Ты уверена, что она выздоровеет? — обеспокоенно спросил он.

Пейдж посмотрела на него, а потом обняла и прижала к себе.

— Нет... я не уверена в этом... но я надеюсь. Пока еще неясно. Она может... — Пейдж не могла произнести это слово, но это было необходимо. — Она все еще может умереть... может выздороветь, но может и остаться такой, как Бьорн, когда выйдет из комы. Мы пока не знаем, что будет.

— Как Бьорн? — испугался Энди. Он никогда не думал об этом.

— Ну, примерно... или она вообще не сможет ходить... или может ослепнуть... так что Бьорн — это еще неплохо. Она может остаться полным инвалидом.

— О чем вы тут секретничаете? — В кухне появилась Марибел, прервав их разговор.

— Мы говорили об Алисон.

— Я только что говорила Энди, что с ней будет все в порядке. — Марибел улыбнулась обоим. Пейдж хотелось ударить ее — какое она имела право так поступать с ним? Нельзя разрешать ей делать все, что она хочет.

— Мы надеемся на это, мама, но пока еще нет уверенности, — твердо сказала Пейдж. — Все зависит от того, когда она выйдет из комы, если вообще выйдет.

— Это похоже на сон, только ты не просыпаешься, просто спишь и спишь, — объяснил Энди бабушке. Тут в кухню вошел Брэд. Он был в костюме, и Пейдж с трудом удержалась от колкости в его адрес по этому поводу.

— Я приеду попозже, — сказал он Пейдж, выразительно взглянув на нее.

— Правда? Я буду ждать с нетерпением.

— Спасибо, — ответил он и на ходу взъерошил Энди волосы. — Спокойной ночи, Марибел, — бросил он через плечо теще.

— Спокойной ночи, дорогой мой. — И добавила, когда Брэд уже скрылся за дверью: — Он такой импозантный мужчина. Тебе повезло, милая.

Пейдж хотелось ответить, что она тоже раньше так думала, но теперь все изменилось. Но она сдержалась и вернулась на кухню.

Как всегда, ужин превратился в кошмар. Алексис гоняла по тарелке крошечный кусочек мяса среди салата и в конце концов так ничего и не съела. Говорила она столь же мало, сколь ела, так что застольной беседой завладела Марибел, с упоением рассказывавшая о своей нью-йоркской квартире, о своих друзьях, о сказочном саде Алексис в Ист-Хэмптоне. Алексис наняла трех японских садовников, сама палец о палец не ударила и не восхищалась этим садом, как мать. Она вообще ничем не восхищалась. Но ни мать, ни сестра не задали Пейдж ни одного вопроса об Алисон.

Обе они отправились спать одновременно с Энди, сказав, что еще не перешли на калифорнийское время. Пейдж так неприятно было слышать шаги сестры, доносившиеся из спальни Алисон, что она плотнее закрыла дверь своей спальни, чтобы ничего не слышать. Она пожалела, что уступила настойчивой просьбе Алексис и отдала ей комнату дочери.

Так она лежала на кровати и думала, как ей не повезло с семьей. Пока она не вырвалась от них, ее жизнь напоминала ад, и каждая новая встреча с родными пробуждала эти воспоминания. Она беззвучно зарыдала и только усилием воли заставила себя не думать о прошлом.

В полночь явился Брэд. Пейдж еще не спала, но свет уже погасила. Она приподнялась в кровати. Выглядел Брэд не лучшим образом. Зачем он вообще вернулся?

— Ну как, весело провел время? — спросила она. Они оба понимали, что ситуация предельно ясна. Но нужно было все-таки к этому привыкнуть. Брэд ответил не сразу. Он разрывался между двумя мирами, и в каждом его ждали одни лишь неприятности.

— Не совсем. Это было вовсе не то, о чем ты подумала.

— Представляю... впрочем, могу то же сказать о себе.

— Я знаю, как тебе трудно, — тихо сказал он. В этот момент он чем-то напоминал прежнего Брэда. — Может быть, я не должен был говорить тебе правду... а может быть, это все равно нужно было сказать. Нельзя же жить так вечно. — Проблема была в том, что она-то могла. Она и представления не имела, на что он был способен. — Я пытаюсь сделать так, чтобы всем было хорошо. Но я не знаю, как лучше всего поступить в такой ситуации.

Она кивнула — ей нечего было ответить ему. Они действительно зашли в тупик.

— Может быть, все-таки было бы лучше, если бы ты сконцентрировался на Алисон и на время просто забыл обо всем остальном. Наверное, сейчас все-таки не самый подходящий момент для принятия глобальных решений.

— Я знаю.

Но Стефани ждала от него решительных поступков. Может быть, она была не права, но Стефани представляла дело.именно так, а он не хотел терять ее. Стефани ведь не была знакома ни с Алисон, ни с Пейдж, что они значили для нее? Ей нужен был только Брэд, и она не хотела дальше терпеть и ждать его бесконечно. Вот уже почти год они вместе спят, когда только могут: в редкие совместные уик-энды, во время командировок. Но ей уже двадцать шесть, и она решила, что настало время выйти замуж и завести детей. И выбрала для этой роли Брэда Кларка.

Через некоторое время Брэд лег в постель, стараясь не коснуться Пейдж. Он по-прежнему был уверен в себе, по крайней мере пока был со Стефани, но с Пейдж он не мог позволить себе еще одной ужасной сцены. У него даже и желания не было пытаться.

Она заснула только в три утра и чувствовала себя совершенно разбитой, когда проснулась в семь, чтобы разбудить Энди и сделать завтрак. Когда был готов завтрак, Брэд уже был одет, но уехал в город, не притронувшись к еде. Он объяснил это тем, что ему предстоял деловой завтрак с партнером. Пейдж не стала задавать ему лишних вопросов — главное, чтобы он ночевал дома и ей ничего бы не пришлось объяснять своей матери. Кто знает, может быть, ей и не придется объясняться с ними на этот счет.

Высадив Энди у школы, она вернулась домой за матерью и Алексис. Пока они собирались, она написала кое-какие письма, сделала несколько деловых звонков, но к одиннадцати они так и не были готовы. Алексис с бигуди на голове занималась своей неизменной зарядкой. Слава богу, она уже приняла душ и наложила косметику, но все равно раньше чем через час не будет готова, ответила она на вопрос Пейдж.

— Мама, — заволновалась Пейдж, — я не могу больше ждать — должна ехать к Алли!

— Разумеется. Но сначала нам всем нужно поесть. Может быть, ты что-нибудь приготовишь?

Это была обычная ловушка, они будут держать ее, пока не станет слишком поздно. Но ведь они приехали сюда, чтобы навестить Алисон, а не для того, чтобы убить время и доводить Пейдж до белого каления. Она отлично знала их повадки, но больше не собиралась мириться с этим.

— Если вы проголодаетесь, мы в госпитале можем сходить в кафетерий.

— Ты же знаешь, это вредно для желудка Алексис, дорогая. В больнице чудовищно кормят.

— Ничем не могу помочь. — Она беспомощно взглянула на часы: было пять минут двенадцатого, она потеряла полдня, а в полчетвертого кончаются уроки у Энди. — Может быть, вы здесь пока перекусите, а потом возьмете такси и приедете в госпиталь попозже?

— Ни в коем случае, мы поедем только с тобой. Имей терпение, мы скоро будем готовы. — Обе женщины скрылись в комнате Алисон и вернулись оттуда только в полпервого.

Алексис, в белом платье от Шанель, выглядела изумительно. На ней были черные кожаные туфли и такая же сумочка, а на голове — прелестная соломенная шляпка, смотревшаяся очень мило, хотя и довольно неуместно. Мать надела красный шелковый костюм. Они оделись так, будто отправлялись на какой-нибудь официальный прием, а не в калифорнийский госпиталь.

— Вы прекрасно выглядите, — подчеркнуто восторженно сказала Пейдж, когда они сели в машину. Сама она была в тех же джинсах и босоножках, из которых не вылезала уже две недели. Джинсы она снимала, только чтобы постирать, и носила старые свитера — это было удобно и тепло и к тому же отлично подходило для госпиталя. Собственный вид в эти дни нисколько не волновал Пейдж. Ее развеселило, но не удивило то, как расфуфырились мать и сестра.

Всю дорогу мать хвалила теплую погоду в Калифорнии и расспрашивала ее, где они с Брэдом собираются отдыхать в этом году. Она надеялась, что они смогут посетить Восточное побережье — было бы совсем хорошо, если бы они арендовали небольшой особняк на Лонг-Айленде. Никакие события, которые могли бы помешать этим планам, Марибел не принимала в расчет.

Они припарковались на стоянке госпиталя, и Пейдж провела их внутрь, в душе еще раз сожалея, что разрешила им приехать. Они выглядели здесь так нелепо и неуместно. Хотя это были бабушка и тетя Алисон, Пейдж продолжала считать, что Алли принадлежит только ей и Брэду и никому больше. Может быть, она была несправедлива к своим родственникам, но эти люди просто не заслужили того, чтобы навещать ее девочку.

Они поздоровались с медсестрами в палате интенсивной терапии, и Пейдж провела их к кровати Алли. Марибел побледнела и вскрикнула, когда увидела Алисон. Пейдж предложила ей сесть, но та только помотала головой. Пейдж в какую-то минуту пожалела ее и положила руку на плечо. Алексис даже не решилась приблизиться к кровати — она остановилась на полпути от двери и пыталась разглядеть Алисон оттуда.

Обе пробыли здесь десять минут, и за все это время никто не произнес ни слова, мать только жалобно посматривала на Алексис. Та смертельно побледнела, что было заметно даже под слоем пудры.

— Мне кажется, Алексис не стоит находиться здесь, — прошептала мать. «И Алли тоже», — хотелось прошептать Пейдж ей в ответ, но она только кивнула. Почему они заботятся всегда только о себе, почему не хотят видеть реальной жизни? Всего лишь на миг мать увидела настоящую Алли, почувствовала ее боль — и тут же отвернулась и нашла спасение в Алексис. И так всегда — она никогда не хотела понимать проблем Пейдж, главной для нее была Алексис. Но Алексис как личности давно не существовало — это была кукла, совершенная кукла Барби в дорогих шмотках и с безупречным макияжем.

Они шли по коридору назад, и Марибел положила руку на плечо старшей дочери — Алексис, а не Пейдж.

— Иногда я забываю, как она выглядит, — начала извиняться Пейдж, — я так долго была с ней... не то чтобы я к ней привыкла, но я не пугаюсь ее вида. Как-то приходила ее учительница, так она была в шоке. Извини, ма, я забыла об этом. — Несмотря на то что это они сделали ей больно в очередной раз, она извинялась перед ними.

— Да нет, Алли неплохо выглядит, — возразила ее мать, хотя сама была еще бледна как мел. — Она выглядит так, словно в любой момент может проснуться.

В действительности девочка была похожа на труп. Безжизненность этого хрупкого тела еще более подчеркивал работающий аппарат искусственного дыхания. Именно поэтому Пейдж и не пускала Энди к Алисон, несмотря на все его просьбы.

— Она выглядит плохо, — твердо сказала Пейдж, — она выглядит ужасно. Незачем притворяться. — Она больше не хотела играть в их игры, но мать легонько похлопала ее по руке и продолжала:

— Она непременно поправится, ты должна поверить в это. Ну а теперь, — улыбнулась она дочерям, словно желая стереть этой улыбкой то ужасное зрелище, которое только что предстало их глазам, — где мы будем есть ленч?

— Лично я остаюсь здесь, — раздраженно ответила Пейдж. Она тут была не проездом и не собиралась тратить всю следующую неделю на посещение ресторанов и бридж с ними. Если они приехали, чтобы увидеть Алисон, то пусть смотрят реальности в глаза. — Я могу вызвать для вас такси. Но я не поеду с вами.

— Но тебе же будет лучше, если ты немного отвлечешься. Ведь Брэд же не сидит здесь сутками?

— Он — нет, а я — да. — Они даже не заметили необычной жесткости в словах Пейдж.

— И все-таки, может быть, ты поешь с нами в городе? — продолжала соблазнять ее мать, но Пейдж упрямо покачала головой. Она останется здесь.

— Я вызову вам такси, — твердо ответила она.

— Когда ты будешь дома?

— Я должна взять Энди из школы и отвезти его на матч. Потом я приеду домой, часам к пяти.

— Хорошо, тогда пока.

Она объяснила им, где лежит ключ от дома, если они все-таки вернутся раньше ее, но она знала, что они не вернутся — после ленча они собирались пройтись по магазинам.

Пейдж вернулась в палату. В середине дня к ней заглянул Тригви. Он удивленно огляделся, видя ее одну — он-то думал встретить ее мать и сестру.

— Где они? — недоуменно спросил он, но Пейдж только покачала головой.

— Невеста Франкенштейна и ее мать отбыли в город на ленч и собираются немного пройтись по магазинам.

— Они видели Алисон? — удивился он.

— Они выдержали около десяти минут. Мать побледнела, а сестра, так и оставшись в дверях, позеленела. Так что они решили, что только хороший ленч поможет им избавиться от этих ужасных воспоминаний. — Она все еще злилась на них, но ведь это было для них так типично.

— Ну не сердись на них. Это действительно не так-то легко перенести. — Тригви, разумеется, рассуждал как человек посторонний — он не знал привычек ее родных.

— Мне не легче, чем им, и все-таки я тут. Они еще меня собирались утащить на ленч.

— Не самая плохая идея, — заметил он, но она только пожала плечами — плохо он их знает.

Он немного побыл с ней, потом Пейдж отправилась в школу за Энди, отвезла его на бейсбол и вернулась домой. Как она и предполагала, мать и сестра явились только в шесть, нагруженные коробками, с флаконом духов — подарком для нее, французским свитером для Энди и розовым пеньюаром для Алисон — вещь для нее практически бесполезная в нынешних обстоятельствах.

— Ты очень добра, мама, спасибо. — Она не стала объяснять бессмысленность последней покупки — все равно мать бы не поняла. Она была в восторге от своих покупок и от очень умеренных цен на многие фирменные вещи.

— Это просто поразительно, что здесь у вас можно откопать! — защебетала она, не обращая внимания на Пейдж.

— И не говори, — холодно ответила та. Судя по всему, они начисто забыли, зачем приехали к ней.

Пейдж приготовила ужин, но Брэд не пришел к ужину и не позвонил. Она придумала что-то для объяснения его отсутствия, а потом обнаружила заброшенного и одинокого Энди и присела поговорить с ним. Это было нелегко, так как присутствие в доме гостей лишало Пейдж равновесия и ее обычной выдержки.

— Вы с папой опять поругались?

— Ну, не совсем, — солгала она. Еще не настало время, чтобы сказать ему все — хватит с него пока Алисон. — Просто он очень занят в последнее время, а я очень нервничаю из-за Алисон, вот так все нескладно и получается.

— Вовсе он не занят. Я слышал, как ты на него кричала... И он кричал на тебя.

— Ну, это иногда случается у взрослых, мой милый. — Она поцеловала сына в макушку, стараясь сдержаться и не расплакаться.

— У вас такого раньше не было. — Он помолчал и добавил: — Бьорн сказал, что его папа и мама очень много ссорились, а потом его мама бросила их. Она уехала в Лондон, и теперь он ее совсем не видит и скоро совсем забудет.

— Это другое дело, — сказала Пейдж, хотя сама не была уверена в этом. По правде говоря, особых отличий тут не было. — Он по ней скучает? — Она чувствовала себя виноватой. Для детей все эти взрослые разборки непонятны и болезненны.

— Нет, — честно ответил Энди, — Бьорн сказал, что мама его не любила, она все время кричала на него. Папу он любит гораздо больше. Мне тоже его папа очень нравится, — добавил он. — Он хороший. — Пейдж кивнула. Энди поднял на нее взгляд, и она заметила, что у него в глазах стоят слезы. — Папа тоже собирается бросить нас и уехать в Англию?

— Разумеется, нет! — ответила она, радуясь тому, что он по крайней мере не спрашивает про ее отношения с Тригви. — Зачем ему уезжать в Англию?

— Не знаю, просто Бьорн сказал, что его мама так и сделала. А все-таки, он собирается от нас уйти?

Она хотела бы сказать ему правду, но не могла — это уже будет слишком для него самого и для всех них, по крайней мере сейчас.

— С чего ты это взял? — впервые солгала ему Пейдж, но у нее не было другого выхода.

Она уложила сына в кровать и тихонько вышла из его комнаты. Тут же появилась ее мать и попросила приготовить ей чашку мятного чая и принести ромашкового чая и бутылочку «Эвиан» сестре.

— Разумеется, — улыбнувшись краешками губ, кивнула Пейдж. Ничего не изменилось: злая сестра и мать, и она, как и прежде, разыгрывает перед ними роль Золушки.

Глава 12

Конец недели ничем не отличался от ее начала. Пейдж почти все время, пока Энди был в школе, проводила в госпитале, а ее мать и сестра совершали набеги на сан-францисские магазины: «Гермес», «Тиффани», «Картье», «Сакс». Они причесывались у «Мистера Ли», ходили на ленч в «Тредер-Вик», «Пострио» и рестораны на верхних этажах «Неймана-Маркуса». Но почти каждый день они начинали свой маршрут с палаты Алисон, где проводили обязательные пять минут.

Первое время Алексис отговаривалась своей простудой и, не желая создавать осложнений у Алли, обычно ожидала в приемной. Но мать храбро поднималась на пять-шесть минут к Алисон, сидела рядом с Пейдж и беседовала с внучкой. Обычно она сообщала ей, что они собираются делать днем, а потом пыталась уговорить Пейдж поехать с ними. На уик-энд она стала настаивать на том, чтобы Пейдж и Брэд поехали с ними поужинать.

Пейдж пыталась обсудить с мужем это предложение в один из его редких визитов домой. Это был вечер пятницы, она уже сама мечтала о том дне, когда мать с сестрой уедут, их присутствие лишало ее всяких сил. А Брэд использовал их пребывание для того, чтобы вообще исчезать на целые сутки — он приходил за полночь, а уходил рано утром, пока они еще спали. Однажды он не явился и ночью, даже не позвонив.

— Моя мать хочет, чтобы мы поехали все вместе в ресторан поужинать, — стараясь не раздражаться, сказала ему Пейдж. — Говоря по правде, я лично просто этого не перенесу.

— Мне кажется, она вполне нормально держится, — холодно ответил Брэд.

— Неужели? — парировала Пейдж. — Когда это ты успел заметить? В те четыре секунды, пока разгружал их багаж, или за те минуты — даже десяти не наберется, — что ты провел с ними с тех пор?

Откуда тебе знать, какая она? Я не видела тебя с воскресенья.

— Ради бога... прекрати. А что ты от меня хотела? Чтобы я нянчился с твоей матерью? Мне кажется, она приехала сюда затем, чтобы повидать Алли. — Сам он делал это все реже и реже, отговариваясь занятостью.

— Она приехала сюда не за этим, — настаивала на своем Пейдж. — Ей просто нужны хоть какие-то перемены, новые впечатления, она ходит по магазинам. Вот это им по душе.

— Может быть, тебе следовало бы прогуляться вместе с ними, ты бы подобрела, — огрызнулся он. — Видит бог, ты стала бы хоть немного похожа на свою сестру. — Он тут же пожалел о сказанном, но слово уже вылетело.

Она горько усмехнулась:

— На моей сестре не осталось и кусочка собственной кожи, ни на лице, ни на теле, если тебе не нужно ничего, кроме пластиковой заплаты, то, ради бога, пожалуйста. — Она была взбешена, но и задета его замечанием — она три недели провела рядом с Алисон и, естественно, не следила за собой — у нее просто не было на это ни времени, ни энергии, ни желания. Ей было все равно, как она выглядела, главным для нее была жизнь Алисон.

В конце концов Брэд согласился поужинать с ними в субботу вечером, и они решили поехать в «Фэйрмонт». Пейдж зачесала свои густые волосы назад, в конский хвост, надела строгое черное платье, без всякой косметики. Она представляла разительный контраст с сестрой, одетой в белое шелковое платье от Живанши, прекрасно обрисовывавшее ее сухую фигуру и довольно смело обнажавшее силиконовые груди.

— Ты великолепно выглядишь, — с чувством похвалил ее Брэд, и она лучезарно улыбнулась в ответ. Это было даже не кокетство, у нее не было никакой заинтересованности в нем — она вообще не интересовалась ничем, кроме того, как она выглядит и что на ней надето. Брэд отлично понимал, что это не женщина, а просто женская форма с прекрасно сделанным лицом.

Алексис и мать стали поговаривать, что неплохо было бы остаться еще на неделю, но только при упоминании об этом Пейдж пришла в ярость: она уже семь дней обслуживала их, разнося по комнатам ромашковый и мятный чай, минеральную воду, завтраки, ленчи, ужины, чистые простыни, дополнительные подушки. Ей даже пришлось поехать и купить матери одеяло с электроподогревом. Они не отвечали на телефонные звонки, не могли приготовить для себя больше чем стакан воды, не соображали, как пользоваться телевизорами в их комнатах, и, кроме того, не ладили с Энди. В общем, они, как обычно, были совершенно бесполезны.

За неделю они в общей сложности пробыли в палате Алисон не больше получаса, то есть все произошло именно так, как и предсказывала Пейдж во время разговора с Тригви.

— Я полагаю, что вам лучше уехать после этого уик-энда, — решительно сказала Пейдж. При этих словах на лице матери появилось выражение ужаса:

— Но мы не можем бросить тебя одну с Алисон! И на этот раз Пейдж нечего было ответить ей. Брэд вел себя по отношению к ним — и особенно к Алексис, не проронившей почти ни слова за весь вечер, — очень радушно. Но сразу же после возвращения домой, когда сидевшая с Энди девушка уехала, он спокойно сказал Пейдж, что собирается покинуть их.

— В одиннадцать часов?! — поразилась Пейдж. Хотя чему было удивляться — он и на неделе практически не показывался, это вполне соответствовало его теперешнему распорядку. За эти три недели их брак практически превратился в ничто. Так что она только молча кивнула, решив не ввязываться в новую ссору.

— Извини, Пейдж, — вдруг начал объяснять он, — я просто влип.

— Ну да, — бросила она, расстегивая «молнию» на платье. — Понимаю. И Алли тоже.

— Это не имеет к моим личным проблемам никакого отношения.

Но они оба прекрасно понимали, что имеет. Именно это развело их, и теперь им никогда не сойтись вновь.

Она пошла в ванную, а когда вернулась, Брэда в комнате уже не было. Пейдж долго лежала в кровати, ей никак не удавалось заснуть. Вообще, в последнее время у нее начались нелады со сном. Она подумала, что следовало бы позвонить Тригви, но потом решила, что это нечестно. Она вовсе не собиралась использовать его как орудие мести Брэду.

За завтраком мать пела дифирамбы Брэду — как Пейдж повезло, что у нее есть такой муж! Как ни странно это было для матери, но Брэд, на ее взгляд, оказался очень приличным человеком. Пейдж, не проронив в ответ ни слова, продолжала пить кофе.

Она поехала к Алисон одна, оставив Энди, несмотря на протесты, на их попечение. Они стонали, что не знают, что делать, если вдруг возникнут какие-нибудь проблемы с мальчиком.

— А его не нужно будет купать? — запаниковала Марибел. Трудно поверить, что это говорила жена врача, мать двоих детей! Как она могла быть такой беспомощной?

— Мама, ему семь лет. Он сможет сам о себе позаботиться. Если хотите, он даже может приготовить вам ленч. — Ее позабавила мысль о том, что семилетний сын гораздо более приспособлен к жизни, чем эти взрослые женщины.

В госпитале Пейдж встретила Тригви и долго проговорила с ним, изливая все, что накопилось у нее на сердце. Приезд матери совершенно обессилил ее, и Тригви это почувствовал.

— И все-таки я не понимаю, чем они так раздражают тебя? — спросил он, в очередной раз поражаясь ее жесткой реакции в отношении ближайших родственников.

— Всем. Тем, что они есть, и тем, чем они не являются, тем, что они делают и чего не делают. Это другие люди, и я терпеть не могу находиться рядом с ними, я не люблю, когда они живут рядом с моими детьми и со мной.

— Но, может быть, в этом нет ничего страшного, все люди разные. — Его поразила ярость, что слышалась в ее голосе, когда она говорила о своей семье. Что-то явно мучило ее.

— Именно поэтому я здесь. Точнее, я здесь из-за Брэда. Но в любом случае я бы уехала из Нью-Йорка. Я больше не могла жить рядом с ними. — Эта причина была одной из самых важных, по которой она вышла замуж за Брэда, и некоторое время — вплоть до событий последнего месяца — все, казалось, шло как нельзя лучше. — С ним тоже сейчас трудно, и Энди чувствует все это. Это так несправедливо!

— Я понимаю, — спокойно заметил Тригви. — Энди говорил что-то Бьорну об этом, когда они в последний раз играли вместе. Он сказал, что после этого несчастного случая вы все время ссоритесь, и он полагает, что его сестра больна серьезнее, чем вы ему говорите.

— Это потому, что моя мать постоянно внушает ему, что с Алисон все будет хорошо. Это тоже сильно меня заводит.

Она действительно устала, понял Тригви. Она просто на грани истощения. Три недели такого кошмара не могли бы пройти бесследно ни для кого, вот и теперь все это сказалось на Пейдж.

— Может, им стоит уехать? — Хотя Тригви был в этом уверен, но он был не в силах помочь Пейдж — он ведь тайный друг, они о нем ничего не знают.

— Я так им и сказала вчера вечером, но мама считает, что не может бросить меня одну с Алисон. — Пейдж рассмеялась, настолько абсурдно было это заявление. Тригви положил ей руку на плечо, притянул к себе и поцеловал.

— Жаль, что тебе так туго пришлось. Достаточно того, что случилось с Алисон, а уж остальное — это явно перебор.

— Не знаю... мне почему-то кажется, что это какое-то одно долгое испытание, и я его не выдерживаю... — У нее на глазах выступили слезы, и Тригви еще теснее прижал ее к себе и снова поцеловал. В приемной интенсивной терапии было в это время пусто, и никто не мог увидеть их.

— А мне кажется, ты замечательно справляешься. На «пять с плюсом».

— Конечно, тебе лучше знать, ты ведь в этом деле профессионал, — ответила она и хлюпнула носом. Потом снова прильнула к нему и прикрыла глаза. — Я так устала от всего этого... Тригви, неужели это никогда не кончится? — Но сейчас было невозможно сказать, когда настанет конец, они оба отлично понимали это.

— Ровно через год ты вспомнишь и поразишься, как тебе удалось перенести это все.

— Ты думаешь, я столько продержусь? — Она была благодарна ему за то, что могла на него опереться.

— Я верю в это, Пейдж, и очень на это рассчитываю, — уверенно и одновременно нежно ответил он. — И не только я. — Она кивнула. Тригви взял ее руки в свои, и так они сидели рядом и молчали, а потом Пейдж ушла к Алисон.

Когда Пейдж вернулась домой, там разрывался телефон. Звонила подруга, которую она не видела уже несколько месяцев. Два года назад их дочери посещали одну и ту же школу танцев и хотя не были закадычными подружками, изредка продолжали встречаться. Она только что узнала о несчастном случае с Алисон и спросила, не нужна ли какая-нибудь помощь. Пейдж поблагодарила искренне свою приятельницу и сказала, что пока не нуждается в помощи.

— Ну тогда дай мне знать, если что-нибудь потребуется, — настаивала та и, помолчав, спросила: — А что там творится у вас с Брэдом? Вы разве... разводитесь?

Пейдж этот вопрос поверг в шок.

— Нет. Откуда ты взяла? — У нее похолодело в

груди. Подруга определенно что-то знала — это было ясно по ее тону.

— Наверное, не стоило бы об этом говорить... но я часто вижу его с одной молодой женщиной... примерно лет двадцати пяти. Сначала я подумала, что это какая-то подруга Алисон, но потом поняла, что она гораздо старше. Она живет в соседнем квартале, и, знаешь, Пейдж, мне кажется, они любовники. Они иногда бегают тут по утрам.

Очень мило с его стороны выставлять ее в смешном виде перед посторонними — город не такой большой, и люди часто видят его с девушкой возраста Алли?.. О боже! Пейдж почувствовала, что постарела лет на сто, пока объясняла подруге, что это коллега Брэда и они сейчас круглыми сутками работают над проектом, так что нет оснований для беспокойства.

Она понимала, что вряд ли убедила подругу, однако не объяснять же всем интересующимся, что у Брэда есть любовница. И зачем только она звонила? Это низко — так лезть в чужую жизнь. Ведь Пейдж ей сказала, что они не собираются разводиться, она могла бы понять, что Пейдж не хочет говорить на эту тему.

— Как Алисон? — В кухню вошла мать.

— По-прежнему, — рассеянно ответила Пейдж. — А как вы справились с Энди? Он нашел ванную комнату? — Она улыбнулась, и мать рассмеялась в ответ.

— Разумеется. Он отличный парень. Он приготовил мне и Алексис ленч в саду. — Господь явно запретил им делать что-то полезное в жизни.

Она зашла к Энди, игравшему в своей комнате. Ее резануло по сердцу — такой он был грустный.

Как все-таки изменилась их жизнь, и так внезапно! Она села на кровать и обняла сына.

— Ну, как вы тут поладили с бабушкой?

— Она такая забавная, — улыбнулся он в ответ. — Она совсем ничего не делает, только ходит и разговаривает. И тетя Алексис тоже, у нее слишком длинные ногти, чтобы что-то делать. Она даже бутылку минералки сама открыть не может. А бабушка попросила меня завести ее часы — она без очков не видит, а очки она куда-то положила и не могла их найти.

Пейдж отлично знала все эти уловки. Энди вдруг встревоженно посмотрел на мать.

— А где папа?

— В городе, работает, — солгала она.

— Но сегодня воскресенье, ты что, забыла?

Его не проведешь. Но она не собиралась говорить правду, и мальчик это тоже чувствовал.

— Папа очень много работает. — Негодяй, он заставляет ее врать и изворачиваться.

— А он приедет к ужину?

— Не знаю, милый, — честно ответила Пейдж. Энди залез на колени к матери и прижался к ней. Она хотела сказать, что будет всегда любить его, независимо от того, как станет относиться к нему отец, но это было бы уже слишком, так что она просто сказала, что любит его, как говорила всегда.

Потом она отправилась готовить ужин, и Брэд снова удивил ее, явившись неожиданно домой, и можно сказать, что воскресный ужин удался — Брэд сам приготовил мясо, был мил и учтив. Он избегал смотреть в глаза Пейдж, зато наговорил кучу любезностей теще и уполномочил Энди помогать ему готовить гамбургеры и бифштексы. Алексис, разумеется, заявила, что сегодня у нее разгрузочный день и она не будет есть мяса, и снова попросила Энди открыть для нее минералку.

Только когда Пейдж оказалась наедине с Брэдом, готовившим бифштексы, она сказала ему о звонке приятельницы:

— Я слышала, у тебя сегодня была́ утренняя пробежка?

Сначала он даже не понял, просто смотрел на нее, не в состоянии сообразить, что кто-то мог донести на него.

— Кто тебе сказал?! — В его голосе чувствовалось смущение и одновременно ярость.

— Какая тебе разница?

— Это не твое собачье дело... — Он был вне себя от ярости.

— Просто ты разрушаешь не только свою жизнь, Брэд, но и мою, и Алли, и Энди. Ты думаешь, мальчик не видит, что происходит? Посмотри как-нибудь ему в глаза подольше. Он все понимает. Мы все понимаем.

— Отлично! Так это ты ему сказала?! Сука! — Он отшвырнул нож и кинулся в дом. Пейдж безуспешно попыталась спасти мясо, но только обожглась. Находившийся неподалеку Энди побежал в дом за Брэдом: он слышал, как они опять ссорились, как произносили его имя, увидел, что Пейдж обожглась. Он плакал. Он не хотел, чтобы они ссорились, и подозревал, что они ссорились именно из-за него: папа, наверное, был недоволен, что это Алли пострадала, а не он.

За ужином все трое Кларков вели себя непривычно тихо. Брэд сердито тыкал вилкой в мясо. Но Марибел и Алексис по-прежнему ничего не замечали — или делали вид, что ничего не замечают.

— Вы прекрасно готовите, Брэд, — похвалила его Марибел. Бифштексы получились и в самом деле неплохие, вот только атмосфера за столом была убийственная. — Алексис, все-таки ты бы попробовала бифштекс, они просто великолепны.

Но Алексис, которой вполне хватило капустного салата, только помотала головой. У Пейдж два обожженных пальца были намазаны мазью от ожогов. Наверняка не обойдется без волдырей.

— Как твоя рука, мамочка? — обеспокоенно спросил ее Энди.

— Ничего, мой милый, терплю, как видишь.

Брэд молчал и не смотрел в сторону жены. Он не сомневался, что Пейдж рассказала сыну о его интрижке, и готов был убить ее за это. Когда они начали вместе убирать посуду после ужина, у них снова завязалась ссора, причем никто из них не заметил притаившегося за другим концом стола Энди.

— Ты ему сказала, так ведь? Ты не имела права так поступать!

— Ничего я ему не говорила! — крикнула Пейдж в сердцах. — Мне это ни к чему. Это он сам понял — просто по твоему отсутствию, по тому, что тебя никогда не бывает дома. Что он должен подумать? А если кто-то скажет ему то, что сказали мне?

— А это его нисколько не касается! — Брэд хлопнул дверью. Пейдж, плача, продолжала мыть тарелки. Брэд в саду убирал жаровню с остатками мяса, а в кухню вплыла Марибел.

— Какой милый ужин, моя дорогая! Нам так хорошо у вас.

Пейдж ошеломленно смотрела на нее — все это

походило на сцену из фильма абсурдов. Но ее семейка всегда была такой.

— Я рада, что вам понравилось. Брэд и вправду замечательно готовит бифштексы. — Неплохо было бы, чтобы он приезжал к ним готовить барбекю или жарить бифштексы после того, как женится на своей Стефани.

— Вы просто чудная пара, — продолжала гнуть свое Марибел. Пейдж отложила посудное полотенце и пристально посмотрела на мать.

— На самом деле, мама, наши дела обстоят не столь уж блестяще. Разве ты не заметила?

— Я ровным счетом ничего не заметила. Разумеется, вы несколько напряжены, вы волнуетесь за Алисон, это естественно. Я уверена, что через несколько недель девочка поправится и у вас все наладится. — Впрочем, даже и такое признание было для нее чем-то из ряда вон выходящим.

— Я в этом совсем не уверена. — Она решила сказать матери всю правду — а почему бы, собственно, и нет? Если ей не понравится, она все равно сделает вид, что не поняла ее. — У него есть другая женщина, вот поэтому мы и ссоримся.

Но мать только покачала головой, не в силах поверить этому.

— Я уверена, детка, ты ошибаешься. Брэд никогда так не сделает, никогда не поставит под угрозу ваши отношения, он на это просто не способен.

— Нет, способен, — упрямо твердила Пейдж, решив все-таки пробить ее защиту.

— Ну, так бывает со всеми мужчинами время от времени. Ты просто слишком нервничаешь из-за Алисон, все принимаешь близко к сердцу.

Слишком нервничает? А как еще она должна

себя чувствовать, если ее дочь три недели лежит в коме и в любой момент может умереть?

— Ты же знаешь, что мы с твоим отцом тоже время от времени ссорились, но никогда не заходили слишком далеко. Ты просто должна быть немного терпимей.

Пейдж изумленно смотрела на мать — что она несет?! Меньше всего ей хотелось обсуждать старые семейные проблемы, но нельзя же делать вид, что их вовсе не было.

— Просто не верю ушам своим, — изумленно сказала Пейдж.

— Но это на самом деле так... трудно поверить, но мы с твоим отцом практически не имели никаких, разве что самых незначительных, проблем.

— Мама, опомнись, что ты говоришь?! Это ведь я, Пейдж! Ты что, не помнишь, что нам пришлось пережить?

— Я не понимаю, что ты имеешь в виду?! — Марибел поспешно отступила от дочери и направилась к двери.

— Не смей так поступать! — плача, крикнула Пейдж ей вслед. — Ты не смеешь так говорить после всего, что было... хватит этой твоей ханжеской лжи!.. «Незначительные проблемы». Неужели ты не помнишь, за кем ты была замужем? Что он вытворял все это время? Как ты можешь теперь лицемерить! Взгляни же на меня! Посмотри мне в глаза!

Мать медленно повернулась, словно не понимая, что такое вселилось в ее дочь. Тут из сада появился Брэд, увидел эту немую сцену, выражение лица Пейдж и интуитивно догадался, что за разговор произошел между матерью и дочерью.

— Почему бы вам не выяснить свои проблемы

немного позже? — спокойно спросил он. Пейдж в ярости повернулась к мужу.

— Нечего указывать мне, что говорить и делать, ты, сукин сын! Ты днями и ночами трахаешься со своей девицей, а теперь хочешь, чтобы я терпела еще и это? Я не собираюсь больше терпеть и ее лицемерие.— Она снова повернулась к матери: — Хватит лгать... Ты позволила ему сделать то, что он хотел! Ты еще ему и помогла! Ты открыла ему дверь и заперла за ним, а мне сказала, чтобы я осчастливила папочку... а мне было всего тринадцать лет! Тринадцать! Ты заставила меня спать с собственным отцом! А Алексис была только рада передать мне эстафету, потому что занималась этим с двенадцати лет и была довольна, что ее наконец отпустили! Как ты смеешь теперь говорить, что ничего не было! Ты должна молиться на меня за то, что я еще пускаю тебя в свой дом и соглашаюсь видеться с тобой!

Марибел была бледна как мел, ее била мелкая дрожь.

— Это нелепые, чудовищные обвинения, Пейдж, и ты сама знаешь, что это ложь. Твой отец никогда ничего подобного не делал. Это чудовищная клевета!

— Он сделал это, а ты его покрывала! — Она повернулась к ним спиной и разрыдалась. Но Брэд боялся приблизиться к ней. Вдруг она повернулась и с яростью бросила матери: — Мне понадобилось много лет, чтобы суметь забыть этот кошмар. Я еще могла бы выдержать все это, если бы ты раскаялась и готова была извиниться... Но ты неизменно делала вид, что ничего не было!

В кухню вошла ничего не подозревавшая Алексис. Она только что кончила разговаривать с Дэвидом.

— Ты не можешь заварить мне чай с ромашкой? — проворковала она, обращаясь к Пейдж. Та бросила на сестру яростный взгляд.

— Я не верю вам обеим. Вы столько лет прожили, пытаясь сделать вид, что ничего такого не было. Вы и сейчас живете, опутанные чудовищным притворством. А ты, Алексис, даже открыть себе бутылку воды не можешь! Как вы можете так жить? Как вы можете так унижать свое достоинство? Зачем вообще вы живете? Какой от вас прок?

Алексис, поняв, что происходит, явно перепугалась:

— Извини... я не хотела...

— Держи! — Пейдж бросила сестре бутылку воды, и та едва успела поймать ее на лету. — Мама только что заявила мне, что наш папочка никогда не трахал нас обеих, ни меня, ни тебя, когда мы были маленькими. Ты этого не забыла, Алекс? Или у тебя тоже провал в памяти? Ты не помнишь, как была довольна, что я тебя подменила? А? — Она в отчаянии смотрела на них. — Он делал это до тех пор, пока мне не исполнилось шестнадцать и я не пригрозила сообщить обо всем в полицию. У вас на это смелости не хватило. Как вы могли это терпеть! Как вы смели покрывать его? — Она начала всхлипывать. — Я этого никогда не могла понять! — Особенно после того, как у нее самой появились дети. Брэду было невыносимо тяжело все это слышать. В свое время Пейдж рассказала все ему, но никогда еще он не присутствовал при такой сцене, никогда она еще не обвиняла мать и сестру при нем.

— Как ты можешь говорить такое! — Алексис

сделала вид, что потрясена ее словами. — Ведь папа был врач!

— Именно, — бросила Пейдж сквозь слезы. — Я тоже раньше думала, что это имело какое-то значение, но ведь это оказалось не так? Мне понадобилось много лет, чтобы после домашнего скандала справиться со страхом перед врачами. Я всегда боялась, что меня изнасилуют. Даже когда я забеременела, и то смогла пойти к гинекологу только на пятом месяце — так я боялась. Отличный был мужик наш папочка, прекрасной души человек, великолепный врач.

— Он был просто святой, — возразила Марибел Аддисон, — ты прекрасно это знаешь.

Алексис инстинктивно прильнула к ней, и женщины обнялись, как бы защищаясь от общего врага. Было ясно, что они никогда не признают ее правоту.

— И знаешь, что самое грустное, Алекс? — продолжила Пейдж. — После этого ты исчезла. В восемнадцать лет ты вышла замуж за Дэвида и сделала себе новое лицо, новые груди, новое тело и новую душу. От прежней Алексис ничего не осталось. Ты и в самом деле стала теперь другой женщиной, и можно утверждать, что с тобой ничего такого не случилось.

Алексис молчала — она еще никогда не испытывала такого ужаса и страха.

— Успокойся, — подошел к жене Брэд. Господи, как не вовремя все это случилось — на Пейдж столько всего свалилось за последний месяц. — Только успокойся, только не совершай той же ошибки.

— Почему же нет? — повернулась Пейдж к мужу. — А? Ты разве не хочешь, чтобы я тоже сделала вид, что ничего не случилось? Почему бы и нет? Разве я не могу притвориться, что не замечаю, как ты каждую ночь уходишь трахаться со Стефани и при этом ведешь себя так, будто ничего особенного не происходит? У нас была бы такая замечательная жизнь... Не для того я столько перенесла, чтобы теперь делать вид, что ничего не случилось, что все в порядке!

— Хорошо, пусть так, но почему ты думаешь, что все остальные могут вынести такую степень откровенности? Об этом ты думала? — с горечью возразил Брэд.

— Думала!

— Им же нужно какое-то убежище, им хочется забыть это страшное прошлое.

— А я не могу так жить, Брэд!

— Я знаю, — тихо ответил он. — И это мне всегда нравилось. — Он явно говорил в прошедшем времени, и она поняла это.

Мать и сестра к этому времени уже успели покинуть кухню, и Пейдж растерянно стояла посреди комнаты, пытаясь справиться с волнением. Брэд с тревогой наблюдал за ней.

— С тобой все в порядке?

Он беспокоился за нее, зная, впрочем, что не может сделать для нее того, чего она ждала от него. Он теперь ничем не может ей помочь. Но по крайней мере он еще может быть откровенен с ней.

— Не знаю, — честно ответила она. — Но я рада, что наконец-то сказала им все. Меня всегда волновал вопрос — неужели моя мать и в самом деле верит во всю эту чушь о том, что ничего не было, или просто врет, чтобы покрыть его и себя?

— Какая разница! Все равно она не скажет тебе

правды, и Алексис тоже. Неужели ты не понимаешь? Даже и не рассчитывай.

Она кивнула. Да, ужасный выдался вечер, но зато теперь она чувствовала облегчение. Пейдж вышла немного посидеть на воздухе, а потом вдруг вздумала проведать Алисон. Было уже поздно, но ей почему-то непреодолимо хотелось повидать дочь. Она предупредила Брэда и уже через несколько минут сидела в отделении интенсивной терапии. Но сегодня у нее не было желания говорить с Алисон — она просто сидела молча, думая о дочери, о себе, о своей семье. Какой она была всего три недели назад. Как ей не хватало Алисон, как хотелось ей поговорить с дочерью, излить свою душу!

— Миссис Кларк! С вами все в порядке? — около девяти вечера окликнула ее одна из сестер. Пейдж была бледна, она сидела неподвижно, глядя на дочь, и сестра решила, что Пейдж нездорова. Пейдж лишь кивнула в ответ и продолжала сидеть, а через полчаса в палате появился Тригви.

— А я-то думал, где ты, — прошептал он, словно боясь нарушить установившуюся тишину. — Не знаю почему, но я почувствовал, что ты здесь. — Он улыбнулся и только тут увидел, какое у нее выражение глаз. Было видно, что она недавно плакала. Вообще вид у нее был не лучший. — Что с тобой, Пейдж?

— Да ничего. — Она пожала плечами и устало улыбнулась. — Я сегодня немного забылась и наговорила своим много лишнего.

— Помогло?

— Не знаю. Наверное, не особенно. Во всяком случае, это мало что изменило. Но зато мне стало легче.

— Ну тогда это стоит свеч.

— Да. Наверное.

Вид у нее был по-прежнему не слишком уверенный, и Тригви понял, что ей снова пришлось туго. С Алисон было все так же, как обычно. Значит, причина в чем-то другом.

— Не выпить ли нам по чашечке кофе?

Пейдж безучастно пожала плечами, но все-таки отправилась с Тригви в кафетерий, сопровождаемая сочувственным взглядом сестры, которой было ужасно жалко Пейдж — ведь ей пришлось столько вынести, и так мало надежды на улучшение состояния дочери. Она давно работала в отделении, но так и не смогла привыкнуть к страданиям пациентов, особенно если пациент — ребенок.

Тригви налил ей чашку кофе в автомате. Пейдж по-прежнему сидела молча. Ее состояние беспокоило его. Никогда ее глаза не казались такими огромными и такими голубыми.

— Что случилось? — наконец спросил он, когда она отпила несколько глотков.

— Не знаю... просто я не выдержала всего этого... Алли... Брэд... и моя мамочка.

— Но что-то еще произошло? — Он пытался понять, но она не давала ему ни одного намека. Тригви очень хотелось чем-то помочь ей.

— Ничего такого, чего бы уже не было раньше. Моя мама по-прежнему пребывает в безмятежном состоянии духа, и меня это в конце концов завело. — Она горько улыбнулась. — Может, не стоило этого делать, но я все-таки не выдержала. У меня не было выбора. Я сказала ей, что у нас с Брэдом проблемы, — глупо с моей стороны, конечно. Ну а в ответ я услышала от своей мамочки нечто невероятное: она привела мне в пример ее отношения с отцом. — Она колебалась, не зная, как сказать Тригви об этом, а он интуитивно опасался расспрашивать дальше. — Дело в том, что я с отцом... — начала она, но вдруг смолкла и отхлебнула еще глоток кофе. — В общем, мы... у нас были довольно странные отношения. — Пейдж закрыла глаза и долго сидела неподвижно. По щекам ее струились слезы. Раньше не хотела ничего говорить Тригви, но теперь она чувствовала, что должна договорить до конца. Она всегда хотела быть с ним откровенной, а это значило, что нужно рассказать ему все.

— Ничего, ничего, Пейдж. — Он чувствовал, как ей нелегко. — Не говори ничего такого, что тебе не хочется.

— Нет... — Она взглянула на него заплаканными глазами... — Я хочу рассказать тебе... — Она глубоко вздохнула и продолжала: — Мы... я... он приставал ко мне, когда мне исполнилось тринадцать... и... в общем... он спал со мной... совершал со мной половые акты... и мать знала об этом. Не просто знала... — Пейдж задыхалась, — она меня фактически заставила... он спал с Алексис четыре года перед этим... и моя мать его просто боялась. Он был ненормальным, он ее бил, и она позволяла ему делать все, что он захочет. Она говорила, что мы должны «делать его счастливым», чтобы он не искалечил нас... Она сама приводила его ко мне, а потом запирала за ним дверь. — Пейдж дрожала от волнения, и Тригви обнял ее.

— Боже, Пейдж... это чудовищно... просто страшно... — Он убил бы любого, кто посмел бы так надругаться над его дочерью.

— Знаю. Я много лет пыталась преодолеть это. В семнадцать лет я ушла из дома и работала официанткой, чтобы платить за квартиру. Мать говорила, что я поступила ужасно, что я их предала, что я разбила его сердце... Так что, когда он умер вскоре после этого, я думала, что действительно убила его.

Потом я познакомилась с Брэдом, мы поженились и уехали из Нью-Йорка. Я нашла хорошего психотерапевта, и он помог мне справиться с этой проблемой. Но теперь моя мать приехала и старательно делает вид, что ничего подобного не было. Это меня окончательно вывело из равновесия, я не понимаю, как она смеет... как она может оправдывать его, зная все, что он вытворял... Сегодня вечером она сказала, что это был святой человек. Я просто взорвалась.

— Неудивительно, — понимающе сказал Тригви и погладил ее по волосам так, словно она была маленькой девочкой. — Поразительно, как ты вообще еще поддерживаешь с ней отношения.

— Я и не поддерживаю. Но после несчастного случая с Алисон невозможно было ее удержать дома. Я знаю, не надо мне было соглашаться на ее приезд, но мне казалось, что я смогу не касаться запретных тем, сумею делать вид, что у нас нормальные отношения. Но я ошиблась — каждый раз, когда я ее вижу, вспоминаю то время, когда мне было тринадцать... Она нисколько не изменилась, да и Алексис тоже...

— А как твоя сестра справилась со всем этим?

— Отец не трогал ее, когда начал спать со мной, — проговорила Пейдж и прижалась к Тригви. — В восемнадцать лет Алексис вышла замуж. Мне тогда исполнилось всего пятнадцать. Она сбежала из дома с сорокалетним мужчиной. Дэвид и сейчас ее муж. Не думаю, что у них слишком теплые отношения, — я подозреваю, что он «голубой», во всяком случае, я знаю, что у него был любовник в течение нескольких лет. Дэвид чем-то напоминал ей отца. И кроме того, Алексис здорово поработала над собой — сделала себе новое тело, новое лицо, новую фамилию. Дэвид не раз делал ей пластические операции, она это обожает. Алексис тоже предпочитает не вспоминать о прошлом — встала на сторону матери, делая вид, что ничего и не было.

— А ты не знаешь, она пыталась пройти курс психотерапии? — Тригви был растерян и поражен. Он не представлял себе, как Пейдж удалось уцелеть после всего этого.

— Не думаю. Во всяком случае, она никогда мне об этом не говорила. Если бы она ходила к психотерапевту, она бы мне сказала. И тогда мы обе играли бы в одной команде — команде уцелевших после катастрофы. Но она предпочитает играть на их стороне. Вообще моя сестра теперь стала совершенно другой. Она страдает то анорексией, то булемией, у нее нет детей. Целые дни напролет она одна, ей даже поговорить не с кем. Она просто витрина для своего мужа и действительно в дорогих тряпках выглядит великолепно. Она тратит на себя массу денег и вполне этим счастлива. — Пейдж вдруг озорно улыбнулась. — Вот такие мы разные.

— Да уж! Впрочем, кое-что общее у вас все же есть — ты тоже великолепно выглядишь.

— Но не так шикарно. Алексис интересует только ее тело и лицо. Она постоянно голодает, очищается при помощи диет, она одержима гигиеной, у нее культ собственной красоты. Совершенно зациклилась на себе.

— А может быть, она так и не оправилась психологически?

— Пожалуй, ты прав, — грустно заметила Пейдж. И все же она не жалела, что поделилась с Тригви. Ей стало легче после того, как она исповедалась ему.

— Я и раньше чувствовал, что у тебя есть какие-то глубинные причины не любить их, но мне все же казалось, что ты скорее всего просто себя накручиваешь.

— Надеюсь, теперь ты меня понимаешь? Что мне было делать — продолжать с ними видеться и делать вид, что ничего не было, или держаться от них подальше? Последнее лучше всего, но не всегда удается, иногда, как видишь, приходится встречаться.

Он кивнул. Это была тяжелая исповедь, и он чувствовал себя эмоционально опустошенным. Тут к ним подошла сестра и сказала, что миссис Кларк просят подойти к телефону. Наверное, мать, решила она, опять ей что-нибудь нужно. Вряд ли будет говорить о знаменательной встрече на кухне, это-то уж точно. Но оказалось, что это была не ее мамочка, а Брэд, и тон его голоса был паническим.

— Пейдж... — У него пресеклось дыхание. — Энди...

— Что с ним?! — Ее охватил ужас. Жизнь в последние дни стала невыносимой, полной опасности и страха. То и дело со всех сторон обрушивались несчастья и беды. — Что случилось?

— Он пропал.

— Что это значит? Ты заглядывал в его комнату? — Смешно, как он может пропасть? Наверняка спит в своей кровати.

— Разумеется! — заорал в ответ Брэд. — Он сбежал и оставил записку.

— Что в ней? — Пейдж в панике посмотрела на Тригви и протянула ему руку. Он сжал ее в своей ладони.

— Не знаю... трудно разобрать... пишет, что знает, будто мы ссоримся из-за него, что мы на него злы и он желает нам счастья. — Похоже, Брэд всхлипывал. — Я уже позвонил в полицию. Тебе лучше вернуться домой — они сказали, что прибудут через несколько минут. Наверное, он слышал, как мы сегодня скандалили. Боже, Пейдж, куда он мог пойти?!

— Представления не имею, — сказала она, чувствуя, как и ее охватывает паника. — Ты посмотрел за домом, всюду? Может быть, он спрятался в саду?

— Я все обыскал, прежде чем звонить в полицию. Его нет нигде.

— Ты сказал моей матери? — Помощи от нее никакой, конечно. Брэд как-то замялся, прежде чем ответить.

— Да. Она решила, что он скорее всего пошел к другу. В десять часов вечера, в его возрасте! Что-то не похоже.

— Зато похоже на нее. Дай-ка подумать... Они с Алексис легли спать, и мать сказала тебе, что утром все наверняка будет в порядке.

Он не выдержал и рассмеялся, несмотря на чудовищность ситуации.

— Хоть тут нет никаких сюрпризов.

— Кое-что в мире не меняется.

— Так ты приедешь домой?

— Я выезжаю. — Она повесила трубку и сказала Тригви: — Он звонил насчет Энди — тот сбежал из дому... оставил записку, что не хочет больше, чтобы мы ссорились из-за него, считает, что причина наших ссор — это он. — У нее на глазах снова появились слезы, и Тригви обнял ее. — Что, если с ним что-то случится, что-то плохое? Каждый день слышишь, как крадут детей. — Только не это. Такого несчастья она уже не перенесет.

— Я не сомневаюсь, что полиция его разыщет. Хочешь, я поеду с тобой?

Но она отрицательно покачала головой.

— Лучше не надо. Ты все равно не сможешь помочь, и это только осложнит обстановку.

Он кивнул понимающе и проводил ее до машины. Перед тем как она села в машину, он задержал ее руку в своей и поцеловал.

— Все уладится, Пейдж. Они его найдут. Не мог же он бесследно пропасть.

— Господи, как я хотела бы верить в это!

— И я. — Он махнул ей рукой, и она уехала.

Когда Пейдж приехала домой, полицейские уже разговаривали с Брэдом. Они спрашивали, с кем дружит Энди, как он был одет и прочее. Они внимательно — с фонариком — осмотрели весь двор. Пейдж дала им две фотографии сына. Однако, что неудивительно, ни ее мать, ни Алексис даже не вылезли из своих постелей. Они строго следовали своим правилам — никогда не видеть и не слышать ничего такого, что могло бы их расстроить. И они отлично исполняли свою роль — несмотря на тарарам в доме и вспышки фонариков вокруг него, двери их спален так и оставались закрытыми.

Полицейские объехали окрестности, потом вернулись узнать, не нашелся ли мальчик, и лишь после этого отбыли окончательно. Тут зазвонил телефон. Это был Тригви.

— Энди у нас, — сообщил он Пейдж. — Бьорн спрятал его в своей спальне. Я ему уже объяснил, что так делать нельзя, но он ответил, что Энди сам ему признался, что не хочет возвращаться домой — ему теперь трудно жить дома.

У Пейдж на глазах появились слезы. Она махнула рукой Брэду.

— Энди нашелся. Он у Торенсенов.

— Но как он там оказался? — Брэд был явно удивлен — он, конечно, знал, что девочки дружили, но что Энди бывал у них в доме и знаком с Тригви и его больным сыном, было для него новостью.

— Они подружились с Бьорном. Он убежал туда, потому что ему слишком тяжело здесь. — Они обменялись горестными взглядами, и Пейдж снова повернулась к трубке. — Я сейчас приеду за ним. — Как хорошо, что он нашелся!

Тригви на другом конце провода вздохнул. Он не знал, как сказать ей правду.

— Пейдж, не торопись приезжать. Он говорит, что не поедет домой.

— Но почему?! — изумленно воскликнула она.

— Он говорит, что отец недоволен тем, что несчастье случилось с Алли, а не с ним. Он сказал, что вы сегодня опять ругались и Брэд был очень зол.

— Он зол на меня, а не на Энди. Он думал, что это я сказала Энди о его любовнице, но я не говорила.

— Он этого не понимает. Кроме того, он сказал Бьорну, что Алли на самом деле мертва и вы все ему лжете. Он в этом не сомневается. Мне кажется, тебе нужно подумать об этом.

— Наверное, мне нужно повести его к ней.

— Это нелегко. Но я бы поступил на твоем месте так же. Просто у меня не было выбора с Бьорном, да и Хлоя все же в несравненно лучшем состоянии. Кроме того, Бьорн — вообще другое дело, он все-таки старше.

— Мы приедем за ним.

— Может, лучше мы с Бьорном привезем его домой к вам? Он сейчас пьет горячий шоколад. Когда он поест, я привезу его.

— Спасибо, Тригви, — поблагодарила она и, повесив трубку, рассказала Брэду, что случилось.

— Боюсь, нам придется кое-что рассказать ему, — обреченно проговорил Брэд.

— Боюсь, сначала нам самим нужно разобраться во всем. Это не может так дальше продолжаться. — Она тяжело вздохнула. — И кроме того, теперь мне придется взять его к Алли. — Она позвонила в полицию и сообщила, что ребенка нашли у их друзей.

Через полчаса приехали Тригви и Бьорн с Энди. Энди был очень бледен, и у него был такой несчастный вид, что Пейдж не сдержала слез. Она обняла Энди и прижала к себе, не давая пошевелиться.

— Пожалуйста, никогда не поступай так больше. Ведь с тобой может случиться что-нибудь ужасное!

— Я думал, вы на меня сердитесь, — расплакался Энди, поглядывая на Брэда. Тот тоже едва сдерживал слезы, стыдясь Тригви и Бьорна, стоявших в кухне.

— Я на тебя не сердилась, — объяснила ему

Пейдж, — и папа тоже. И Алли жива. Она очень, очень больна, как я тебе говорила.

— Тогда почему меня к ней не пускают? — повысил голос Энди, но Пейдж, к его удивлению, ответила:

— Почему же не пускают? Завтра утром мы к ней поедем.

— Правда? На самом деле? — Он улыбнулся, не подозревая, что его ждет в госпитале. Та, кого он увидит, больше не похожа на его любимую сестричку, и она не сможет разговаривать с ним, как раньше. Но, может быть, именно этой правды ему и не хватает?

— Он думал, что Алли мертва, — вмешался Бьорн.

— Я знаю, — сказала Пейдж. Она была благодарна Бьорну за заботу о сыне.

— Он мой друг, — гордо заявил Бьорн.

Она отвела обоих ребят в комнату Энди, и Бьорн помог уложить друга в постель. Она поцеловала Энди перед сном.

— Папа хочет уехать от нас? — с тревогой спросил ее Энди, когда она собиралась выключить свет.

— Не знаю. — Пейдж действительно не знала, что ответить ему. — Когда узнаю, я тебе скажу. Но в любом случае это никак не связано с тобой. Никто на тебя не сердится. У нас с папой другие проблемы.

— Из-за Алли? — Ему хотелось обязательно найти виновника разлада, и он нервничал, не находя его.

— Это ничья вина, — объяснила Пейдж, — просто так получилось.

— Как несчастный случай? — спросил он, и она кивнула в ответ:

— Точно. Как несчастный случай. Такое иногда бывает.

— Ты говоришь, что постоянно устаешь, из-за этого вы с папой и ссоритесь.

— Да, мы устаем, конечно, но дело не в этом. К тебе это не имеет ни малейшего отношения. Это взрослые дела. Честно.

Он кивнул. Все это не радовало его, но, слава богу, хоть он ни в чем не виноват. А ведь он был уверен, что все неприятности между родителями произошли из-за него.

— Я очень люблю тебя... и папа тоже.

Он обнял Пейдж и обвил руками ее шею.

— Я тоже вас люблю. Правда, ты возьмешь меня завтра к Алли?

— Обещаю. — Пейдж снова поцеловала сына и уже собралась выключить свет, как он попросил ее позвать папу. Брэд отправился к Энди, а она попрощалась с Тригви и Бьорном. Пейдж еще раз поблагодарила их за помощь.

— Спокойной ночи, Пейдж, — улыбнулся Тригви на прощание, и она подумала, что с этого момента их связь стала еще крепче. Теперь у нее не было секретов от него, а их семьи стали еще ближе друг другу. Брэд тоже почувствовал это. Когда он вернулся на кухню, то прямо спросил ее:

— Что происходит между тобой и Тригви Торенсеном? Я ведь не ошибаюсь?

Она покачала головой:

— Мне бы не хотелось говорить с тобой об этом.

— Дело твое, я просто спросил. Тригви мне даже нравится. Мне казалось, и ты к нему неплохо относишься. Ему тоже в жизни досталось всякого, и, по-моему, он просто молодец!

— Мы провели много времени в госпитале вместе. Он отличный отец и отличный друг.

Брэд внимательно посмотрел на нее.

— Я понимаю, ты вправе обижаться на меня — я не очень-то помогал тебе... — У него на глазах выступили слезы. — Просто я не могу видеть Алли такую... несчастную, изуродованную. Это не прежняя Алли.

— Конечно. Но я стараюсь не думать об этом, ей нужна наша помощь. Без нее ей не выкарабкаться.

Брэд кивнул. Он восхищался мужеством Пейдж, презирая себя за слабость. Но ничего не мог с собой поделать.

— Ну хорошо, а что мы будем делать друг с другом? — спросил он, открывая дверь в сад. — Почему бы нам не обсудить все это спокойно, пока никто не мешает?

Они вышли в сад и сели на стулья.

— Ничего у нас не получается, правда? Я думал, что пусть все идет, как идет, пока я не определюсь. Но я редко бываю дома, а когда появляюсь, мы ссоримся, и я чувствую, что разрываюсь на части. Я вижу глаза Энди, боль и гнев в твоих глазах, мне трудно поехать к Алисон... — В последнее время Стефани все настойчивее заявляла о своих правах, но Брэд все еще колебался, не был уверен в том, что должен окончательно уйти из семьи. — Наверное, мне нужно пожить немного одному. В общем, я бы предпочел жить здесь, но чем дальше, тем лучше я понимаю, что это невозможно.

Пейдж молчала — она думала над его словами. Она не знала, что ответить Брэду. Решение должен принять он сам, она не станет диктовать ему свои условия. Вряд ли их отношения могут наладиться. Нужно посмотреть правде в глаза — все кончено.

Пейдж долго молчала, набираясь мужества, чтобы ответить, и даже после того как она уже произнесла эти слова, она все еще не могла поверить, что сделала это — она не поверила бы в то, что происходит сейчас, всего месяц назад!

— Наверное, Брэд, тебе действительно лучше уехать, — еле слышно прошептала она.

— Правда? — Он был поражен тем, что услышал. Он был готов к долгим объяснениям, уговорам.

— Я действительно так считаю. — Она кивнула в знак подтверждения. — Время пришло. Мы просто обманывали себя в последний месяц. Я думаю даже, что все было кончено задолго до того, как я узнала об этом, — ты ведь никогда не говорил мне... о твоей другой жизни... пока обстоятельства не заставили.

— Наверное, ты права, — печально ответил он. — А может быть, и вообще не нужно было говорить тебе обо всем этом. — Теперь уже назад пути нет, слова Пейдж не оставили надежды. — Хотел бы я знать, что мне делать теперь, Пейдж? Я не представляю, как теперь сложится моя жизнь.

— Я тоже. — Как же они могли дойти до такого? Неужели все дело в одном этом случае или он всего лишь сыграл роль катализатора? Нет, если бы почва для измены Брэда не была подготовлена, этого бы и не случилось. — Мне всегда казалось, что у нас идеальная семья. И даже теперь я не понимаю, в чем же наша ошибка... что такого мы сделали неправильно...

— Ты ничего не могла изменить, — признался

он, — я ведь не в первый раз изменил тебе, ты просто не знала.

— Да, мне в голову бы не пришло задуматься над этим, — отчужденно проговорила Пейдж. Хорошо, что она этого не знала! По крайней мере у нее было шестнадцать счастливых лет. И вот они закончились. — А что мы скажем Энди? — Как странно — сидеть здесь и спокойно обсуждать все это, словно вечеринку, которую они собираются устроить, или поездку. Это невыносимо, но она знала, что нужно пройти через боль, лучше вынести это один раз. — Нужно же как-то объяснить ему, что происходит, и чем скорее, тем лучше.

— Я знаю. Давай скажем ему правду — что я подлец.

Она улыбнулась в темноте. Конечно, может быть, он и вел себя как подлец, но все-таки она еще испытывала к нему теплые чувства. Жаль, что нельзя повернуть время вспять. Но после трех кошмарных недель это, пожалуй, было невозможно — дело зашло слишком далеко. Основы их брака, как оказалось, подтачивались уже давно, и теперь здание рухнуло. Это все равно случилось бы рано или поздно. И то, что она об этом не подозревала, ничего не меняло — все равно здание рухнуло, вокруг них громоздились только обломки.

— Что ты собираешься делать? — спросила она. — Съехаться с ней? — В общем-то, судя по словам ее приятельницы, это уже произошло.

— Пока не знаю. Она бы этого хотела. Но я не всегда за ней поспеваю. — Да, им придется нелегко — их отношения построены на лжи и измене. На таком основании трудно построить что-то здоровое, и он, похоже, начинал это понимать. — А ты что думаешь?

На мгновение ей захотелось, чтобы все стало так, как прежде, чтобы он снова стал прежним Брэдом, которого она любила. Но он уже был не тот.

— Нужно подумать, прежде чем мы разрушим жизнь Энди и друг друга, — спокойно сказала она, хотя в душе у нее еще бушевала буря. — Похоже на то, что ситуация может очень быстро обостриться.

— Ты на меня здорово наезжала и была права, — признался он. Это был их самый мирный разговор за последние недели. Слава богу, что у них обоих хватило ума взять себя в руки. — Я постараюсь не делать резких движений, пока все не образуется. Завтра я еду в Нью-Йорк и вернусь в четверг. К следующему уик-энду я, наверное, все решу. Сколько тут еще пробудет твоя мать?

Присутствие тещи в доме заметно осложняло ситуацию. Но ответ Пейдж просто потряс его:

— Я собираюсь попросить их уехать завтра утром. Они мешают и мне, и Энди. — Она выгоняет их всех — его, свою мать, Алексис! Они пытались манипулировать ею в своих целях, использовали и мучили ее. Пейдж все поняла в этот вечер, когда рассказывала о своих проблемах Тригви, а после того как сбежал Энди, она решила покончить с этим раз и навсегда.

— Ты знаешь, как я всегда относился к тебе — я уважал тебя, я дорожил тобою, — тихо сказал Брэд. — Я не знаю, как все это случилось. Может быть, я просто недостоин тебя. И буду жалеть о том, что произошло.

Когда они поженились, ему было двадцать восемь, но он так и не смирился с мыслью, что должен отказаться от некоторых привычек, и теперь настала пора расплачиваться.

— Может быть, когда я уеду, тебе станет легче, — грустно сказал он. — Надеюсь, ты сможешь устроить свою жизнь.

— Я буду чувствовать себя одиноко. Не думаю, что кому-нибудь станет легче, — честно ответила она. — А что делать с Алли?

— Мы ничего пока не в состоянии сделать. Это меня и мучает. Я просто не могу себе представить, как ты можешь выдерживать там столько времени. Я бы давно спятил.

— Я привыкла. Но что, если она так и останется в таком состоянии? — прошептала Пейдж.

— Не знаю. Я стараюсь не думать об этом. А что, если она придет наконец в себя, но останется инвалидом? Ну, ты понимаешь... как этот Бьорн... Зная, какой она была раньше, я просто не смогу это перенести. Но все равно нам придется мириться с любым будущим, так ведь? Сначала я думал, что у нас больше шансов, но теперь... или тогда, в самом начале, мы могли отказаться от операции. Впрочем, тогда бы мы наверняка ее убили. Мы сделали все правильно, но ничего не получилось. Но вот что я тебе скажу: если она так и останется в коме, ты сама не сможешь бесконечно просиживать в госпитале... ты просто сойдешь с ума. Тебе рано или поздно придется примириться с этим. — Но пока еще было время — несчастный случай произошел всего три недели назад. Еще была, и довольно большая, вероятность, что она выйдет из коматозного состояния. — Не делай этого, Пейдж, — попросил он, — ты заслуживаешь лучшей участи... и даже больше того, что могу дать тебе я.

Она кивнула в ответ и отвернулась, стараясь не думать о том, как будет жить без него. Она взглянула на небо, усыпанное звездами. Как же так получилось, что вся их жизнь пошла под откос? Как они могли зайти так далеко? Почему все это стряслось с ними... и с Алли?

Глава 13

Утром Пейдж дождалась, пока мать и Алексис встали, приготовила и подала завтрак на кухне и спокойно объявила, что просит их уехать, так как неделя — это и так слишком много, и что у нее есть дела дома, а их присутствие здесь только все осложняет. Она не упоминала о вчерашнем вечере, не извинялась, но они прекрасно понимали, в чем дело, так что никто из них ей не возразил. Мать сказала, что Дэвид страшно скучает по Алексис, а ей самой пора уже взглянуть, как ремонтируют ее квартиру.

Они мастерски находили нужные объяснения, но Пейдж в данном случае это не волновало, она хотела только одного — чтобы сегодня вечером их уже не было, она даже забронировала им места на четыре часа дня, к удивлению Марибел, — в первом классе. Она даже заказала такси, чтобы отвезти их в аэропорт. Машина придет в два часа дня — вполне достаточно времени до их рейса. Они успеют еще пообедать и даже навестить Алисон, если захотят.

— Но... — перебила мать, — мне нужно упаковать столько вещей... а у Алексис сегодня, как назло, мигрень. Разумеется, если ты настаиваешь, мы можем улететь завтра.

Но этого Пейдж не собиралась допускать — она не будет терпеть ни одной лишней минуты. Теперь она сама хочет управлять своей жизнью.

И Брэду она сказала, что ему лучше уехать, как это ни грустно.

— Я думаю, Алисон не обидится, — мрачно пошутила Пейдж, но они восприняли ее слова всерьез и просили передать Алисон, что они ее любят.

Она оставалась с ними до отъезда. Перестелила их постели, собрала два тюка грязного белья, пропылесосила весь дом. Она чувствовала, что делает то, что давно должна была сделать, чтобы привести свою жизнь в порядок. Расставание было прохладным, учитывая накал вчерашнего вечера. В сущности, после этого им не осталось ничего, что еще можно было бы сказать друг другу. Алексис в новой шляпке и Марибел в новом костюме, купленном в Сан-Франциско, поцеловали воздух где-то поблизости от щек Пейдж и скрылись в лимузине. Когда машина тронулась, Пейдж испытала огромное облегчение. Они уехали. Особенно тщательно она наводила порядок в комнате Алисон. Ее удивило огромное количество упаковок слабительного, оставленных Алексис, — Пейдж знала, что Алексис больна, но, похоже, никто не отдавал себе отчет в этом. Или же отдавали, но не обращали внимания. Сестра явно хотела исчезнуть, исчезнуть со всем тем, что ей пришлось перенести, и это было ужасно. Но ведь Пейдж сама хотела бы снова стать маленькой девочкой, той девочкой, какой она была, пока отец не изнасиловал ее. Зато теперь, после того как они уехали, Пейдж чувствовала себя свободной, гораздо свободнее, чем когда-либо с тех пор, как произошел этот несчастный случай.

В четыре часа Пейдж забрала Энди из школы, и он спросил, можно ли купить по дороге букет роз. Пейдж согласилась, только сказала, что ему придется отдать их Хлое, так как в палату интенсивной терапии, где лежит Алисон, нельзя приносить цветы. Он согласился. Он был так рад, что скоро увидит сестру, и всю дорогу болтал об этом. Пейдж пришлось еще раз напомнить ему, что Алисон теперь совсем не похожа на себя.

— Знаю, знаю, — важно ответил он. — Она словно спит.

— Нет, — терпеливо объясняла Пейдж в очередной раз, — это другое. Голова у нее перевязана бинтами, а руки и ноги стали такими тонкими. Во рту у нее трубка, которая помогает ей дышать, она связана с большой машиной, которая дышит за нее. Это иногда очень страшно, особенно если раньше ничего такого близко не видел. Понял? Ты сможешь говорить с ней, она услышит тебя, но сама тебе ничего не ответит.

— Понял. Она спит.

Этот визит для него был очень важен, и он весь день говорил об этом в школе. Энди не мог дождаться момента, когда они приедут в госпиталь, а потом, взяв Пейдж за руку, еле поспевал за ней по коридору к палате интенсивной терапии.

Они успели купить розы для Хлои, а для сестры он купил гардению.

— Ей понравится, — гордо сказал он и сам понес гардению. И все-таки, хотя она готовила его к этому зрелищу, она поняла, что Энди испугался, когда они вошли в палату. К тому же Алисон в этот день выглядела не самым лучшим образом: она была бледной, и новые бинты, казалось, закрывали все ее лицо и голову. Было отчетливо видно, что она обрита, и казалось, что в палате больше аппаратов, чем обычно. Это было, конечно, не так, но Пейдж так казалось, когда она смотрела на реакцию Энди. Сначала он ошеломленно стоял на пороге, а потом медленно двинулся вперед и положил свою гардению на подушку рядом с Алисон.

— Привет, Алли, — прошептал он и коснулся ее руки. Пейдж не смогла сдержать слез. — Все в порядке... я знаю, что ты спишь... мама мне все сказала.

Некоторое время он смотрел на нее, поглаживая ее руку, а потом наклонился и поцеловал в щеку. Она пахла только медикаментами, и естественный запах издавала разве что принесенная им гардения на подушке сестры.

— Папа сегодня поехал в Нью-Йорк, — начал рассказывать Энди, — и мама сказала, что я скоро снова могу прийти к тебе. Жаль, что я так давно тебя не видел. — В палате стояла тишина, и было слышно, как приглушенно работали машины да всхлипывала Пейдж. — Я люблю тебя, Алли... без тебя дома так скучно. — Он хотел рассказать ей, что папа и мама постоянно ссорятся, но решил не огорчать ее. И он в самом деле скучал по ней, ему не хватало сестры. Хорошо бы она поскорее вернулась домой. — И вот еще что... у меня появился новый друг... Бьорн... это Хлоин брат. Ему уже восемнадцать, но это только так считается, не в самом деле. — Он повернулся и улыбнулся матери. К его удивлению, она плакала. — Мама, что с тобой?

— Ничего, — ответила она, улыбаясь сквозь слезы. Она гордилась им — хорошо, что она все-таки привела его сюда. Она даже не думала, насколько ему было нужно увидеть сестру — даже если Алисон суждено умереть, у него останется чувство, что он попрощался с ней. Он будет знать, что его сестра не просто растворилась в ночи, превратившись в ничто.

Он еще немного поговорил с Алисон, а потом повернулся к Пейдж и сказал, что готов идти к Хлое. Он еще раз посмотрел на сестру и, приподнявшись на цыпочках, поцеловал ее.

— Я скоро вернусь, хорошо? Только ты просыпайся скорее, Алли. Правда, нам тебя не хватает... я люблю тебя, — сказал он, и мать вывела его из палаты интенсивной терапии. Одной рукой он держал ее за руку, а в другой нес букет роз.

Пейдж быстро взяла себя в руки, потом поцеловала сына и похвалила его за мужество:

— Ты просто молодчина, Энди, я так горжусь тобой!

— Как ты думаешь, мама, она меня слышала? — обеспокоенно спросил он.

— Я уверена, милый.

— Я тоже так думаю, — грустно сказал он. Хотя по дороге к палате Хлои он так и не оправился от шока, все же Пейдж была поражена, как мужественно он перенес это посещение — не плакал и даже не подал виду, как сильно он испуган. У Хлои он уже почти совсем пришел в себя. Тут оказался и Бьорн, так что скоро оба начали играть, шутить и смеяться, бегая друг за другом по палате.

— Лучше бы вывести их, пока сестры не выгнали нас всех, — рассмеялся Тригви и потом посмотрел на Пейдж серьезно. — Как Энди вел себя у Алисон?

— Великолепно. Он такой храбрый... и нежный. Купил для нее гардению и оставил на подушке.

— Он отличный парень! И вообще, сегодня он выглядит вполне счастливым, правда?

— Да. А мы с Брэдом вчера вечером наконец-то

вполне здраво обсудили наши отношения и реши-ли, что ему лучше уйти из дома. Мы собираемся сказать об этом Энди в ближайшее время.

— Да, кругом проблемы! — Тригви сжал ее руку, и Пейдж благодарно улыбнулась ему в ответ. Тригви решительно поднялся со стула и предложил Пейдж и Энди поужинать вместе. — Или вам уже нужно домой — родственники, наверное, зажда-лись вас?

— А вот и нет, — озорно усмехнулась Пейдж, — их больше нет — я их отправила домой четырех-часовым рейсом. — Она просто сияла от радости.

— Тетя Алексис такая странная, — заметил Эн-ди, прислушивавшийся к их разговору, — она почти не вылезает из ванной.

Этот вечер в отличие от предыдущего был за-мечательным — мальчики играли и поддразнивали друг друга, колдовали вместе над огромной пиц-цей, так что Пейдж и Тригви могли спокойно по-говорить. Пейдж даже обсудила с Тригви свое бу-дущее произведение — она подумывала снять себе мастерскую и офис, после того как Алисон выкараб-кается или когда вообще жизнь войдет в какую-ни-будь более размеренную колею. Пейдж собиралась всерьез заняться живописью и, может быть, даже писать фрески на заказ.

— Это было бы неплохо, — похвалил ее Три-гви. — Тебе давно уже нужно было заняться этим. Твои фрески просто замечательные. — И она сама тоже. Пейдж нравилась ему все больше и больше.

Наконец Тригви отвез их домой и вдруг, попро-щавшись, почувствовал себя очень одиноким — ему не хотелось расставаться с ними. Но нужно бы-ло возвращаться — дома у него еще было много дел, ведь через неделю-другую Хлою выпишут из госпиталя домой — нужно приготовиться к этому. Но он обещал обязательно выкроить время для Пейдж и сказал, чтобы она звонила ему, если в госпитале возникнут какие-нибудь проблемы. Кроме того, он хотел немного позаниматься с Энди — когда Брэд уедет, для Пейдж с Энди наступят трудные времена. Тригви хотелось помочь им устоять, легче перенести удар. Он надеялся, что у Алисон дела скоро пойдут на поправку. Им и так пришлось столько всего выдержать, и если Алисон не выкарабкается, это будет так несправедливо по отношению к Пейдж. Она этого не перенесет.

Глава 14

Брэд прилетел из Нью-Йорка в четверг днем, но Пейдж с ним так и не встретилась — дома он не появился, а к Алисон на следующий день заглянул во время ленча, так что они с Пейдж снова разминулись. Сестры сказали ей, что он приходил днем, но она увидела его только вечером, когда забрала Энди от Джейн. Брэд собирал вещи в спальне. Дверь была закрыта, но она увидела его машину в гараже. Энди ворвался в спальню, чтобы поздороваться с отцом, и Брэд испуганно обернулся. На полу стояли два раскрытых чемодана, повсюду валялась одежда. У Пейдж сердце защемило при виде этой сцены.

— Папа, что ты делаешь? — изумился Энди. Все это не понравилось Пейдж, а Брэд растерянно улыбнулся. Но делать было нечего. — Ты снова уезжаешь? — Энди был явно встревожен.

— Вроде того, герой. — Он присел на кровать и посадил Энди на колени. У Пейдж, наблюдавшей за ними, комок застрял в горле. Сколько за этот месяц ей пришлось пережить огорчений и тревог! — Я теперь буду жить в городе.

— И я? — поразился Энди. Никто не предупреждал его о возможном переезде.

— Нет, ты останешься здесь, с мамой. — Он хотел сказать еще «и с Алли...», но вовремя остановился. Кто знает, вернется ли она домой когда-нибудь?

— Вы разводитесь? — У Энди из глаз брызнули слезы, и отец обнял его.

— Вроде того. Пока не знаю. Но мы решили, что пока нам стоит пожить отдельно. Мы в последнее время часто ссоримся с твоей мамой.

— Это из-за того, что я убежал в тот вечер? Ты уезжаешь из-за меня?

— Нет, просто потому, что я хочу пожить один. Это не так-то просто. Знаешь, иногда с мужчинами это случается.

— Это из-за несчастного случая. — Энди нужно было разумное объяснение случившегося. Но можно ли его отыскать?

— Может быть. Не знаю. Просто иногда так складывается жизнь... Но это вовсе не значит, что я тебя больше не люблю. Я страшно тебя люблю, и мама тоже. Мы оба будем заботиться о тебе, а ты сможешь иногда навещать меня и приезжать на уик-энд.

Пейдж внезапно осознала, что ведь придется разработать график свиданий, договариваться с адвокатами. Все будет так сложно и официально... но другого пути теперь нет. Им придется делить имущество, мебель, свадебные подарки — вернее, то, что от них осталось... белье... столовое серебро... полотенца... Во что превратилась их жизнь — и всего лишь за какие-то мгновения!

— А где ты будешь жить, папа? В доме?

— Нет, я сниму квартиру. Там будет телефон, и ты сможешь мне звонить. И в офис ты тоже можешь звонить мне.

Энди снова начал плакать.

— Я не хочу, чтобы ты уезжал! — повторял он. Пейдж тоже плакала — это была ужасная, душераздирающая сцена.

— Я тоже не хочу, сынок, но так уж вышло.

— Но почему?! — Он ничего не понимал, и Пейдж, наблюдавшая за ним, тоже: как это все случилось, как могли они оказаться в подобной ситуации?

— Трудно объяснить. Просто так получилось. Так сложилась жизнь.

— Но почему ты не можешь все изменить? — Это было разумное предложение, и Брэд даже улыбнулся Пейдж, посмотрев на нее полными слез глазами.

— Хотел бы я это сделать! — На самом-то деле ничего он не хотел. Он был вполне доволен этой жизнью: своя квартира, своя жизнь и Стефани. Его возбуждал этот переезд. Стефани тоже была в восторге — она хотела немедленно переехать к нему, но Брэд сказал ей, что лучше подождать пару месяцев.

Только когда он приехал собирать вещи и понял, насколько мучителен этот процесс для его близких, он уже не хотел немедленно покидать свой дом. Однако он был достаточно умен и понимал, что, если не уедет сейчас, все равно рано или поздно это произойдет, как только выдастся удобный случай. Он решился, как бы ни было ему больно и как бы он ни любил Энди.

— Папа, не уезжай! — бросился к отцу Энди. Пейдж почувствовала, что дальше выдерживать эту сцену она уже не сможет.

— Сынок, не плачь. Все уладится. Я обещаю тебе.

— Что скажет Алли, когда вернется домой? — Мальчик никак не мог поверить в реальность происходящего.

— Придется ей тоже все объяснить.

Энди слез с коленей отца и кинулся в объятия матери.

Это была ужасная ночь. Брэд остался дома, но так и не лег спать, а всю ночь работал над бумагами. Утром они все выглядели так, словно только что похоронили близкого человека.

Пейдж приготовила на завтрак блинчики и сосиски, любимое блюдо Энди, но сегодня никто к ним и не притронулся. Сегодня у Энди по расписанию была игра, но он, конечно, не мог играть со сломанной рукой. Он просил отца остаться, но после завтрака Брэд сказал, что ему обязательно нужно ехать в город. Стефани ждала его.

— Папа, когда я тебя снова увижу? — в панике спросил Энди, когда Брэд открыл багажник, чтобы уложить туда чемоданы.

— В следующую субботу. Обещаю. Просто представь себе, что я уехал в командировку. Ты можешь звонить мне каждый день на работу, обещаешь?

Но что в этот миг были для Энди все его слова? Он просто стоял и плакал, глядя на отъезжающую машину. Пейдж тоже. Это был самый тяжелый день за весь месяц, начиная с того дня, как Алисон попала в катастрофу. Все надежды, все эти годы, двое любящих людей, их семья, все, что они построили, — все рухнуло в одночасье.

Энди долго плакал, прижавшись к матери, а потом они вернулись в дом и сели за стол. Было такое чувство, словно Брэд покинул их безвозвратно и они никогда больше не увидят его. И в самом деле, они потеряли двух членов своей семьи. И в довершение ко всему раздался телефонный звонок. Звонила Марибел. Пейдж не поверила своим ушам, когда мать поблагодарила ее за гостеприимство.

— Мы с Алексис прекрасно провели время. И мы рады, что удалось повидать Алисон. Я уверена, что она идет на поправку.

Пейдж даже не нашлась, что ответить на эту лицемерную речь, да и говорить особенно не хотелось. Пейдж просто сказала, что скоро позвонит ей, повесила трубку и вернулась к Энди. Он уже лежал на кровати и плакал, уткнувшись в подушку. Малыш был в ужасном состоянии, да и она чувствовала себя не лучше. Почему-то зрелище отъезда Брэда сильно подействовало на нее, хотя она давно предвидела это.

— Я знаю, ты ужасно себя чувствуешь. Но мы должны справиться с этим, — сказала она, сдерживая слезы. Энди поднял голову, чтобы посмотреть на нее.

— А ты хотела, чтобы он уехал? — Чья это вина? Ее или его? Алли?.. Чья же? Энди не понимал сути происшедшего.

— Нет. Я не хотела, милый. Но я знала, что он должен был уехать. Так получилось.

— Но почему? Почему вы ссорились?

— Не знаю. Просто ссорились. — Как объяснить

ему, что произошло? Она и сама не все понимала, как могла она объяснить это семилетнему ребенку?

Днем позвонил Тригви. Пейдж рассказала ему о последних событиях, и он пригласил ее и Энди к себе на шашлыки. Сначала Энди заупрямился — он никого не хотел видеть, даже Бьорна, но потом согласился. Он недовольно залез в машину, таща с собой мишку, с которым обычно спал.

— У Бьорна тоже есть мишка. Его зовут Чарли, — вдруг сообщил он Пейдж.

Когда они приехали к Тригви, Бьорн сразу почувствовал, что Энди из-за чего-то расстроен. Они долго сидели и беседовали, Энди рассказал другу все, что случилось.

— Ну как он? — спросил Тригви, волновавшийся и за мальчика, и за Пейдж.

— Очень расстроен. Все было гораздо ужаснее, чем я предполагала. Просто кошмар.

— Могу себе представить. — Он хорошо помнил день отъезда Даны. Все плакали, включая ее саму. — Остается такое ощущение, что тебя переехал каток.

— Тебе это хорошо известно! — парировала она. — Что нового у Хлои?

— Устраивает концерты в госпитале. На следующей неделе она должна вернуться домой, и если мы успеем сделать скаты, то она будет жить на первом этаже, в спальне Ника.

Все-таки, подумала Пейдж, какой он счастливый — его дочь возвращается домой. А в состоянии Алисон никаких изменений за четыре недели. Пока еще надежда теплилась, но сколько же это будет продолжаться?!

Они отлично поужинали и обсудили меню на День поминовения. Тригви дал Пейдж почитать свою статью — одну из тех, что он написал для «Нью-Йорк таймс». Им было хорошо вместе, но Тригви хорошо понимал, что сейчас в отношении Пейдж он должен вести себя очень осторожно, — знал, что у нее еще болит рана, нанесенная отъездом Брэда.

— Я не думала, что будет так тяжело, когда он уедет, — сказала она, когда они после ужина вышли в сад, сражаясь с москитами.

— В самом деле? После шестнадцати лет, проведенных вместе, надо быть чудовищем, чтобы ничего не почувствовать. К тому времени, как собралась уезжать Дана, мне казалось, что у меня просто не осталось никаких чувств, и все-таки это было тяжело. Я долго переживал ее отъезд. С тобой будет так же.

— Я себе не представляю, как стану жить одна.

— Да нет же. Просто ты сейчас в самом центре своих переживаний. На тебя слишком многое свалилось. Как, кстати, Алли? Что говорит Хаммерман?

— Надежда еще есть, но если такое состояние продлится еще пару месяцев, то все. Я и думать об этом боюсь — что будет, если она так и останется в коме, Тригви?

Тригви некоторое время не отвечал, созерцая звезды.

— А я верю, что она придет в себя. — И тут он вспомнил то, что давно хотел ей сказать: — Кстати, на прошлой неделе я слышал кое-что интересное, но не хотелось тогда тебя слишком напрягать, у тебя и так был хлопот полон рот.

— Что такое?

— Один человек был в гостях, там же была и Лора Хатчинсон. На той вечеринке она была пьяна, по-настоящему пьяна. Ее пришлось тихо увести оттуда. И это удалось — никакого шума. Теперь я думаю — как часто это с ней случалось и была ли она пьяна в тот роковой вечер? Ну, если кто-то из нас напьется и сваляет дурака, то это не имеет никакого значения, если не повторяется слишком часто. Но человек, у которого проблемы с алкоголем... ситуация довольно деликатная... тут дело совсем другое. Вот я и думаю: не была ли она пьяна и в ту ночь? Говорят, она изображала такое раскаяние, была так внимательна по отношению к Чэпменам. Кроме того, она сделала огромное пожертвование для Редвудской школы в память о Филиппе. Мне и тогда еще показалось, что она чувствует себя виноватой.

— Не исключено. Но, может быть, она искренне переживает смерть Филиппа, независимо от того, виновата или нет. Она прислала мне письмо с искренним сочувствием по поводу Алли, — бесстрастно ответила Пейдж. Сначала и у нее было намерение обвинить во всем Лору Хатчинсон, но теперь она и думать забыла об этом.

— Нам она тоже написала, но я не стал отвечать. А что я мог ответить? «Нет-нет, ничего, никаких проблем... все прекрасно... вы чуть не убили мою дочь или превратили ее в инвалида, но все равно, спасибо, что вы нам написали». — Он явно был вне себя от ярости, но потом справился с этим приступом и кротко посмотрел на Пейдж. — Понимаешь... меня просто мучит эта мысль. Я даже не знаю, чего я хочу, но у меня есть приятель, репортер, специализирующийся на расследованиях. Он работает в одной из этих бульварных газетенок, но у него довольно обширные связи.

— Но что ты хочешь выяснить? — заинтересовалась она.

— Я сам не знаю, что-то такое... может быть, я тоже ищу иголку в стоге сена, как и ты... Но когда я думаю о том, что случилось той ночью, я понимаю, что там было что-то еще, что-то, чего мы не знаем. Может быть, она так и не излечилась от алкоголизма, и тогда мы имеем право знать об этом.

— Ну что же, почему бы и не попросить его выяснить, — тихо ответила она, и Тригви кивнул.

— Чэпмены тоже заинтересованы в этом, — добавил он уверенно. — Они подали в суд на обе местные газеты.

— Мы с тобой просто два источника неприятностей, — сказала Пейдж с невеселой усмешкой.

— А может быть, не мы, а эта женщина? — предположил Тригви. — И я не думаю, что нам надо помочь ей уйти от ответа, если она виновата. Ты согласна со мной, Пейдж?

И она кивнула, на этот раз молча.

Глава 15

Две следующие недели пролетели быстро, со своими горестями, но и с радостями. Особенно мучительно прошла первая неделя после ухода Брэда — Энди плакал по ночам, дважды его пришлось забирать из школы, так как он был явно не в состоянии заниматься, и Пейдж побаивалась, не сбежит ли он снова из дому — однажды она едва нашла его в дальнем углу сада, одиноко сидящего в обнимку со своим мишкой. Ей тоже пришлось нелегко — она не могла дать ему то, в чем он так отчаянно нуждался, — вернуть его отца.

Брэд сдержал слово и на следующую субботу

взял сына, и они поехали в «Морской мир». Самым ужасным было расставание — Энди не хотел, чтобы папа уходил, но Брэд был тверд. Он бы взял сына и к себе домой, в свою квартиру, но решил, что слишком рано знакомить его со Стефани. Она большую часть времени проводила у Брэда, и он не хотел, чтобы Энди в ней видел причину их расставания.

Вторая неделя была полегче. Пейдж снова взяла Энди к Алисон, и пару раз они ужинали у Торенсенов. В субботу было новое свидание с Брэдом, а в воскресенье, через шесть недель после катастрофы, чуть не убившей ее, домой вернулась Хлоя.

Ее привез Тригви, а Бьорн ждал дома с огромным букетом цветов, которые нарвал в саду. Повсюду были развешаны приветственные плакаты. Накануне они с Тригви испекли для нее большой торт, а потом Бьорн сам приготовил для Хлои ленч — бутерброды с ореховым маслом, его любимое блюдо, и оладьи, которые недавно научился делать. Даже Ник приехал на этот уик-энд и охотно согласился уступить сестре свою комнату. Так что для Хлои это было радостное возвращение.

После того как она устроилась, Пейдж и Энди тоже приехали навестить ее. Хлоя лежала на софе в гостиной, она еще не очень хорошо себя чувствовала, но была очень довольна, что вернулась домой. Она меньше принимала болеутоляющих, чтобы не привыкнуть к ним, поэтому ей приходилось превозмогать боль.

В этот день приехал и Джейми Эпплгейт. Он был явно смущен и чувствовал себя неудобно — одно дело навещать ее в госпитале, а другое — дома, он сразу же вспомнил о том, как они обманули родителей и устроили это роковое свидание. Обоих начали мучить угрызения совести, и они долго о чем-то шептались вдвоем, пока Пейдж, Энди, Бьорн и Тригви сидели на кухне.

Это был счастливый день. Казалось, что все беды уже позади. Похоже, Хлою придется снова оперировать, но теперь она вне опасности, и к тому же операция будет уже не такая серьезная и болезненная. Нужно поправить искалеченные ноги, а не спасать жизнь. Лежа на софе, накрытая подаренным Пейдж розовым одеялом, Хлоя выглядела очень юной и элегантной. Одеяло было теплое, но легкое, и Хлоя машинально поглаживала его пальцами, беседуя с Джейми.

— Как жутко, — грустно говорила Хлоя, — я не могу поговорить с Алисон, ты никогда не сможешь позвонить ему... иногда я чувствую себя такой одинокой. — Хлоя здорово помогала Джейми, ведь сам он никогда не решился бы заговорить о несчастном случае, спросить ее, что она испытала за это время. Может быть, на его месте Хлоя повела бы себя иначе. Сам Джейми до сих пор не мог избавиться от чувства вины за происшедшее, за то, что благодаря какому-то зловещему повороту судьбы он остался почти невредим, в то время как остальные так страшно пострадали. Джейми до сих пор время от времени ходил на прием к психотерапевту, помогавшему ему справляться с этой болью и тревогой, и даже ходил на занятия вместе с группой людей, переживших крушения самолетов, пожары и автокатастрофы, в которых погибли их родственники и друзья. Беседы с этими людьми приносили ему большое облегчение, и теперь он рассказывал об этом Хлое.

— Ну, чем будем заниматься сегодня? — спросил

он наконец. За эти шесть недель они очень сблизились, и он, казалось, знал про нее все — какую она любит музыку, кто ее любимые актеры и какие она любит кинофильмы, с кем дружит, в каком доме хочет жить, когда станет взрослой, где хочет учиться и сколько детей иметь. Они обсудили все: от самого важного до самой ерунды.

— Слушай-ка, Джейми, — решила поддразнить его Хлоя, — не пора ли пойти потанцевать? — Несмотря ни на что, она не утратила чувства юмора. Джейми взял ее за руку.

— Когда-нибудь мы с тобой потанцуем, обещаю тебе, мы поедем на танцы на роскошном лимузине и будем танцевать до самого утра, — со всей решительностью заявил он. Джейми не шутил, и ей понравилась его искренность. За эти шесть недель Джейми начал очень много значить для нее, он каким-то странным образом заменил ей даже Алли. Спроси у нее кто-нибудь, и она сказала бы, что Джейми теперь ее лучший друг. И даже больше, чем друг, они оба чувствовали это. Они могли рассчитывать друг на друга, и не так, как она рассчитывала на помощь Пейдж или Тригви.

— Что вы тут поделываете? — спросил Тригви, зашедший в гостиную посмотреть, не хочет ли Хлоя чего-нибудь съесть или выпить, или она устала и нужно перенести ее в кровать. Однако она была вполне довольна общением с Джейми.

— Просто разговариваем, — весело ответил Джейми. Он был очень благодарен Тригви за то, что тот разрешил ему видеться с Хлоей после этого несчастного случая и они смогли получше узнать друг друга. В госпитале Джейми опасался, что Тригви не разрешит ему приходить к ним домой, когда Хлою выпишут. Но теперь его страхи рассеялись, Тригви — классный отец, он все понимает. — Может быть, я могу что-нибудь сделать? — вежливо осведомился он, но Тригви только махнул рукой и попросил его приглядеть, чтобы Хлоя не свалилась с софы. Если потребуется перенести ее в ванную, пусть позовет его.

Когда наконец это потребовалось, Хлою отнесли Тригви и Пейдж, и девочка стойко перенесла эту процедуру. Но было ясно, что ей нужна помощь по каждому, даже незначительному поводу, и переезд домой — это не конец всех ее проблем, а только начало новых.

Пейдж поделилась этой мыслью с Тригви, когда они вернулись в кухню, чтобы выпить по чашке кофе.

— Я понимаю, — серьезно кивнул Тригви. Он знал, как тяжело придется Хлое и всем им. После выписки из госпиталя она думала, что будет наконец-то снова свободна, но, увы, это не так. Предстоял долгий, мучительный путь к выздоровлению, к возвращению к той веселой и беззаботной жизни, к которой она привыкла. — Мне придется нанять кого-нибудь на несколько часов в день для работы по дому, чтобы развязать себе руки. Бьорн — хороший помощник, но он не может справиться со всем. Мне кажется, она сама до выписки не предполагала, в каком положении окажется дома. А вот я все это знал, — улыбнулся он, и Пейдж снова ощутила, какой он замечательный человек. Они все теперь зависели от него в той или иной мере, даже она.

Незадолго до ужина Пейдж с Энди уехали к себе и провели вечер вдвоем. Они посмотрели взятую напрокат видеокассету с фильмом, купили в каком-то уличном ресторанчике попкорн, Пейдж приготовила вкусный ужин, и они уснули в одной постели.

А утром настал День поминовения, и Тригви, как и обещал, устроил вечеринку, пригласил несколько друзей Хлои, в том числе, разумеется, Джейми, и, само собой, Пейдж с Энди.

— Отличные ребята, — сказал он, когда они с Пейдж уселись за столик с бокалами вина. Тригви все еще был в переднике, который надел, когда готовил на кухне. Он выглядел усталым, ему нелегко пришлось с Хлоей прошлой ночью.

— Да, и они так рады, что она вернулась, — улыбнулась Пейдж, мечтая в душе, чтобы и Алисон поскорее оказалась дома. Каждый раз, когда она видела Хлою, ее сердце щемило, так как она думала об Алисон. Тригви чувствовал это.

— Да, это было непростое время для всех нас, — вздохнул он. — Похоже, никто из нас не останется прежним после этого. Все, кого это коснулось, здорово переменились. А ты? — Он ласково улыбнулся. — Как ты себя чувствуешь? — Последние две недели они редко встречались, и ему страшно не хватало ее. Но Тригви знал, как глубоко она переживает отъезд Брэда, и ему хотелось, чтобы эта боль потери поскорее оставила ее. Она понимала это и была благодарна Тригви за его сдержанность, хотя на самом деле ей не хватало его тепла и любви. Тригви всегда так тонко чувствовал ее настроение, хотя ей даже и рассказывать об этом не приходилось.

— Да ничего, — ответила Пейдж. На самом деле расставание прошло гораздо тяжелее, чем она предполагала.

— Мне не хватало тебя, — признался он, глядя ей в глаза.

— И мне, — тихо сказала она. — Я не думала, что будет так тяжело, так грустно и одиноко. Хотя в общем-то это к лучшему — под конец мы непрерывно ссорились, не могли видеть друг друга. Теперь получше, только грустно. Я чувствую себя увереннее и смелее, чем раньше, но иногда, в общем... — она задумалась в поисках нужного слова, — какой-то незащищенной. — Она так долго была замужем, что теперь чувствовала себя как-то неуютно.

— Но ты не такая уж незащищенная. Ведь это ты решала все проблемы, Брэд отстранился от всего.

Это верно, и она только сейчас начала понимать. За последние две недели он только пару раз заезжал к Алли. Слава богу, что он еще хоть с Энди общался.

— Да, как ни странно, я только теперь начинаю это понимать. Когда после шестнадцати лет брака оказываешься там же, где и был в самом начале, правда, без нескольких полотенец, столового серебра и лучшего тостера... — Она улыбнулась. Дело было, конечно, не в этом, но почему-то у Пейдж саднило в душе оттого, что Брэд забрал эти вещи.

— Обидно, правда? — рассмеялся Тригви. — Дана, когда уходила, забрала ровно половину того, что у нас было. Все по-честному: ей — половину всего, и нам столько же оставила. Вспоминать не хочется! Половину ламп прихватила, половину сервиза, кухонной посуды и столового серебра. Теперь у меня нет пары ни для чего в доме, и когда мне приходится готовить что-то для гостей, я чертыхаюсь, потому что многое из того, что нужно в хозяйстве, уехало с ней в Англию.

— Ясно, — усмехнулась Пейдж. — Сначала Брэд тоже говорил, что ему ничего не нужно. Потом вдруг выяснилось, что Стефани не так хорошо подготовилась к семейной жизни, как он думал. Частенько, когда я возвращаюсь домой, я нахожу записку, где он пишет, что взял то или другое «в счет своей доли». Не знаю, когда он умудряется это делать, но всегда это происходит в мое отсутствие. Словно он специально подкарауливает, когда я уйду из дома. А вчера он унес серебряное блюдо, которое подарила мне мать на день рождения.

— Тебе нужно дать ему понять, что ты не в восторге от его поведения. Если так дальше пойдет, не знаю, с чем вы останетесь.

— Да... сковородки... кастрюли... лыжи... Вот к чему все приходит под конец, правда? Похоже на распродажу воспоминаний.

При этом сравнении он улыбнулся. Пожалуй, она права. Потом Тригви набрался духу и спросил о том, что давно его интересовало:

— А что вы с Энди собираетесь делать летом?

— Летом? О господи... верно, ведь уже начинается июнь... Даже не знаю. Но думаю, что мы не сможем бросить Алли и куда-нибудь уехать.

— А что, если перемен так и не произойдет? Может быть, вы сможете где-то отдохнуть, необязательно же уезжать далеко.

Пейдж улыбнулась — она и не подумала об отдыхе, а вот Тригви об этом вспомнил. Если не будет изменений? Действительно, почему бы и не съездить куда-нибудь на несколько дней? Сможет ли она развлекаться, пока Алисон лежит в коме?

— А ты имеешь в виду что-нибудь конкретное? — спросила она.

— На пару недель на озеро Тахо. Мы ездим туда каждый год, и Бьорн был бы рад, если бы Энди поехал вместе с ним. — Тригви внимательно посмотрел на нее. — И я был бы рад, если бы ты поехала с нами... Тебе, в конце концов, тоже надо отдохнуть!

— Что ж, звучит неплохо, — сказала она наконец. — Посмотрим. Это будет зависеть от состояния Алисон. Когда вы собираетесь поехать?

— В августе.

— Через два месяца. За это время может многое измениться. Либо никаких перемен, либо начнет выздоравливать. Время покажет.

— Хочу, чтобы ты просто помнила о моем предложении. — Тригви проговорил это с трогательной серьезностью.

— Непременно. — Она улыбнулась, и их руки на мгновение сомкнулись — между ними пробежала искра, словно разрядилось все накопившееся за это время напряжение. Да, Тригви старался не тревожить ее в этот тяжелый момент ее жизни, но все-таки она была так нужна ему!

Пейдж уехала домой очень поздно, уставший Энди заснул прямо в машине. Да, это был чудесный уик-энд, Пейдж давно не чувствовала себя так покойно.

После того как она уложила Энди в кровать и легла сама, вдруг раздался телефонный звонок. Это звонил Тригви.

— Мне не хватает тебя, — сказал он, и она улыбнулась — теперь, когда Хлою выписали домой, они не смогут так часто встречаться в госпитале, разве что он специально заедет туда, ведь он хорошо знает ее расписание. — Теперь мне всегда не хватает тебя. — Голос Тригви звучал глухо. Пейдж в последнее время старалась не думать о нем. Она хотела пережить траур по своему браку и гнала от себя мысли о своей будущей жизни, о том, как она относится к Тригви, но ей тоже не хватало его общества. С ним всегда легко и приятно, он такой добрый и привлекательный. — Когда мы снова встретимся? — спросил он. — Не можем же мы прожить всю жизнь в приемной интенсивной терапии. — Пейдж улыбнулась, вспомнив проведенные там бесконечные часы и поцелуи, которыми они с Тригви обменивались второпях, тайком, как нашалившие подростки.

— Надеюсь, мы сможем видеться и в другой обстановке, — ответила она.

— Я тоже. Но все-таки, может быть, нам удастся встретиться в ближайшее время по-настоящему, без детей, без медсестер и не в больничном кафетерии.

Это забавно. Давненько никто не назначал ей свиданий — уже много-много лет. Почему-то при одной мысли об этом она почувствовала себя юной и красивой.

— Я совсем не против. — После несчастного случая Пейдж только один раз была в ресторане — с матерью, сестрой и мужем. Но теперь ее приглашает Тригви, это совсем другое дело! — Ты хочешь, чтобы я сама соорудила ужин или приглашаешь меня?

— Нет, — воскликнул он, — никаких норвежских отбивных и шведских мясных шариков! Никаких сандвичей с арахисовым маслом. Настоящая еда, ресторанная. Что ты думаешь о «Серебряном голубе» в четверг? — Этот ресторан в городке считался романтическим, и к тому же он находился недалеко от дома.

— Замечательно, — сказала она, впервые за эти недели чувствуя себя счастливой. Ему всегда удавалось сделать так, что она ощущала себя женщиной, даже если на ней был старый свитер и потертые джинсы!

— Я заеду за тобой в семь тридцать, идет?

— Отлично. — Она сможет оставить Энди с Джейн или закажет прислугу на пару часов. И тут она искренне и счастливо рассмеялась.

— Чему ты смеешься?

— Я подумала, что это мое первое свидание за семнадцать лет. Я не уверена, что помню, как себя надо при этом вести. Знаешь, я даже волнуюсь.

— Не волнуйся, слушайся меня, я тебе подскажу.

Тут они оба расхохотались, вдруг почувствовав себя молодыми. Потом они немного поговорили о его последней статье, о ее планах на будущее и о домике Торенсенов на озере Тахо. Тригви рассказал о беседе со своим другом, репортером, который производил свое расследование относительно Лоры Хатчинсон. Может быть, ничего и не получится и не прольется новый свет на этот несчастный случай, но все-таки Тригви мучили серьезные подозрения.

— Ладно, увидимся завтра, — сказал он наконец, и его тон был снова таким многозначительным, что, вешая трубку, она удивилась — что он имел в виду? Но на следующее утро он появился в госпитале, держа в руках коробку с едой и букет цветов.

Пейдж в это время помогала физиотерапевту массировать Алисон. Ее ноги и руки были напряжены, мышцы сжаты и блокированы. Нужна была огромная работа, чтобы заставить их хотя бы немного расслабиться. Ее тело, как и ее мозг, не отвечало на усилия врачей. Пейдж была уже на грани истерики и поэтому обрадовалась, когда появился Тригви.

— Пейдж, давай немного пройдемся. — Он почувствовал, как она устала. — Сегодня такой чудесный день! — И правда, когда они вышли на воздух, ей стало легче. Светило яркое солнце, небо было голубым, без облачка — в общем, именно такая погода, какая и должна быть в Калифорнии в начале июня.

Они сидели на лужайке перед госпиталем вместе со стажерами и медсестрами. На них смотрели так, словно они были влюбленные, которым некуда торопиться.

— Это лето, похоже, будет чудесным, — сказал Тригви и прилег на траву рядом с ней. Она с наслаждением вдыхала аромат принесенных им цветов и легко коснулась его рукой, и Тригви посмотрел на нее так, как уже давно на нее не смотрели мужчины, если смотрели вообще. И в эту минуту она поняла, чего же ей действительно не хватало в жизни. — И ты такая красивая, очень красивая... И знаешь, ты похожа на норвежку, — вдруг просиял он.

— Никакая я не норвежка, — с шутливым упрямством ответила она, — мой отец был англичанином.

— Ну а мне ты кажешься скандинавкой. — Он пристально посмотрел на нее. — Я подумал, если бы мы были женаты, какие у нас могли бы быть красивые дети. Ты хотела бы еще иметь детей? — спросил он с неожиданной прямотой. Он хотел узнать о ней все, не только то, как она относилась к Алисон, какая она мужественная и какая хорошая мать, ибо обо всем этом он уже знал и мог узнать во время совместных бдений в реанимационном отделении.

— Я хотела раньше, — ответила она, — но мне

уже тридцать девять, так что, пожалуй, поздновато. А кроме того, у меня на руках Энди и Алисон.

— Но ведь так будет не всегда, когда-нибудь положение изменится, уже сейчас оно стабилизируется. — Тригви не был уверен в этом, но он всячески хотел успокоить Пейдж. — Мне сорок два, и я не чувствую себя стариком. Мне бы хотелось иметь еще пару ребят, а ты еще могла бы заиметь полдюжины.

— Ничего себе идейка! — рассмеялась она, а потом надолго задумалась. — Энди хотел, чтобы у меня были еще дети. Мы говорили об этом как раз в тот день, когда я везла его с бейсбола, а ночью с Алисон произошел этот несчастный случай... и все так переменилось. — Он кивнул. Она уже полтора месяца не жила с мужем, а Хлоя никогда не станет балериной... не говоря уже о мертвом Филиппе и неподвижной Алли. — И все же... да... пожалуй, я бы не отказалась от детей. Хотя бы от одного, а там посмотрим... И я хотела бы вернуться на работу. Я уже думала о твоем предложении расписать стену в госпитале... я поделилась с Френс, и она сказала, что поговорит об этом с начальством.

— Я бы на ее месте не отказался, мне хотелось бы иметь такую фреску в своем доме. Как, не откажешься от клиента — вполне платежеспособного?

— Никогда!

— Идет. Давай обсудим это завтра после ужина. Привози Энди.

— Да я же тебе надоем, учитывая еще и четверг! — вдруг заволновалась она, и Тригви рассмеялся.

— Ты никогда не надоешь мне, Пейдж, даже если я буду видеть тебя день и ночь. Кстати, тебе не кажется, что пора это проверить? — Она вспыхнула при этих словах, а он притянул ее к себе и поцеловал. — Я люблю тебя, Пейдж, — прошептал он, — очень, очень люблю. И ты мне никогда не надоешь, слышишь? Мы заведем десять детей и будем жить счастливо все вместе. Прошу тебя, поверь мне! Я не смогу теперь жить без тебя.

Они лежали на траве и целовались, смеясь, как дети. Это было слишком хорошо, она боялась поверить в реальность, но по крайней мере Пейдж надеялась, что он говорит искренне и действительно хочет, чтобы их отношения продлились.

Наконец они поднялись с травы, и Пейдж с тоской подумала, что нужно возвращаться в палату: массаж, терапия, аппарат искусственного дыхания, молчание и весь ужас больничной палаты предстали перед ней. Временами ей было трудно заставить себя вернуться туда, но она всегда справлялась с этой усталостью. Медсестры могли проверять по ней часы — она всегда в одно и то же время сидела рядом с Алисон, гладя ее по голове и разговаривая с ней.

— Я пойду с тобой, — сказал он, поднимаясь. Она несла корзинку с цветами. Когда они вошли в палату, держась за руки и смеясь, она выглядела посвежевшей и отдохнувшей.

— Хорошо позавтракали? — спросила новая медсестра.

— Отлично, спасибо. — Она улыбнулась Тригви, стоявшему за ее спиной.

Это была самая заботливая, самая любящая мать, какую он когда-либо видел. Она стала рассказывать Алисон о том, какая хорошая погода стоит на улице, и вдруг произошло неожиданное — Алисон тихо простонала и слегка повернула голову к матери. Пейдж мгновенно замолчала, потрясенная этим, ее глаза были прикованы к дочери. Но Алисон снова лежала неподвижно, а машины продолжали тихо гудеть. Пейдж перевела изумленный взгляд с дочери на Тригви.

— Она шевельнулась... О боже!.. Тригви, она пошевелилась...

Сестры тоже заметили что-то со своего наблюдательного пункта, и две из них подбежали к Пейдж и Тригви.

— Я видела, она повернула ко мне голову, — бормотала Пейдж сквозь слезы, наклоняясь, чтобы поцеловать Алисон. — Солнышко, ты повернулась... я видела это... я слышала тебя... любовь моя, я тебя слышала. — Она продолжала целовать Алисон, а Тригви не мог сдержать слез, глядя на нее. Одна из сестер позвонила находившемуся на дежурстве доктору Хаммерману, и через пять минут он появился в палате. Пейдж рассказала ему, что ей удалось заметить, а Тригви подтвердил. Сестры тоже рассказали то, что видели, и показали ему запись пленки с компьютера. Голос и движение Алисон отразились на линии, характеризующей мозговые процессы девочки.

— Трудно пока сказать, что это могло бы значить, — с сомнением сказал доктор. — Надеюсь все же, что это хороший знак. Во всяком случае, мы можем говорить с надеждой о том, что к ней возвращается сознание. Кроме того, не следует думать, миссис Кларк, что это движение и стон безусловно могут означать функционирование ее мозга... и все же не хочу разочаровывать вас, это может стать началом выздоровления, мы должны надеяться, — закончил он, но ничто не могло разочаровать Пейдж, радостно смотревшую на дочь.

В этот день девочка больше не шевелилась, зато повторила движение на следующее утро, когда с ней сидела Пейдж. Она даже позвонила Брэду на работу, чтобы поделиться радостью, но там ей сказали, что он уехал в Сент-Луис. Она разыскала его вечером в отеле, но он не пришел в восторг, как ожидала она. Он стал говорить, как доктор Хаммерман, призывая ее не слишком-то обнадеживаться.

— Но я знаю, она меня слышала, — возбужденно говорила она тем же вечером Тригви, заехав к нему поужинать с Энди. На следующий вечер они должны были ужинать в «Серебряном голубе». — Это все равно что кричать в длинную темную трубу — сначала не знаешь, есть ли кто-нибудь на том конце, и, может быть, ты слышишь только эхо. Я так кричала уже семь недель и слышала в ответ только собственный голос... и вдруг кто-то отозвался, я знаю, я слышала.

Он понимал Пейдж, надеялся, что она права, хотя и сомневался, что ее надежды оправданны.

Каждый день в течение недели Алисон слегка вздрагивала, хотя так и не открыла глаза, не заговорила, не подала знака, что она слышит то, что ей говорят. Девочка изредка стонала и еле заметно шевелилась.

В тот день, когда Пейдж с Тригви должны были ужинать вдвоем, она пребывала в радостно-возбужденном настроении. Энди она оставила у Джейн, та сказала, что Пейдж, если слишком припозднится, может забрать его утром. Энди она положит спать в одной из комнат ее детей, так что мальчик прекрасно выспится, а утром Пейдж отвезет его в школу. Тригви оставил с Хлоей сиделку.

— Ты просто восхитительна! — восторженно выдохнул Тригви, когда Пейдж появилась перед ним в вечернем туалете. Она надела белое шелковое платье без бретелек и жемчуг, а на плечи набросила бледно-голубую шаль под цвет своих глаз. Волосы свободно ниспадали на плечи. — Ого! — только и воскликнул он. Пейдж села в его машину, и они поехали на Корте-Мадера.

Он заказал столик на двоих в дальнем уголке зала. К ее удивлению, в ресторане оказалась танцевальная площадка. Пейдж была возбуждена и взволнована. Они сели за столик, и он заказал вина для начала, затем они углубились в меню. Тригви заказал себе утку, а Пейдж — морской язык по-флорентийски, начали они с супа, а на десерт попросили суфле. Это был прекрасный ужин и еще более прекрасный вечер в таком романтическом месте. Они даже потанцевали, и Пейдж с волнением ощутила близость его неожиданно сильного и гибкого тела. Он оказался великолепным танцором.

Они вышли из ресторана в одиннадцать в отличном настроении. Вина было выпито совсем мало, но Пейдж опьянела от великолепия этого вечера.

— Я чувствую себя Золушкой, — сказала она, жмурясь от блаженства, — только когда моя карета превратится наконец в тыкву?

— Надеюсь, что никогда, — улыбнулся он. Тригви включил музыку в машине, довез ее до дома и проводил до дверей. Он снова чувствовал себя мальчишкой. Но когда они поцеловались у двери, это было какое-то другое, новое ощущение — оба внезапно оробели, одновременно ощутили прилив неодолимой страсти.

— Не хочешь ли зайти на минутку? — еле слышно спросила она. Он улыбнулся.

— Ты отводишь мне так мало времени? Я достоин всего лишь минутки?

Она рассмеялась и открыла дверь. Они зашли внутрь, но она не стала даже зажигать свет — они стояли в прихожей и целовались. Ее красота, ее тело, ее страсть воспламеняли его.

— Я люблю тебя, Пейдж... я очень сильно тебя люблю... — Он ждал этого мига уже два месяца, с тех пор как над их семьями пронесся этот страшный ураган, но на самом деле он ждал его уже много лет, может быть, целую жизнь.

Так они стояли и обнимались, целовались, пока эта пытка стала невыносимой. Тогда он, не говоря ни слова, повел ее уже известным маршрутом в спальню и там, в темноте, раздел. Она не сопротивлялась.

— Ты невероятно красива, — прошептал он, когда платье соскользнуло с ее груди. — Пейдж... — Его губы и руки ласкали ее тело, а она медленно раздела его. Теперь они стояли нагими под лунным светом. Он поднял ее на руки, осторожно положил на кровать и снова начал целовать ее трепещущее от наслаждения тело. Они слились воедино так естественно, словно уже давно были предназначены друг для друга, содрогаясь от всепоглощающей страсти, которой так долго не хватало обоим и которая поразила их как молния. Прошло много времени, прежде чем они смогли снова заговорить. Тригви нежно гладил ее по голове и целовал.

— Если бы я знал, что такое счастье возможно, два месяца назад, — прошептал он наконец, — я бы увез тебя домой еще в ту самую ночь, когда приключился этот несчастный случай.

Она счастливо рассмеялась:

— Глупышка... и все равно я люблю тебя.

Самое поразительное было то, что она в самом деле любила! Он во многих отношениях подходил ей больше, чем Брэд, — не только в сексе, они вообще были более совместимы, словно настроены друг на друга и на детей. Они чувствовали себя легко друг с другом, ведь оба были из тех людей, которым нужно было отдавать кому-либо свою энергию и тепло, и вот наконец, после долгих лет, каждый из них нашел свою половинку. Тригви чувствовал себя как голодный человек, наконец-то дорвавшийся до еды.

— Где ты была двадцать лет назад, Златовласка? — спросил он. Пейдж на минуту задумалась:

— Тогда я работала в одном заштатном нью-йоркском театрике и, когда наскребала достаточно денег, ходила в художественный колледж.

— Как бы я хотел влюбиться в тебя тогда!

— Я тоже. — Но тогда она еще была под гнетом своих отношений с отцом. — Поразительно, правда? — сказала она. — Мы прожили столько лет по соседству и не могли узнать друг друга по-настоящему. Только теперь наши жизни вдруг соединились, и все так изменилось.

— Это судьба, любовь моя.

Судьба казнила, но она и миловала, с ними она сделала и то, и другое одновременно. Но в конце концов все-таки она дала им огромную радость.

Так они пролежали, разговаривая, несколько часов. Наконец Тригви заставил себя подняться и начал одеваться — ему нужно было вернуться домой и сменить женщину, оставшуюся с Бьорном и Хлоей. Пейдж же решила, что в три утра странно забирать Энди от Джейн.

— Как, ты собираешься провести ночь в одиночестве? — с притворным ужасом спросил он. Она кивнула. — Чушь! Я просто не переживу этого!

В результате они снова занялись любовью, и только в четыре утра она проводила его до двери дома.

— В котором часу ты отвозишь Энди в школу? — спросил он, когда они поцеловались на прощание. Он был таким счастливым и довольным, как и сама Пейдж. Их невозможно было оторвать друг от друга, как юных любовников.

— В восемь.

— А когда возвращаешься домой?

— В восемь тридцать.

— Я подъеду к тебе в полдевятого.

— Господи, какой ты ненасытный! — рассмеялась она.

Он на минуту оторвался от ее губ и пристально посмотрел на нее.

— Разве я не предупреждал тебя? Именно поэтому Дана и сбежала: она просто не выдержала, бедняжка! — Они рассмеялись и снова стали целоваться. По правде говоря, последние два года они с Даной даже не спали, так что он уже начинал сомневаться, способен ли еще на что-либо. Но оказалось, что вполне способен, и даже на многое.

— Что ты делаешь завтра? — уже более серьезным тоном спросил он.

— Еду в госпиталь.

— Тогда мы вместе позавтракаем, и я отвезу тебя в госпиталь.

Она кивнула, он еще раз поцеловал ее и только большим усилием воли заставил себя пойти к машине. Но на полпути он все-таки не выдержал, вернулся и еще раз поцеловал ее. Только после этого он уехал и, как обещал, в полдевятого снова был у нее дома — она-то думала, что он шутил! Пейдж уже отвезла Энди в школу и, что-то напевая под нос, стирала, когда он позвонил в дверь. Она тут же просияла.

— Доброе утро, любовь моя, — сказал он, протискиваясь в дверь с огромным букетом цветов. Да, он, несомненно, был самым романтичным из всех ее знакомых и таким славным! — Ты готова к завтраку?

Но до кухни они так и не добрались. Он снова начал целовать ее, и через пять минут они опять были в постели, которую она еще не успела даже застелить после ночи, так что им не пришлось возиться с ней.

— Как ты думаешь, что мы будем делать дальше? — спросил он, лежа рядом с ней и любуясь ею.

— Сомневаюсь, что способна на какие-либо дела. Придется мне отказаться от фресок.

— А мне — от статей. — Слава богу, что они оба были достаточно свободны, жили по своему собственному графику, и поэтому у них оставалось достаточно времени, чтобы утолить голод друг по другу. — А в школе у Энди есть продленка? — поддразнил он ее, и они снова поцеловались. Но потом она все-таки заставила его вылезти из кровати — было уже одиннадцать, и ей пора было ехать в госпиталь. Теперь, когда в состоянии Алли наметились перемены, пусть и крошечные, Пейдж не хотела пропустить ни единого мига.

Он просидел с ней в госпитале целый час, а потом поехал домой — работать и проследить за Хлоей.

— Что будем делать вечером? — с надеждой

спросил он, когда они прощались в госпитале. Она отрицательно покачала головой.

— Энди будет дома.

— А завтра? — настаивал он.

— Кажется, завтра он уедет на весь день к Брэду, — улыбнулась Пейдж. Находившаяся рядом сестра, невольно слышавшая их разговор, улыбнулась — она давно поняла, что в их отношениях наметились перемены.

— Отлично, — ответил он. — Тогда ленч? Икра? Омлет?

Она наклонилась к его уху и прошептала так тихо, что никто посторонний не смог бы услышать ее:

— Как насчет бутерброда с арахисовым маслом?

Он так же лукаво подмигнул ей.

— Отлично, дорогая. Я это устрою. Двойной или простой?

— Ты просто сумасшедший! — рассмеялась она.

— Я люблю тебя, — сказал он и поцеловал ее. Это действительно безумие, но она в самом деле любила его. Когда Пейдж вернулась к Алисон, с лица ее не сходила счастливая улыбка.

Глава 16

В одну из июньских суббот Брэд сказал наконец сыну о существовании Стефани. Потом он познакомил их, устроив ленч в «Прего» на Юнион-стрит. Энди недоверчиво косился на Стефани, а она с трудом находила темы для разговора с ним. Конечно, Стефани в туго обтягивающих белых джинсах и красной футболке выглядела эффектно. Но Энди она не понравилась с первого взгляда. Он говорил с ней сквозь зубы, отпускал едкие замечания, сопровождавшиеся восхвалением достоинств его мамы.

Когда подали десерт, Брэд не выдержал.

— Энди, — сказал он, — ты должен извиниться перед Стефани. — Он явно был зол, но Энди упрямо задрал подбородок и сделал вид, что не слышал его.

— И не собираюсь, — выдавил он наконец за десертом.

— Ты несправедлив к Стефани. Ты сказал, что у нее слишком большой нос! — Брэда такое обвинение только рассмешило бы, но он видел, что Стефани пришла в ярость. У нее не было детей, и Энди совсем не понравился ей. Этот дерзкий мальчишка плохо воспитан, не умеет вести себя со взрослыми, и Брэду стоило задать ему хорошую трепку. Он испортил ей весь ленч: этот маленький негодяй заявил, что у нее слишком тесные джинсы и слишком маленькая грудь и что у его мамы фигура гораздо лучше, она умная, веселая, красивая и готовит вкусно, а Стефани вряд ли что-то умеет готовить. Кроме того, все в школе в восторге от маминой фрески. И так весь ленч он пел дифирамбы матери и высмеивал Стефани. Кстати, все это говорило о том, что Стефани не только ничего не понимала в детской психологии, но и была начисто лишена чувства юмора.

— Она мне все равно не нравится, — еле слышно твердил Энди, уставившись в столешницу.

— В таком случае, — ответила Стефани, прежде чем Брэд успел сказать что-либо, — мы не пригласим тебя больше на ленч. И на уик-энд мы тебя не возьмем, если ты нас не любишь, — зло добавила она. Вид у Брэда был самый несчастный — ему хотелось поддержать ее, но и Энди он не мог бросить, по крайней мере сейчас.

— Нет, конечно, мы будем приглашать тебя на уик-энды, — холодно возразил Брэд, предупреждающе посматривая на обоих, — ему хотелось взять Энди за руку, успокоить его. Если Энди не поладит со Стефани, жизнь у Брэда будет несладкой. — Я рад видеть тебя не только по уик-эндам, но и всегда, когда ты захочешь. Но было бы гораздо лучше, если бы ты подружился со Стефани.

— Нет, так не пойдет, — сказал Энди, глядя прямо на него и словно не замечая Стефани. — Почему это мы должны принимать и ее?

Стефани вспыхнула, но Брэд, предупреждая ее, ответил:

— Потому что мне она нравится. Она — мой друг. Разве ты сам не любишь брать с собой своих друзей?

— Тогда почему я не могу пригласить с собой маму? Я ее люблю, и мне хорошо с тобой и с ней, а не с твоей Стефани.

Меньше всего Брэду хотелось пускаться в долгие объяснения. Тем более ему не хотелось делать этого в присутствии Стефани.

— Ты же знаешь, что у нас с мамой не все ладится, тебе же не нравилось, как мы ссоримся. А со Стефани мы не ссоримся, мы очень хорошие друзья, и нам хорошо вместе. Мы ходим в кино, и на бейсбол, и на пляж, и в разные другие места.

Энди презрительно посмотрел на Стефани:

— Что бы она понимала в бейсболе!

— Ну, мы ей объясним, — терпеливо ответил Брэд. Он чувствовал, что и Стефани, и Энди — оба злы на него. Он знал, что слишком поторопился и нужно было еще некоторое время встречаться с сыном без Стефани. Все равно рано или поздно он должен к ней привыкнуть. Они обсуждали проблему брака, и Стефани заявила, что либо он объявит о помолвке с ней, либо она прекращает свои отношения с ним. После того как они были любовниками десять месяцев и после всех прелестей его расставания с женой, Стефани считала, что она сыта всем этим по горло, и вела себя сдержанно. Теперь она считала, что имеет право на какие-то реальные проявления его любви. Или она была готова окончательно порвать с ним. Это не устраивало Брэда, который после всего, что ему пришлось пережить, не хотел ее терять. Стефани была его единственной радостью, единственной защитой от одиночества, которое он после потери Пейдж, Алисон и Энди, к собственному удивлению, переживал очень тяжело. Но он любил и Стефани, хотя их отношения осложнялись всем происшедшим в последние два месяца, а теперь еще и Энди добавил напряженности. Да, все-таки жизнь — штука сложная, и простых решений в ней не бывает.

— Мне хотелось бы, чтобы вы оба попытались справиться со своими чувствами. — Он перевел взгляд с Энди на Стефани и обратно. — ...Ради меня. Я ведь люблю вас обоих. И я бы хотел, чтобы вы подружились. Идет? Попробуете? — спросил он их так, словно они были ровесниками. Впрочем, обиженное лицо Стефани говорило о том, что она гораздо ближе к Энди, чем к Брэду, по возрасту.

— Идет, — неохотно ответил Энди, неприязненно взглянув на нее.

— Но только если ты будешь вести себя приличнее, — не сдержалась Стефани.

Брэд тяжело вздохнул, оплатил счет и вручил Энди леденцы — подарок от заведения.

— Ладно, ребята, перестаньте. Давайте дружить, и нечего дуться!

Веселенький получился ленч! Они спустились к набережной и пошли вдоль пляжа в полном молчании. Стефани первая сказала, что замерзла и хочет домой. Энди вообще ничего не говорил и только односложно отвечал отцу, когда тот спрашивал его о чем-то. Со Стефани он вообще не общался, пока не пришлось сказать ей «до свидания», когда Брэд довез ее до дома. Потом Брэд и Энди заехали к Брэду домой, и тут Энди заметил на полочке в ванной женскую косметику и купальный халат на крючке, и это еще больше огорчило его.

— Все-таки ты был с ней не слишком вежлив, — укорял его Брэд, когда вез домой. — Это нечестно. Ведь она так много для меня значит, и она изо всех сил старалась тебе понравиться.

— Вот и нет. Я ей с самого начала не понравился, она меня не любит. Я вижу.

— Ты совершенно не прав. Просто она не привыкла к детям и немного боится тебя. Дай ей возможность привыкнуть. — Брэд почти упрашивал его. Ужасный день, а ведь еще предстоит выслушать кучу упреков от Стефани, когда он вернется.

— Алли она тоже наверняка не понравится, — уверенно заявил Энди и попал в самое больное место Брэда. Хотя он не был уверен, что Алли сможет снова кого-то любить или ненавидеть — несмотря на недавние улучшения, надежды все-таки было мало.

— Ну, не думаю, что Алисон она так уж не понравится, — сказал Брэд исключительно для того, чтобы поддержать разговор.

— И маме не понравится. Какая-то она уж слишком худая, и, по-моему, она глупая.

— Она не глупая, — начал защищать Стефани Брэд. — Она училась в Стэнфорде, получила хорошую работу, она очень умная. Ты просто мало ее знаешь.

— Ну и что, она тупая и мне не нравится.

Они снова оказались на исходных позициях, и Брэд постарался отвлечь сына, переведя разговор на другую тему, но Энди не был настроен разговаривать. Он просто молча сидел рядом и смотрел в окно машины.

Брэд высадил его у дома и помахал рукой вышедшей встречать сына Пейдж. Ему хотелось задержаться и ласково поговорить с сыном, но сегодня это было невозможно. У Брэда не было желания беседовать с Пейдж, к тому же ему еще предстояло успокаивать Стефани. Он знал, что она как-то по-детски относится к некоторым вещам, и неприязненное поведение Энди наверняка сильно ее задело. Он надеялся, что эти два дорогих ему человека со временем привыкнут друг к другу и подружатся. Но пока это не произойдет, ему придется несладко.

Пейдж сразу же заметила, что Энди непривычно тих.

— Что-то случилось? — спросила она, укладывая мальчика спать. За ужином он не проронил почти ни слова, хотя обычно захлебывался от впечатлений после встреч с отцом. — Как ты себя чувствуешь? — Она потрогала его лоб — вроде холодный. В общем-то он был в порядке, только в глазах читалось беспокойство.

— Да, — наконец выдавил он со слезой в голосе. — Папа сказал... я не могу тебе повторить. — Он не хотел расстраивать ее.

— Вы поссорились? — Может, Энди сегодня действительно что-то выкинул, и Брэд как следует отшлепал его? Хотя это было не похоже на Брэда.

Энди отрицательно помотал головой.

Пейдж решила посидеть с сыном — она не хотела оставлять его одного в таком состоянии. И через несколько минут Энди не выдержал и заплакал.

— Солнышко мое! — Она прилегла рядом и прижала его к себе. — Ну ты же знаешь, что папа тебя любит, что бы он тебе сегодня ни сказал.

— Да... но... — Он никак не мог выговорить, слова прилипали к его языку... — Я не хотел тебе говорить... У него есть подружка. Ее зовут Стефани. — Он окончательно расплакался — теперь он выложил все. Но Пейдж только улыбнулась сквозь слезы.

— Я знаю. Это ничего. Я все про них знаю.

— А ты ее видела? — спросил он, вырываясь из ее рук. Но она только покачала головой, думая о том, какой у нее все-таки отличный сын.

— Нет, не видела. А ты?

— За ленчем. Это просто ужас, какая она худая, глупая и совсем некрасивая. И я, по-моему, совсем ей не понравился.

— Ну это вряд ли. Наверное, ты ее напугал, а она старалась произвести на тебя хорошее впечатление. Ты ведь, наверное, был не очень любезен с ней? Я не ошибаюсь?

— Но она мне совсем не понравилась. А папа сказал, что я должен попытаться полюбить ее.

Это уже серьезно, подумала Пейдж. Если Брэд так говорит Энди, значит, он собирается жениться на ней. У Пейдж защемило сердце, но она понимала, как и Энди, что должна привыкнуть к тому, что Стефани теперь неотъемлемая часть жизни Брэда.

— Ну и почему бы тебе не попробовать? — мягко спросила Пейдж. — Может быть, когда ты ее узнаешь получше, она тебе больше понравится. Раз папа ее любит, значит, что-то в ней есть хорошего?

— Нет, нет! — крикнул Энди, вытирая слезы. — Я все равно ее терпеть не могу. — Энди с тревогой посмотрел на мать и спросил: — Как ты думаешь, папа к нам еще вернется? — В этом-то было все дело: он просто боялся, что Стефани — главное препятствие к возвращению Брэда к Пейдж.

— Не знаю, — честно ответила Пейдж. — Но не думаю, что вернется.

— Но если он на ней женится, то уж точно не сможет к тебе вернуться. Гадина!

— Ты не должен так говорить. Ты ведь ее почти не знаешь. И к тому же папа еще на ней не женился. Так что ты уж слишком переволновался. — Но она знала, что Энди все почувствовал правильно — они наверняка поженятся.

— Они собираются этим летом поехать в Европу. Значит, папа не возьмет нас в отпуск. — Он не понимал еще, что Брэд в любом случае не возьмет их теперь с собой в отпуск. И все-таки при известии о том, что Брэд повезет Стефани в Европу, она почувствовала укол в сердце — ее-то он в Европу не возил, а ей всегда так хотелось... Она была там только однажды, когда ездила с родителями, еще до того, как вышла замуж за Брэда.

— Ну все равно мы не можем бросить Алисон, — спокойно сказала она. — Может быть, он захочет взять тебя одного? — Он ничего не говорил ей, но, может быть, у него есть такой план? Но Энди только отрицательно покачал головой.

— Они едут одни, на месяц.

Пейдж кивнула — теперь у него своя жизнь, а у них своя. И вообще — у нее есть Тригви.

— Ну давай не будем пока об этом беспокоиться, ладно? Папа тебя любит, и я тоже. И я уверена, что его подружка не так уж плоха и ты еще полюбишь ее.

Он только проворчал что-то, пока она снова укутывала его.

На следующий день за завтраком Энди сидел мрачный. Для него существование Стефани значило только одно — Брэд не вернется к ним, к его матери. В конце завтрака он наконец задал Пейдж вопрос, от которого у нее на глазах выступили слезы, и ей даже пришлось отвернуться, чтобы он не видел, как она плачет.

— А что мы скажем Алли о папе? То есть когда она проснется? Как мы объясним?

Пейдж пришлось выглянуть в окно и украдкой высморкаться, прежде чем она смогла что-то ответить. О, если бы наступил такой день, когда они снова смогут разговаривать с Алисон!

— Ну, к тому времени мы что-нибудь придумаем.

— А может, эта Стефани к тому времени умрет, — угрюмо заметил он, и Пейдж чуть не рассмеялась. Все-таки временами он такой смешной! Она выпроводила его гулять в сад, а через пару минут ей позвонила мать.

В сущности, ей нечего было сообщить Пейдж, кроме того, что у Алексис обнаружили какую-то опасную язву. Это нисколько не удивило Пейдж — чего еще ждать при анорексии? При постоянном голодании, ясное дело, ничего хорошего не приходится ожидать — вот и возникают язвы. Однако состояние Алексис очень беспокоило мать. Да и сама Алексис совершенно потеряла покой. Кроме того, Марибел удивило, что Брэда снова не было дома. Ведь Пейдж объяснила ей в свое время ситуацию! Как обычно, мать не принимала ее сообщения к сведению, и через несколько минут все темы для разговора были исчерпаны.

Пейдж рассказала об этом разговоре Тригви вечером, и он еще раз поразился, насколько разобщенная у нее семья. Его же родители были идеально нормальной парой.

— Тебе повезло, — заключила Пейдж.

Они сидели рядом и болтали. Им хотелось целоваться, но они не могли заняться этим на виду у детей.

Бьорн и Энди играли в мяч, и Энди бросал его левой рукой. Скоро ему обещали снять гипс. Хлоя сидела в кресле-каталке, а рядом — Джейми Эпплгейт, помогавший ей с уроками.

— Вчера Брэд познакомил Энди со Стефани, — сказала Пейдж Тригви.

— Ну и как он?

— Она ему, увы, не понравилась. Я, впрочем, другого и не ожидала: ведь она для него — угроза его миру, символ развала семьи. Он сказал, что терпеть ее не может. — Пейдж лукаво улыбнулась. — Хорошенький у них получился ленч.

— Да, мне кажется, у детей всегда остаются иллюзии, что родители могут снова вернуться друг к другу. — Он улыбнулся. — Даже мои, я знаю, втайне мечтают о том, что Дана вернется и все будет по-прежнему.

— А ты бы хотел? — поинтересовалась она.

Он наклонился к ней и прошептал, улыбнувшись:

— Я сбегу из города... с тобой в чемодане.

— Идет. — Она улыбнулась в ответ, и их руки снова соприкоснулись на миг.

Пейдж и Тригви приготовили для детей ужин. Хлоя, разъезжая на своем кресле, накрывала на стол и вообще старалась быть полезной, а Бьорн и Энди после ужина убирались и мыли посуду. Оказалось, что они отлично могут действовать как одна команда и вообще им хорошо вместе. Хлоя словно заполняла освободившуюся с исчезновением Алли нишу в мире Энди. Через несколько дней должен был приехать и Ник из колледжа. Он нашел на лето работу в теннисном клубе в Тибуроне, и все предвкушали его приезд. Не хватало только Алли.

После ужина они сидели на кухне и обсуждали состояние Алли. Хлоя сказала, что соскучилась по ней и ждет не дождется, когда та выйдет из комы. Все хотели этого, и время еще оставалось — два месяца, это еще не предел. И все-таки доктор Хаммерман говорил, что если она не очнется в течение трех месяцев, то может не проснуться никогда — значит, оставался максимум месяц. Пейдж старалась об этом не думать, и все-таки ночью она не могла заснуть, размышляя, что же будет с Алисон, если она останется в коме.

— Вчера я видела миссис Чэпмен, — сказала Пейдж. — Бедняжка выглядела ужасно. Она как-то посерела, словно жизнь понемногу покидает ее.

Тригви хорошо представлял себе, каково ей сейчас. Точнее, пытался, так как точно представить был в не состоянии, да и не хотел. За несколько дней до этого состоялся выпуск. Среди выпускников мог бы быть и Филипп, но вместо этого была лишь минута молчания в память о нем.

При воспоминании о Филиппе у Хлои на глазах появились слезы. Она постепенно вспоминала все подробности того вечера. Она даже ездила вместе с Джейми на собрание группы психотерапии, так как чувствовала вину перед Алли за то, что уговорила тогда ее пойти на это свидание. Та ночь круто переменила их жизни!

Тригви предложил ребятам поиграть в «Монополию», и они с жаром принялись за дело, бросая фишки и заключая сделки, надувая друг друга и сгребая бумажные деньги. А Пейдж и Тригви поднялись наверх, в его кабинет, и тут он наконец осуществил то, о чем мечтал весь день, — обнял и поцеловал ее. Ему хотелось проводить с ней как можно больше времени, спать с ней, выезжать в город и никогда не расставаться. Но это было бы преждевременно — у Пейдж на руках была еще Алисон, да и у него масса хлопот с детьми.

— Интересно, как ты думаешь, сможем ли мы в ближайшее время встретиться без них? — спросил он. — Хотя бы на уик-энд?

— Было бы неплохо... — мечтательно вздохнула она. Ей нравилась идея относительно поездки на озеро Тахо, но если только она сможет взять с собой Энди. Она вообще теперь всю жизнь проводила в отделении интенсивной терапии, так что чувствовала себя виноватой перед Энди. Нужно дождаться, пока все это кончится, а уже потом настанет их черед.

Ей не хотелось уезжать от Тригви в эту ночь, она с удовольствием осталась бы у него. Да и детям нравилось быть вместе — Энди выглядел гораздо счастливее, чем накануне, когда вернулся с ленча.

По дороге домой он вопросительно посмотрел на нее.

— Что такое? — спросила Пейдж. — Ты сегодня хорошо провел время?

— Отлично. Хлоя нас ободрала в «Монополию», только она жульничала. Бьорн говорит, она всегда так, — ухмыльнулся Энди. — И Алли тоже.

Пейдж улыбнулась при упоминании имени дочери — как она была бы рада, если бы могла видеть, как дочь играет в «Монополию». Как это было бы прекрасно!

— Бьорн сказал, что ты нравишься его папе, — как бы невзначай добавил Энди.

— Интересно, с чего он взял?! — Она не стала прямо отвечать и искоса поглядывала на сына — ей хотелось, чтобы Тригви нравился и ему, точно так же, как Брэд хотел, чтобы ему нравилась Стефани.

— Просто говорит. Он сказал, что давно следит за вами и думает, что ты вполне ничего и что папе нравится проводить время с тобой. И он сказал, что видел, как ты поцеловала его в губы. Правда? — Это был скорее вопрос, чем обвинение. После вчерашнего появления на сцене Стефани перед Энди открылся новый мир, и он осторожно исследовал его. Но и для нее мир тоже совершенно переменился, так что она тоже ничего не могла ответить ему.

— Ну, может быть, когда мы, например, прощались... В общем, он действительно мне нравится...

— Так же, как... как папа?

— Нет. Ну, не совсем так. Ну, как друг... очень хороший друг. Он так помогал мне, когда случилось это несчастье с Алисон...

Энди кивнул и не стал возражать. Он еще не думал о Тригви как о друге мамы.

— Мне он тоже нравится... и Бьорн тоже... но папа мне нравится больше.

— Папа навсегда останется твоим папой. Это уж ничто не изменит.

— Вы с папой собираетесь разводиться? — опасливо спросил Энди. Вот это в самом деле был бы конец — у многих его друзей родители были разведены, и некоторые снова женились или вышли замуж. Так что он знал, что это означает.

— Я не знаю. — За этот месяц после их разъезда никто из них не позвонил адвокату. Брэд как-то намекал — на него давила Стефани, но Пейдж так и не смогла заставить себя пойти. Тригви предложил ей своего адвоката, но она отговаривалась занятостью. И все-таки в ближайшие дни ей придется сделать это.

Как-то днем Брэд появился в госпитале после недельного отсутствия и даже напугал Пейдж своим появлением.

— Привет, как ты? — смущенно спросила она, стараясь скрыть неловкость.

— Отлично. — Он действительно выглядел великолепно, не то что месяц назад. — Как Алисон?

— Особых перемен нет. Она по-прежнему двигается время от времени и издает звуки. Но пока рано давать прогнозы. — Однако мониторы, следившие за мозговой деятельностью, давали всплеск, когда Пейдж произносила имя Алисон, и это должно было о чем-то говорить. Но кто знает? Она ведь по-прежнему спала, и за нее дышал аппарат.

Он выдержал столько, сколько смог, — пять минут. А потом попросил ее выйти на минутку в приемную.

— Ты выглядишь отлично, — сказал он, пристально разглядывая ее. И в самом деле его жена изменилась, хотя глаза ее были грустны. Он не знал — из-за Алисон или из-за него. Какая-то часть его души по-прежнему тянулась к ней, ему вдруг захотелось обнять ее, но он знал, что не может этого сделать. Стефани убьет его, если узнает. Она была просто бешеная в этом отношении и сказала, что никогда не потерпит измен. Она нисколько не походила на Пейдж, и Брэд мысленно часто сравнивал Пейдж и Стефани. И не всегда сравнения были в пользу Стефани. — С тобой все в порядке?

— Да я в основном все время здесь. — Она была счастлива с Тригви и питала надежды в отношении Алисон, но все-таки жизнь была не столь уж радостной: Алисон не пришла в сознание, а впереди маячил развод. Ее жизнь делилась между госпиталем и домом, лишь изредка она ужинала с Тригви. Главной ее мечтой было выздоровление Алисон, если та выйдет из комы.

— Я хотел с тобой поговорить, но все никак не мог выбрать время. Кажется, теперь нам пора обратиться к адвокатам. — Он словно оправдывался перед ней, да и в самом деле, видя выражение ее глаз, он чувствовал себя последним сукиным сыном. Она так была похожа на Энди в своих реакциях.

— Ты прав, — согласилась она. Но на душе у нее было так тревожно! Это последняя точка в их браке.

— Нет смысла оттягивать. И нам тяжело, и у Энди возникают ложные надежды. Мне кажется, он легче перенесет, если будет знать все точно. Да и мы тоже, разве нет? Мне кажется, ты заслуживаешь большего, — напомнил он. Что ж, она и в самом деле заслужила, чтобы у нее была своя семья, и муж, и здоровая Алисон. Она многое заслужила. Другое дело, получит ли она все это.

— Ты прав, — повторила она. — Я имею в виду... развод.

Он кивнул, и она тоже наклонила голову, принимая его решение. Все кончено.

Он хотел жениться на Стефани, начать новую жизнь, может быть, на этот раз лучшую, чем была у них.

— Ну, мне пора, — произнес наконец Брэд. — У тебя есть адвокат?

— У меня есть визитная карточка одного адвоката, но я пока не звонила. Я не думала, что ты так спешишь. — В ее голосе слышался упрек. Она внезапно разозлилась, что он приехал именно сюда, чтобы сказать ей о разводе. В этом госпитале разрушилась ее жизнь... хотя... она что-то и нашла — Тригви, например.

— Нам нужно развестись к концу года, — серьезно ответил Брэд, словно Пейдж неправильно истолковала его слова. — Лучше всего — еще до Рождества. — Стефани хотела, чтобы они поженились в канун Рождества, и если развод будет раньше и они поторопятся, то могут успеть.

— Да, не думала, что в мой список рождественских подарков придется включить и это, — протянула она. Потом она подняла на него глаза и твердо сказала: — Я позвоню утром адвокату.

— Спасибо. Я тебе буду признателен. — Он поколебался с минуту, словно хотел сказать еще что-то, но не был уверен, стоит ли это делать. — Спасибо, Пейдж...

— Да ладно, ничего, тебе спасибо. — Она коснулась его руки и вернулась в палату.

В этот день Алисон вообще не шевелилась, не издала ни звука — она словно чувствовала подавленное состояние матери. Пейдж просто сидела и смотрела на нее, а вечером, когда уложила Энди, даже не позвонила Тригви. Она словно оплакивала свою жизнь с Брэдом, прежде чем устремиться в новую.

Только на следующий день она позвонила Тригви. Тот сразу почувствовал: что-то случилось. Она рассказала ему о разговоре с Брэдом. Он мог только посочувствовать — он-то знал, как тяжел развод, даже если брак не удался. Тригви еще раз продиктовал ей фамилию и телефон своего адвоката, и Пейдж наконец позвонила ему и договорилась о встрече.

Когда она встретилась с адвокатом, он сказал ей то же самое, что и Брэд, — она должна развестись до Рождества. Тригви встретил Пейдж на выходе из конторы адвоката и повез ужинать в их любимый «Серебряный голубь», где они подробно обсудили проблему. Пейдж уже взяла себя в руки. Они сидели рядышком за столиком и были похожи на брата и сестру. Постоянные посетители, видевшие их здесь и в прошлый раз, заинтересованно поглядывали в их сторону. Забавно, Пейдж всегда считала, что муж и жена должны быть похожи друг на друга, а они с Брэдом уж явно не подпадали под эту теорию.

Они проговорили в тот вечер не один час — о жизни, браке, детях и о своих надеждах на будущее.

— Ты первая женщина, которая заставила меня снова задуматься о браке. — Она чувствовала по искренности в его голосе, что он говорит правду. Это произошло слишком быстро, но несчастный случай изменил для них все в этом мире. Они выпали из нормального течения жизни и воспринимали теперь действительность через призму своих страданий. — Мне кажется, ты сама почувствуешь, когда настанет время, — успокоил ее Тригви. — А я понял это еще в госпитале. Я был просто потрясен: как я могу думать об этом... ведь ты замужем, а потом все так быстро изменилось. Пейдж, когда я вижу тебя, то чувствую, что с тобой могу быть счастливым всю оставшуюся жизнь. Мне кажется, что и ты это чувствуешь.

Она не могла отрицать, но это-то ее и пугало.

— Но как могла я так ошибаться и откуда я знаю, что теперь иду в правильном направлении? Разве я стала умней или опытней? Но я и сама этого не знаю.

— Дело не в уме. Это нечто другое... это интуиция... это то, что ты чувствуешь сердцем... назови это как хочешь. Я всегда чувствовал, что мы с Даной не подходим друг другу, с самого начала. И она тоже это знала. И все же она пыталась отговорить меня от брака, но мне казалось, мы обязательно должны пожениться.

— Забавно, — вдруг вспомнила она, — я тоже пыталась отговорить Брэда. Я чувствовала, что не готова к браку. Я еще не отошла от того, что случилось со мной в детстве, но он непременно хотел, чтобы мы скорее поженились и переехали в Калифорнию. Я боялась перемен, не верила, что это лучший выход. Может быть, я просто сглупила.

— Нет, в то время это было правильное решение. Иначе ты бы столько не протянула. — Пожалуй, ее брак с Брэдом был гораздо удачнее, чем его с Даной. — Не знаю, как тебе объяснить, я это просто чувствую. Но я не хочу больше тратить время впустую — я и так полжизни потратил не на ту женщину. — Он заставил себя успокоиться. — И все-таки я не буду торопить тебя. Решай сама. Я подожду.

— В чем-то моя мама все-таки права, — улыбнулась она.

— То есть?

— Она всегда говорила, что мне везет.

— Теперь и мне везет. — Тригви улыбнулся. — Но мне нужно быть терпеливее. — Он сделал глоток вина и снова улыбнулся ей. — А что, разве Рождество — это плохое время? Я подумал только... Санта-Клаус... венки из омелы... колокольчики на санях... — Он был уверен, что к Рождеству она станет свободной.

— Ты просто сумасшедший. Ты не знаешь, как со мной трудно ужиться. Тебя не останавливает то, что я наскучила Брэду?

— Он просто дурак, и слава богу. Но по крайней мере я лично смогу в этом убедиться... без того, чтобы катить домой в четыре утра или красться по дому на цыпочках, чтобы не услышал Энди. — Да, тут у него были большие проблемы. Он мечтал о том времени, когда сможет засыпать и просыпаться рядом с ней. Он хотел бы куда-нибудь уехать с ней на уик-энд, но она не соглашалась оставить Алисон. — Так что подумай о Рождестве... а в общем, сама решишь после Тахо.

— Ладно, внеси этот пункт в свой рождественский список, — улыбнулась она, и он рассмеялся в ответ:

— Отлично!

Глава 17

В конце июня Пейдж начала писать фреску для госпиталя. Врачи были в восторге от такой перспективы, когда она предложила им свои услуги. Она даже решила сделать две фрески, посвятив их

Алисон. Одну — в длинном, унылом коридоре, ведущем в палаты, а другую — в скучной приемной. Она долго раздумывала над тем, что же изобразить, и выбрала две сцены — пейзаж в Тоскании и вид на порт в Сан-Ремо. Первая фреска должна была действовать успокаивающе, а вторая — отвлекать внимание благодаря множеству мелких деталей и фигур. Так что у людей, ожидающих в приемной, будет что разглядывать, и они смогут отвлечься от своих невеселых мыслей.

Она показала Тригви наброски к фрескам, и они ему понравились. Пейдж рассчитала, что работа над каждой фреской займет у нее примерно месяц, а потом она сможет закончить фреску в росской гимназии. А уже с осени она станет заниматься этим только за деньги.

— Я не могу больше работать бесплатно, — откровенно заявила она. Ведь теперь она будет получать только небольшие алименты от Брэда, и то на протяжении всего лишь двух лет. Брэд считал, что с ее талантами она легко найдет себе работу и сможет зарабатывать на жизнь самостоятельно. Она тоже надеялась на это, но ей не хотелось оставлять Энди дома одного надолго, и было еще неясно, как пойдет дело с Алисон, насколько она будет нужна ей.

Становилось все яснее, что Алисон может не выйти из коматозного состояния. Пейдж еще не признавалась в этом Тригви, но он чувствовал, что она уже начинает сживаться с этой мыслью. Пейдж часто говорила в эти дни об Алисон, какой та была, как училась в школе, как бы стараясь удержать ее образ от того, чтобы он не ускользнул навсегда и не остался только в прошлом.

— Я не хочу, чтобы от нее не осталось никакого

следа, — грустно сказала она Тригви как-то вечером. — Мне хочется, чтобы люди помнили о ней... и не о несчастном случае, не об этой трагедии, не о том, кем она стала теперь. Это ведь не настоящая Алли.

— Я понимаю тебя. — Они иногда часами обсуждали эту проблему, и он старался как мог успокоить Пейдж.

Тригви с облегчением вздохнул, когда Пейдж начала писать фрески. Пейдж тоже была счастлива — она занималась любимым делом и находилась рядом с Алисон, могла время от времени забежать в палату и взглянуть на дочь, поцеловать ее. С головы Алисон уже сняли повязки, и волосы постепенно отрастали снова. Они были еще короткие, но и так Алли выглядела гораздо симпатичнее. С короткими волосами она была похожа на маленького ребенка.

— Я люблю тебя, доченька, — шептала ей Пейдж и возвращалась к работе. Ее волосы были скручены в узел, на ней была старая рабочая рубашка, из широких карманов которой торчали кисти.

Неожиданно у Пейдж появилась и другая работа — она начала вести занятия по художественному воспитанию в спецшколе, где учился Бьорн. Она лепила с ребятами игрушки из пластилина, фигурки из глины, помогала им рисовать. Ее ученики гордились своими достижениями, а она гордилась ими. В общем, она начала возвращаться к жизни, и с гораздо большей скоростью, чем предполагала раньше. Тригви был рад этому. Однажды вечером, когда они готовили ужин для детей, она сказала ему, что испытывает от этой работы огромное удовлетворение. Никогда прежде работа не приносила ей столько радости.

Бьорн рассказал дома, как ему нравится заниматься с Пейдж в школе, и она просияла от его похвалы. У них установились очень теплые отношения. Пейдж укладывала его спать; и Бьорн обнимал ее и просил почитать сказку — он вел себя точно так же, как Энди. Иногда, правда, ей казалось, что Бьорн может просто задушить ее в объятиях — он не всегда мог рассчитать свою силу. Но Пейдж видела, как этому большому ребенку не хватало тепла и материнской нежности.

— Он хороший мальчик, — как-то сказала она Тригви. Он был тронут ее словами. Пейдж и с Хлоей занималась очень много, ходила с ней на занятия группы терапии.

— Мне хотелось бы, чтобы ты стала им настоящей матерью, — признался как-то ей Тригви, и Пейдж лишь улыбнулась в ответ.

— И Бьорн мне однажды сказал то же самое. Я польщена. — Но она и в самом деле привязалась к Бьорну еще и потому, что теперь занималась с ним и в школе. Наконец-то она почувствовала, что занимается чем-то серьезным в жизни, что ее работа — это не игра, не развлечение. Пока она ничего не получала за эти занятия. Но руководство школы уже зондировало почву, сможет ли она продолжить свои занятия и после каникул. Ее распорядок дня вполне позволял ей это. Она успевала бы отвозить Энди в школу и привозить оттуда. Да и деньги бы не помешали.

Праздничный уик-энд они с Энди провели вместе с семьей Тригви. Пейдж спала в комнате для гостей, а Энди спал с Бьорном. Ночью Тригви прокрался в ее комнату, и они опять были счастливы своей близостью. Но на этот раз они соблюдали предосторожность: закрыли дверь на внутренний замок и вели себя очень тихо.

— Послушай, но не можем же мы вечно прятаться, рано или поздно надо поставить их в известность, — сказал Тригви. Однако пока никто не осмеливался признаться в этом, и Пейдж боялась открыто перебраться в его спальню. Особенно ревниво вела себя Хлоя, и Пейдж не хотелось настраивать девочку против себя.

— Если Хлоя согласится с этим, то все будет в порядке, — рассмеялась Пейдж, — тогда она растормошит Алли только ради того, чтобы сообщить ей эту новость. — Она улыбнулась, представив себе эту сцену.

Четвертого июля, в День независимости, Тригви устроил вечеринку и пригласил нескольких друзей, среди них, кроме Пейдж и Энди, были Джейн Джилсон с мужем, Эпплгейты и еще четыре пары. Это была первая вечеринка, на которой Тригви и Пейдж появились вместе. Пейдж была без Брэда, и вообще она впервые появилась на людях после несчастного случая. С того дня прошло меньше трех месяцев, но они показались ей тремя годами — столько событий произошло за эти дни. Все были рады видеть их вместе, так как к Тригви все относились с симпатией.

Под руководством Тригви дети и Пейдж приготовили мясо. Тригви даже разрешил Бьорну зажечь несколько фейерверков.

— Это слишком опасно, — протестовала Пейдж, но мальчики были в восторге, и все кончилось благополучно. Гости были довольны вечеринкой, и последние разъехались в половине одиннадцатого.

Пейдж и Тригви убрали и помыли посуду, и в

тот момент, когда они убирали остатки еды в холодильник, в кухню со всей скоростью, которую позволяли костыли, ворвалась Хлоя.

— Идемте быстрее, — позвала она. У нее был такой взволнованный вид, будто с кем-то из мальчиков стряслось несчастье, и перепуганная Пейдж понеслась за ней, а за ними в тревожном молчании следовал Тригви. У обоих в голове пронеслось немало возможных несчастий, но никто из них не ожидал, что Хлоя вдруг замрет перед телевизором в гостиной, на экране которого застыла картина какой-то автокатастрофы в Ла-Джолле.

— ...жена сенатора Хатчинсона, Лора Хатчинсон... — раздался размеренный голос диктора, — стала виновницей автокатастрофы в Ла-Джолле. В лобовом столкновении погибла семья из четырех человек, серьезно пострадала двенадцатилетняя дочь миссис Хатчинсон, однако жизнь ее вне опасности... Жена сенатора арестована на месте катастрофы по обвинению в непредумышленном убийстве вследствие управления автотранспортом в состоянии опьянения. Тесты показали наличие алкоголя в крови. Пока нам не удалось добиться свидания с сенатором... Его представитель несколько часов назад заявил, что, хотя все свидетельства говорят против миссис Хатчинсон, она, возможно, и не виновата... Однако, — диктор взглянул прямо в камеру, — это уже не первый случай, в котором фигурирует Лора Хатчинсон. В апреле этого года с миссис Хатчинсон произошел аналогичный несчастный случай в Сан-Франциско. В аварии при лобовом столкновении на мосту Золотые Ворота погиб семнадцатилетний юноша, а две пятнадцатилетние девочки получили тяжелые увечья. Виновных тогда так и не удалось определить. Сейчас полиция в Ла-Джолле проводит расследование катастрофы. — Далее диктор перешел к сообщению о беспорядках в Лос-Анджелесе, а все трое продолжали в оцепенении смотреть на экран телевизора. Лора Хатчинсон виновна в гибели четырех человек и арестована за вождение машины в пьяном виде!

— О боже! — Пейдж рухнула на стул и зарыдала. — Она была пьяна и тогда... она была пьяна... наверняка она была пьяна и чуть не убила всех вас... — Она не могла остановить рыдания, и Хлоя тоже плакала. Тригви выключил телевизор и молча сел рядом с ними. Через несколько минут раздался звонок от Эпплгейтов. Пейдж думала о том, что нужно набраться смелости и позвонить Чэпменам. Но они и так скоро узнают обо всем случившемся. Итак, подозрения Тригви оказались верными.

Он снова включил телевизор и настроился на другой канал. Тут сообщалось о еще более чудовищных подробностях этого происшествия. Оказалось, что погибла двадцативосьмилетняя женщина, ее тридцатидвухлетний муж, их двухлетняя дочь и пятнадцатилетний мальчик. Женщина была на восьмом месяце беременности. Итак, пятеро, а не четверо! У дочери Лоры было легкое сотрясение мозга, сломана рука, и ей наложили пятнадцать швов на лицо. Показали машины «Скорой помощи», пожарные автомобили, остальные машины, стоявшие на обочине, — всего в катастрофу оказалось вовлечено еще шесть или семь автомобилей, но их водители и пассажиры практически не пострадали. Пейдж с ужасом внимала этим подробностям.

— Боже, боже... — Она не могла произнести ничего другого. Но это было полным оправданием Филиппа Чэпмена. Что теперь чувствуют его родители? — Ее посадят? — спросила она у Тригви.

— Скорее всего. Не думаю, что даже сенатор сможет вытащить ее из этого. — Сенатор был популярным, но не всеми любимым политиком, и наличие жены-алкоголички весьма осложняло его положение. Им удалось сохранить это в тайне, но не удалось удержать ее от того, чтобы сесть за руль. — Она убила пятерых человек. Не думаю, что удастся ее отстоять. Она предстанет перед судом. — По крайней мере за четыре жертвы, так как вряд ли удастся притянуть ее за неродившегося ребенка. Плод пытались спасти при помощи кесарева сечения, однако он был мертв из-за последствий удара и внезапной смерти матери. Слишком поздно.

— Она убила шестерых, — тихо сказала Пейдж. — Она убила и Филиппа. А если не выживет Алисон, — то семерых. Как она могла явиться на похороны Филиппа? Как она смела?!

— Это был неплохой ход. Он придал ее образу благородные черты, — ответил Тригви.

— Это просто чудовищно. — Пейдж была потрясена увиденным. Всю ночь она проплакала в объятиях Тригви. Теперь они знали, кто чуть не убил их детей. Пусть это ничего не меняло, но теперь они знали точно. Скорее всего и в ту ночь на мосту Лора Хатчинсон была пьяна, и именно она врезалась в машину Филиппа.

На следующий день Тригви внимательно прочитал все газеты и за завтраком включил телевизор. Сенатор с траурным видом сообщил журналистам, как он скорбит и как ужасно себя чувствует его жена. Они, разумеется, оплатят похороны, и расследование, и все остальные издержки. Он лично подозревает, что автомобиль его жены был неисправен, в частности рулевое колесо и тормоза. Пейдж едва не завопила от ярости, услышав это. Потом перед камерой предстала пострадавшая дочь. Девочка боязливо смотрела в камеру, уцепившись за руку папы, и пыталась улыбнуться непослушными губами. Саму Лору так и не показали. Сообщалось, что она в шоковом состоянии и находится под наблюдением врачей. Ясно было, что она не в том виде, чтобы изображать из себя скорбящую страдалицу.

Едва они вышли из дому, чтобы ехать в госпиталь, как сразу попали в окружение оператора телевидения и четырех репортеров. Им нужна была фотография Хлои в инвалидном кресле или на костылях, и они хотели узнать мнение Тригви по поводу катастрофы в Ла-Джолле.

— Разумеется, я в шоке. Это просто ужасно, — осторожно ответил он, стараясь быстрее добраться до машины. Фотографировать Хлою он не разрешил.

Когда они очутились в машине, Пейдж вдруг пришла в голову мысль, что репортеры наверняка отправятся и в госпиталь. Как только они доехали, Пейдж сразу побежала в палату — она не хотела дать им возможность снять дочь в таком состоянии, превратить ее горе в спектакль, вызвать всеобщую жалость к Алисон. Это была не настоящая Алисон, и никто не имел права использовать ее для возбуждения гнева общества. Независимо от того, насколько была виновна Лора Хатчинсон, Пейдж не хотела, чтобы из ее девочки сделали орудие мести.

В холле действительно собралось полдюжины

репортеров и фотографов. Узнав Пейдж, они тут же попытались остановить ее и задать свои бесчисленные вопросы:

— Что вы чувствуете теперь, миссис Кларк, когда стало ясно, что Лора Хатчинсон скорее всего виновна и в трагедии вашей дочери?.. В каком сейчас состоянии ваша дочь? Есть ли надежда на ее выход из коматозного состояния?

Репортеры пытались расспросить и главного врача, и медсестер, но никто из них не стал отвечать на их настойчивые вопросы. Они даже попытались подкупить персонал, чтобы сделать несколько фотографий в палате, но, к их несчастью, они обратились к Френс. Та пригрозила выкинуть их из госпиталя и подать на них иск. Она вышла в коридор, чтобы вытащить Пейдж из лап репортеров, а Тригви помогал ей. Пейдж заявила, что не даст никаких интервью.

— Но разве вы не чувствуете ярости и ненависти к этой женщине за те увечья, что она причинила вашей дочери? — попытались они спровоцировать ее.

— Мне очень жаль, — с достоинством ответила Пейдж, протискиваясь по коридору, — как и всем, кто пострадал в результате этого несчастного случая. И мне очень жаль родственников всех, кто погиб в Ла-Джолле. — И она скрылась вместе с Тригви в палате, чувствуя себя так, словно ей пришлось пройти через смерч. Сестры плотно закрыли дверь в палату и задернули шторы, чтобы репортеры не могли сфотографировать Пейдж и Алисон через окно.

В тот же день Тригви позвонил своему приятелю-журналисту и был потрясен тем, что тому удалось раскопать. Оказывается, за три последних года Лора Хатчинсон четырежды лечилась от алкоголизма в знаменитой клинике в Лос-Анджелесе, но, судя по всему, безуспешно. Она, разумеется, поступала туда под вымышленными именами, но источник в клинике подтвердил, что это была именно она. Кроме того, в архивах патрульной дорожной службы сохранились записи о нескольких мелких дорожных инцидентах с ее участием и одной серьезной аварии в Мартас-Вайн-Яре, где она отдыхала. Обошлось без серьезных случаев, лишь однажды она сама получила сотрясение мозга. Пока удавалось замять все эти случаи и засекретить записи в архиве полиции. Однако другу Тригви удалось-таки добраться до них. Он сказал, что скорее всего ради закрытия этих сведений были использованы взятки, а может быть, и политические льготы. Тем не менее адвокатам ее мужа и людям из республиканской партии удалось сохранить ее репутацию.

Чудовищно — только в этом году она убила шестерых человек, покалечила одного, одна лежала в коматозном состоянии, и ее собственный ребенок получил увечья. Приличный счет!

К вечеру реакция общественного мнения достигла пика: члены организации «Матери против пьяных водителей» раздавали интервью и делали заявления, Чэпмены рассказали, какую жизнь оборвала Лора Хатчинсон и как она пыталась опорочить память их сына. Правда, представитель сенатора по связям с прессой продолжал утверждать, что тормоза в машине были не в порядке, как и рулевая колонка, однако это уже никого не могло убедить. Сама Лора Хатчинсон продолжала оставаться недоступной.

На следующей неделе известные телеведущие Опра и Донахью организовали беседы с семьями, где были жертвы при аналогичных обстоятельствах, а по новостям прошло фото Лоры Хатчинсон в темных очках, пробирающейся сквозь толпу журналистов в суд, где ей было предъявлено обвинение в непредумышленном убийстве при управлении транспортом в состоянии опьянения. Ее ждал приговор максимум в сорок лет тюремного заключения, и Пейдж считала, что вряд ли даже этот срок снимет с нее тяжкий грех.

Каждый раз, когда Пейдж видела Алисон, перед ее глазами появлялись Лора Хатчинсон и та незнакомая молодая беременная женщина, чью жизнь она прервала.

В середине недели пресса продолжала муссировать тему катастрофы. Репортеры беспрестанно интервьюировали Чэпменов и гонялись за Эпплгейтами, Пейдж и Тригви. Оператор новостей постоянно дежурил в отделении интенсивной терапии, а директор программы пытался убедить Пейдж разрешить показать Алисон по телевидению.

— Неужели вы не хотите, чтобы и другие матери увидели, что случилось с вашей дочерью? Они имеют право требовать, чтобы такие люди, как Лора Хатчинсон, не имели права сесть за руль, — объясняла Пейдж агрессивно настроенная молодая женщина, — и вы обязаны помочь им в их борьбе.

— Это зрелище ничего не изменит. — Пейдж не хотела, чтобы Алисон в таком состоянии показывали по телевизору.

— Ну хорошо, неужели вы не можете по крайней мере дать небольшое интервью?

Пейдж тщательно обдумала это предложение и

решила согласиться на интервью только ради того, чтобы поддержать обвинение в суде против Лоры. Она рассказала, что случилось с Алисон три месяца назад, каковы были последствия травмы, каково ее состояние сейчас. Она была предельно откровенна и, выполнив свой долг, облегченно вздохнула.

Потом та же агрессивная женщина стала спрашивать ее, повлиял ли этот несчастный случай на другие стороны ее жизни: что еще изменилось после аварии? Пейдж поняла по ее вопросу, что ей стало как-то известно о том, что она находится в ожидании развода с Брэдом. Но она вовсе не собиралась фигурировать на телевидении в качестве невинной жертвы, так что не стала отвечать на этот вопрос.

— У вас есть еще дети, миссис Кларк? — спросила тогда интервьюерша.

— Да, — ответила Пейдж. — Сын Эндрю.

— А как он чувствовал себя после этого несчастного случая?

— Нам всем пришлось нелегко, — уклончиво ответила Пейдж.

— А правда ли, что через несколько недель после инцидента ваш сын сбежал из дому? Можете ли вы сказать, что это явилось непосредственным следствием душевной травмы, полученной ребенком вследствие несчастного случая, происшедшего с его сестрой?

Значит, они просмотрели полицейский архив! Пейдж была в ярости от того, как они вмешиваются в ее жизнь, — эти люди просто используют ее ради достижения своих целей. Тригви был прав, предупреждая ее о том, что ей не следует разговаривать с ними.

— Я сказала, что это было тяжело для всех членов нашей семьи, но мы стараемся справиться с этим. — Она улыбнулась, проклиная себя за то, что согласилась на это интервью. — И я хотела бы заявить следующее: я считаю, что, кто бы ни был ответствен за этот несчастный случай, он должен понести наказание по всей строгости закона. Но для нас это уже ничего не изменит, — завершила она это интервью. — Если бы семья сенатора не пыталась скрыть, что Лора Хатчинсон страдает алкоголизмом, то, вероятно, ей не позволили бы сесть за руль в ту роковую апрельскую ночь.

Когда Пейдж увидела свое интервью по телевизору, она осталась еще больше недовольна собой — его так отредактировали, что можно было подумать, будто она говорила совсем не то, что сказала на самом деле. Кроме того, на экране телевизора она выглядела слишком уж патетичной. Ну что ж, если люди узнают, какую боль причинила Лора Хатчинсон всем им, наверняка это поможет наказать ее по справедливости, в особенности в отношении катастрофы в Ла-Джолле. Несчастный случай, в котором пострадала Алисон, не может быть достоверным свидетельством, так как Лора Хатчинсон не была проверена на месте на содержание алкоголя в крови, но, во всяком случае, это говорило о модели ее поведения в целом. Поэтому-то Пейдж и согласилась дать интервью, хотя теперь и жалела об этом.

Это ничего не изменило для Алисон, но все-таки Пейдж было почему-то легче от сознания того, что женщина, которая причинила им такое зло, теперь в руках правосудия. Суд должен был состояться в начале сентября.

Глава 18

Тригви с детьми отбыл на озеро Тахо первого августа, и Пейдж обещала присоединиться к ним с Энди в середине месяца. Брэд уехал в Европу со Стефани, и пришлось поместить Энди в городской лагерь — его некуда было деть. Тригви предлагал взять Энди с ними на Тахо, но тот, как ни соблазнительно было это предложение, решил все-таки остаться с матерью. Он еще не восстановил душевное равновесие после инцидента с родителями и не мог представить себе, как он проведет несколько ночей вне дома. Ему до сих пор снились кошмары про Алисон.

Со времени несчастного случая прошло четыре месяца. Давно они миновали страшную отметку трех месяцев, а в состоянии Алисон не было перемен. Пейдж почти смирилась с этим, хотя страстно мечтала о том, что Алисон еще очнется и снова будет прежней, сколько бы ни пришлось потратить на это времени и сил. Она была готова на все, чтобы вернуть ее к жизни. Но постепенно Пейдж начинала понимать, что теперь уже ничего не изменится.

Тригви звонил ей ежедневно, она ждала его звонков. Жизнь снова устоялась: утром она отвозила Энди в лагерь, ехала к Алисон, где вместе с физиотерапевтом пыталась спасти ее тело от атрофии мышц. Потом она работала над фресками, снова заходила к Алисон, забирала Энди из лагеря и готовила ужин.

Ей очень не хватало Тригви, гораздо сильнее, чем она думала. Он тоже тосковал по ней, настолько, что однажды полдня ехал в машине, чтобы провести ночь с ней, а на следующее утро вновь вернуться на Тахо. Вместе им было очень хорошо.

К этому времени она кончила первую фреску и начала роспись в приемной. Там было немало тонких деталей, которые Пейдж уже отработала в набросках, и, сидя с Алисон, она обычно еще раз продумывала их. Вот и сегодня все было, как всегда. Стоял тихий солнечный августовский день, Пейдж сидела рядом с Алисон и вдруг ощутила, как та шевельнула рукой. Это часто случалось, и она привыкла к этому. Просто тело подчинялось вдруг какому-то сигналу мозга. Но на этот раз, повинуясь интуиции, Пейдж взглянула на дочь, а потом вернулась к своему наброску, который она машинально вычерчивала пером, мучаясь над одной деталью, которая никак не давалась ей. Она посмотрела в окно, пытаясь немного отвлечься и снова сосредоточиться, понять, как лучше изобразить ее. Потом Пейдж снова перевела взгляд на Алисон — и увидела, что ее руки двигаются! Они словно старались схватить края простыни и подтянуть ее к голове. Пейдж никогда не видела этого явления и теперь изумленно смотрела на дочь, пытаясь понять, что это значит, — случайные ли это движения или же...

И вдруг она заметила еле уловимое движение головы Алисон — та словно стремилась повернуться к матери, ощущая ее присутствие. Пейдж следила за ней с замиранием сердца, она чувствовала, что дочь возвращается в мир.

— Алли! Ты здесь?.. Ты слышишь меня? — Такой она еще не видела дочь со времени несчастного случая. — Алли... — Она отложила альбом и перо и взяла дочь за руку, словно стремясь во что бы то ни стало вернуть ее к жизни. — Алли... открой глаза... солнышко, я здесь!.. Открой глазки, девочка... все в порядке... не бойся... это мама... — Она шептала эти слова и гладила руку дочери, и вдруг та слабо пожала ее! Пейдж начала плакать — Алисон услышала ее! Она знала, что Алисон услышала ее слова! — Алли... я чувствую твою руку... я знаю, что ты слышишь меня... ну же... открой глазки...

И тут медленно, очень медленно веки Алисон дрогнули, а потом снова замерли, словно она совершила слишком большое усилие. Пейдж долго сидела, глядя на дочь и думая: не погрузилась ли она снова в кому? Дочь снова не подавала признаков жизни, а потом ее руки опять пришли в движение, и она опять пожала руку Пейдж, на этот раз сильнее, чем в первый раз.

Пейдж хотелось подпрыгнуть, трясти дочь за плечи, пока та не очнется, позвать кого-нибудь, объявить, что Алисон проснулась, что ее девочка жива, но вместо этого она продолжала сидеть словно зачарованная и безмолвно плакать, глядя на дочь. Что, если это просто игра природы, случайные спазматические движения, что, если она так и не проснется?..

— Деточка, милая, пожалуйста... открой глазки... я так тебя люблю... Алли, пожалуйста!

Она всхлипывала и целовала кончики пальцев дочери, и тут впервые за четыре месяца ресницы Алисон затрепетали, веки приподнялись, глаза открылись, и она увидела мать.

Сначала она явно не могла понять, где находится и кто перед ней, и только затем, сконцентрировав взгляд, она увидела перед собой Пейдж и сказала:

— Мама.

Пейдж не смогла сдержать слез, она наклонилась и стала целовать лицо Алисон, ее волосы, слезы Пейдж текли по щекам дочери. И вдруг Алисон громко повторила это слово и посмотрела на мать. Этот звук мог показаться и просто хрипом, но это было слово, и самое сладкое слово, именно то, которое хотела услышать Пейдж: *мама*.

Пейдж показалось, что она просидела, плача, у кровати дочери целую вечность, но тут пришла Френс. Она тоже не могла поверить в случившееся.

— Боже... она очнулась! — Френс тут же побежала звонить доктору Хаммерману. К тому времени, когда он пришел, Алисон снова задремала, но на этот раз это был именно сон, а не кома.

Пейдж подробно рассказала доктору Хаммерману, что случилось, и он тщательно осмотрел Алисон. Вдруг девочка снова открыла глаза и посмотрела на него. Она не могла понять, кто это, и заплакала, глядя на мать.

— Все в порядке, милая, это доктор Хаммерман. Он наш друг, он поможет тебе... — Теперь ей было все равно, что и кто делает, ведь Алисон проснулась, она открыла глаза и говорила!

Хаммерман попросил Алисон пожать его руку, и та выполнила его просьбу. Он попросил ее сказать что-нибудь, но девочка молчала. Она перевела глаза на мать и покачала головой. Позже, выйдя в коридор, он объяснил Пейдж, что Алисон скорее всего практически утратила дар речи, а также большинство основных моторных рефлексов, и предстояло еще выяснить, в каком состоянии основные функции мозга.

— Впрочем, ее можно будет научить снова большинству этих вещей — ходить, сидеть, двигаться, есть. Она сможет научиться говорить. Нужно время, чтобы понять, насколько она сможет восстановить сознание, — сказал он. Но Пейдж была готова на все, на любой труд, только бы вернуть дочь к нормальной жизни.

После того как Хаммерман ушел, она позвонила Тригви и рассказала ему, что произошло.

— Минуточку... минуточку... успокойся... — На озере у него был сотовый телефон, и он плохо слышал ее. Он расслышал, что доктор говорил Пейдж что-то о моторных функциях, но не до конца понял, что именно. — Повтори это еще раз.

Она плакала и смеялась одновременно, и он не мог понять, что она говорит.

— Она говорила со мной... она говорила! — На этот раз Пейдж почти кричала в трубку, и он чуть не выронил ее из рук от неожиданности. — Она очнулась... она открыла глаза... увидела меня и сказала «мама». — Это был самый радостный миг в жизни Пейдж, с тех пор как Алисон появилась на свет... и с того дня, как они поняли, что Энди выживет. — Тригви... — Она не могла больше сказать ничего связного и только плакала, и у него на глазах тоже выступили слезы. Дети окружили его, они хотели знать, что же случилось — плохое или хорошее? Со слов отца пока это было невозможно понять.

— Мы приедем сегодня вечером, — быстро ответил он. — Я позвоню тебе. Мне нужно рассказать все детям. — Пейдж положила трубку и снова побежала в отделение, а он рассказал детям, что Алисон вышла из комы.

— Она выздоровела? — спросила пораженная этой новостью Хлоя.

— Об этом рано говорить, моя дорогая. — Он

обнял ее. Хоть бы Алисон выбралась из своей болезни. Тригви все время мучила мысль, что из двух девочек именно Алисон приняла на себя такие мучения. Но в душе он был рад, что судьба пощадила Хлою.

Вечером все они приехали в Росс, но Алисон к этому времени снова заснула — на этот раз обычным сном. С нее уже сняли маску аппарата искусственного дыхания, но оставили в палате интенсивной терапии, чтобы наблюдать за развитием событий.

— Что она сказала? — потребовала подробностей Хлоя, когда все они расселись вокруг стола на кухне Торенсенов.

— Она сказала «мама». — Пейдж, всхлипывая, рассказала им все подробно. За ней начали всхлипывать Хлоя, Тригви и даже Бьорн, который всегда начинал волноваться, когда люди плакали. Во время рассказа Пейдж с Энди сидели, держась за руки.

Пожалуй, это был самый счастливый день в их жизни. На следующий день Пейдж взяла с собой в госпиталь Хлою. Алисон открыла глаза и долгое время смотрела на Хлою, не узнавая ее. Потом наморщила лоб и сказала, обращаясь к матери:

— Девочка. Девочка. — Подняв руку, она указала на Хлою.

— Это Хлоя, — поправила ее мать. — Хлоя твоя подруга, Алли.

Алисон снова посмотрела на Хлою и кивнула — было похоже, что она узнала Хлою, но у нее не было слов, чтобы сказать об этом. Словно она очутилась в другой стране.

— Мне кажется, она узнала меня, — сказала Хлоя, когда они вышли из палаты, но отцу она сказала, что Алисон никак не смогла дать понять, что узнала ее.

— Ничего, нужно дать ей время оправиться, ей предстоит пройти еще длинный путь, прежде чем она полностью вернется к нам. — Если она сможет все-таки одолеть его.

— А как долго это будет продолжаться, папа?

— Не знаю. Доктор Хаммерман сказал Пейдж, что это может занять несколько лет. Может быть, два или три года. — К тому времени ей будет восемнадцать лет, и ей придется сначала учиться тому, как сидеть, как ходить, как есть вилкой... говорить по-английски... Все-таки это ужасно!

Вечером Пейдж рассказала им, как прогрессирует Алисон. Теперь ею занимались сразу несколько врачей: физиотерапевт, специалист по моторным навыкам, логопед, работавший с больными, страдающими афазией или потерявшими речь после инсульта. В общем, следующие несколько месяцев она будет очень занята, и Пейдж тоже.

— А как же Тахо? — спросил ее Тригви ночью. Они собирались утром ехать обратно, и он хотел забрать с собой Энди после того, как тот посетит сестру в госпитале.

— Не знаю, — расстроенно ответила она. — Я не могу теперь оставить ее. Что, если она снова погрузится в кому? Что, если она перестанет двигаться и говорить? Правда, доктор Хаммерман сказал, что это теперь невозможно и ее можно спокойно оставить тут одну.

— Почему бы тебе не подождать неделю-другую? Ты можешь приехать попозже и вообще каждые несколько дней приезжать в Росс. Если хочешь, я буду отвозить тебя, ты будешь проводить там ночь, а утром возвращаться назад. Это нелегко, но все-таки легче, чем тебе пришлось в эти четыре месяца. Что ты об этом думаешь? — Он всегда был готов сделать что-нибудь для нее, чтобы облегчить ее жизнь.

— Это было бы неплохо. — Она улыбнулась и поцеловала его.

— Может быть, на этот раз мне стоит взять с собой Энди? Ему должно понравиться. — Они оба волновались — а что, если Алли не узнает его с первого раза! Тогда лучше всего увезти его и немного развлечь.

— Да, он будет в восторге, — согласилась она. Тогда у нее останется больше времени для Алисон — работы теперь прибавилось.

— Тогда на следующей неделе я заеду за тобой, и если это будет слишком рано, то мы проведем пару дней вдвоем, а ты приедешь еще через неделю.

— Слушай, почему ты делаешь для меня столько хорошего? — прошептала она ему на ухо, и он притянул ее ближе к себе.

— Потому, что я хочу тебя всячески соблазнить, — ответил он.

Когда Алисон проснулась, Пейдж сразу позвонила Брэду в Европу, и он был искренне рад. Он сказал, что не может дождаться их встречи. Но когда она произошла, он был расстроен точно так же, как Хлоя и Энди перед отъездом на Тахо, — он-то думал, что она воскликнет «папа!» и бросится к нему на шею, а вместо этого она подозрительно посмотрела на него, потом кивнула и сказала Пейдж:

— Мужчина. — Это было все, что она смогла сказать за несколько минут. «Мужчина». Она смотрела на него, мучительно пытаясь вспомнить, где же видела это лицо, и только когда он уже повернулся, чтобы выйти, она прошептала: — Папа.

— Она вспомнила! — воскликнула Пейдж, зовя Брэда назад. — Она сказала «папа»! — Он обнял ее и заплакал, но все-таки ему стало легче, когда он вышел из отделения. Дочь все еще представляла жалкое зрелище: она уже могла сидеть, но не ходила, и каждое движение и слово давались ей с трудом.

Но Тригви, приехавший через неделю, был поражен ее прогрессом. Когда Алисон увидела его, то сказала:

— Хлоя. Хлоя. — Она помнила его, как и то, что он как-то связан с Хлоей.

— Я — Тригви, — объяснил он. — Папа Хлои. Она кивнула... и вдруг улыбнулась. Это было новое — она умела улыбаться. Она умела и плакать, но эти выражения эмоций словно запаздывали, происходя гораздо позже событий, вызвавших всплеск эмоций. Доктор Хаммерман объяснил, что это вполне естественно и в итоге все придет в норму, но для этого нужно будет как следует потрудиться.

— Она отлично выглядит, — сказал Тригви, и он не льстил ей — за месяц в Алисон произошли колоссальные изменения по сравнению с ее прежним состоянием.

— Мне тоже так кажется, — просияла Пейдж, — и она понимает гораздо больше, чем ты можешь себе представить. Просто у нее не хватает слов, чтобы это сказать. Но я вижу по ее лицу, как она старается. Вчера я принесла ей плюшевого мишку, и она назвала его Сандвичем. А его звали Сэмом. Это близко по звучанию. Потом она рассмеялась, испугалась сама себя и расплакалась. Так что это напоминает катание на русских горках. Но все равно это замечательно.

— А что говорит Хаммерман?

— Он говорит, что пока слишком рано что-то утверждать наверняка, но, судя по анализам и тестам, а также по данным осмотра, он считает, что возможно восстановление функций мозга на девяносто шесть процентов.

Это было невероятно — всего лишь месяц тому назад они уже разуверились в том, что она когда-нибудь выйдет из комы. Это означало, что она вряд ли сможет подводить баланс в своей чековой книжке и у нее будет медленная реакция, что не даст ей возможности водить машину, стать лучшей в мире танцовщицей или работать синхронной переводчицей. Зато она сможет жить, как нормальная женщина, завести семью, понимать шутки, читать книги и рассказывать сказки. Она будет такой же, как все, ну, может быть, не совсем той, кем она могла бы стать, не будь этого несчастного случая. Это казалось счастьем по сравнению с тем, что она могла бы умереть или провести остаток жизни в бессознательном состоянии.

— Отлично! — воскликнул Тригви. В общем, ведь и Хлое пришлось принести свою жертву — ей пришлось распрощаться со своими мечтами о балете, зато она сможет ходить, смеяться и даже танцевать. Кое-что стало для нее недоступным, но не все. Ведь она могла умереть, как Филипп и те люди, которых Лора Хатчинсон убила в Ла-Джолле.

Пейдж объяснила, как могла, Алисон, что она собирается поехать на Тахо завтра. Алисон при этом известии заплакала, а когда Пейдж объяснила ей, что уезжает только на два дня, девочка снова заулыбалась. Мотаться туда-сюда было не сладко, но Пейдж надеялась справиться, и Тригви понимал, сколько сил ей придется на это потратить. Она не хотела бросать Алисон, но ей нужно было провести время с Энди, а также с Тригви и его семьей.

Когда они мчались к Тахо, а за окнами машины проплывали горы, Пейдж облегченно вздохнула и улыбнулась — никогда еще она не чувствовала себя такой свободной, она словно заново родилась на свет. Она была счастлива рядом с Тригви.

— Чему ты улыбаешься? Ты похожа на кошку, только что слопавшую канарейку. — Ему было хорошо просто потому, что она рядом, что он видит ее. Ему так не хватало ее эти две недели, и он не переставал надеяться, что они все-таки когда-нибудь окажутся вместе.

— Просто я счастлива, — сказала Пейдж.

— С чего бы это? — съехидничал он.

— С того. У меня теперь есть все, за что можно благодарить бога... чудесные дети... и чудный мужчина... и еще трое детей, о которых я мечтала.

— Неплохо звучит. Но есть еще место и для новых.

— Может быть, не стоит испытывать судьбу? Может быть, пятерых детей достаточно?

— Чушь. — Он определенно хотел большего, но действительно не стоило испытывать судьбу после всего того, что им пришлось испытать. Еще недавно он и не мечтал, что Алисон выйдет из комы.

В Тахо все прошло как по маслу, это было то, чего им не хватало. Наконец-то они могли спать в одной комнате, и хотя Бьорн и Энди хихикали после первой такой ночи, все обошлось.

Это был прекрасный отдых — они ездили верхом, гуляли, рыбачили, жгли костры и устраивали пикники. Однажды они даже спали под открытым небом. Они узнали много нового друг о друге. Трудно было каждые два-три дня тратить несколько часов на поездки в Росс, но это было необходимо. И Алисон прогрессировала необычайно быстро.

К концу второй недели она уже смогла встать на ноги и с помощью сестры сделать несколько шагов. А когда вошла Пейдж, она улыбнулась ей и сказала:

— Привет, мама, как ты? — Алисон запомнила, как зовут Тригви, и никогда не забывала спросить о Хлое. Она сказала, что хочет снова увидеть Энди, которого Пейдж привозила перед тем, как отправить на Тахо. Она сказала ей, что он на озере Тахо, ловит рыбу.

— Рыба... уууу... а! — Она состроила забавную гримасу, и все они рассмеялись.

— Да, рыбу, — согласился Тригви, радовавшийся ее прогрессу не меньше Пейдж. — Рыба иногда плохо пахнет.

— Дрянь. — Алисон не всегда удавалось найти нужное слово, и они снова рассмеялись.

— Ну, я бы так не сказал. В следующий раз ты тоже сможешь поехать ловить эту дрянь.

Алли рассмеялась его шутке, и он обнял ее. Она выглядела великолепно — во время катастрофы она чудом не получила почти никаких видимых повреждений.

Тригви и Пейдж вернулись на Тахо, чтобы провести там уик-энд на День труда. Воздух стал немного прохладней — лето кончалось. Жаль, конечно, но это было трудное лето. И у них было много работы дома — особенно у Пейдж, которой нужно было кончить фрески и разработать программу для школы. Но главной ее заботой оставалась Алисон.

А однажды они прочитали в газете, что в следующий вторник Лора Хатчинсон должна предстать перед судом в Ла-Джолле.

— Надеюсь, ее упекут лет на сто, — зло сказала Хлоя, которой было больно не столько даже за себя, сколько за Алли. И за Филиппа. Эта женщина была только рада свалить вину на Филиппа. Недавно появился свидетель, который утверждал, что, когда Лора уезжала с той вечеринки, они все подумали, что она пьяна. Тогда почему же полиция не заметила этого? Почему они не протестировали ее? Теперь было поздно задавать эти вопросы, но она все-таки заплатит за то, что натворила в Ла-Джолле.

— Удивительно, какие сюрпризы подкидывает жизнь, — задумчиво сказала Пейдж, когда они сидели на берегу озера и любовались закатом. На следующий день надо было уезжать назад в Росс, и дети были в доме, готовя ужин. Пейдж и Тригви собирались поехать в этот вечер поужинать в новом ресторане в Траки. — Пять месяцев тому назад моя жизнь была совсем другой... и что теперь? Сколько мы пережили и чем мы стали? Никогда не знаешь, что случится в следующий момент! — В конце концов они нашли свое счастье, но какой ценой!

— Никогда бы не хотел, чтобы этот день повторился... — задумчиво сказал Тригви. — Я до сих пор помню, как мне позвонили... и как я встретил в госпитале тебя... Я-то думал, что они были с тобой.

— А я думала, что это ты был за рулем и погиб в катастрофе... Боже, как это было ужасно! Нам просто повезло. — Она улыбнулась и погладила его по руке. — Ты был так добр ко мне все это время.

— Нет, ты заслуживаешь гораздо большего. Но погоди, дай только срок. — Она рассмеялась, словно он отпустил какую-то шутку. — Что ты думаешь о наших общих планах? — Он никогда не торопил ее, просто напоминал иногда, только для того, чтобы она не забывала. Все-таки он хотел бы жениться на ней на Рождество, когда она разведется с Брэдом.

— Да, думала. — Она продолжала разглядывать берег озера, а потом повернулась к своему спутнику и как-то странно посмотрела на него. — Ты действительно уверен, что хочешь этого, Тригви? Это нелегкая ноша — у меня все-таки двое детей, и с Алисон будет еще немало хлопот...

— С Хлоей тоже. И Бьорн, конечно, вряд ли изменится. Так что у меня багаж не меньше. Ты об этом подумала?

— Я полюбила их, хотя никогда не думала, что смогу принять чужих детей. — Ник тоже пришелся ей по душе, она поближе узнала его за время каникул на озере.

— В таком случае это равный брак. — Он снова посерьезнел. — Я уже привык к мысли, что никогда не женюсь снова, из-за Бьорна, так как трудно представить, что кто-то может полюбить его так же, как я. И тут появилась ты... — Его глаза заблестели от подступающих слез, и он крепче прижал ее к себе. — Ты так добра к нему... Он и в самом деле заслуживает, чтобы его окружали любящие люди. Несмотря на его неполноценность, у него добрая душа. Он уже полюбил и тебя, и Энди.

— И ты тоже, — сказала она, устраиваясь поуютнее в его объятиях. Пока что она не находила причин, по которым можно было бы отклонить этот брак.

— Что ты все-таки думаешь о Рождестве?

— В общем-то я как раз хотела обсудить это с тобой, — сказала она задумчиво.

— Серьезно? — обрадовался он. Пейдж раньше неохотно говорила на эту тему, но с тех пор, как Алисон очнулась, положение, похоже, изменилось.

— Может быть. Но сначала я хотела бы кое-что обсудить с тобой. — Она посерьезнела. Он лег рядом с ней на песок и приготовился слушать. — Мне нужно кое-что сказать тебе. — Наверное, относительно Алисон... или о Брэде... Может быть, она собирается сказать ему, что до сих пор не разлюбила Брэда и он должен смириться с этим? Он подумывал об этом, но, похоже, она справилась со своей личной катастрофой, и гораздо лучше, чем он, после того как расстался с Даной. — Помнишь, ты говорил, что мечтаешь о ребенке, о нашем с тобой общем ребенке?

Она выглядела такой серьезной, что он рассмеялся, зная, как трудно было ей принять это решение. Она говорила, что хотела бы еще детей, но опасалась своего возраста и того, что не сможет уделять больше времени Алисон...

— Я могу подождать, если нужно. Я просто подумал, как это было бы чудесно. Но если ты хочешь... мы еще достаточно молоды, чтобы отложить это. — Если даже она скажет, что вряд ли справится еще с одним ребенком, он готов согласиться и с этим. Но она только нахмурилась, услышав его ответ, — что-то продолжало тревожить ее. — Это не так существенно, Пейдж.

— Ладно, придется сказать иначе. — Она приподнялась на локте. — Что ты скажешь, если мы поженимся на Рождество?.. — У него от радости замерло сердце, и он рассмеялся. Но она еще не закончила фразу. — Но я к тому времени буду на шестом месяце беременности.

— Что?! — Он сел и недоуменно уставился на нее. Она в ответ только усмехнулась и легла на спину.

— Сама не знаю, как это получилось. Похоже, шесть недель назад ты оказался сильнее противозачаточных таблеток. Сначала я думала, что мне это кажется, но теперь сомнений нет. Я просто не знала, что ты подумаешь! У нас уже столько детей! Все будут просто в шоке.

— Такой свадьбы наш городок давно не видел.

Она была похожа на испуганную девочку. И светилась счастьем — она всегда хотела третьего ребенка... так что их отношения начались весьма романтично... Словно они вылетели из пушки и приземлились на цветущем лугу.

— Ты меня просто потрясаешь. — Он лег рядом и обнял ее. — Я просто не могу в это поверить. — Он снова рассмеялся. Все складывалось так, как он хотел, и гораздо раньше, чем рассчитывал. Просто чудо! — Мне кажется, у нас должен родиться прелестный ребенок.

— Что ты имеешь в виду?

— Ну, у нас есть Бьорн, довольно необычный ребенок. Потом Хлоя... и Энди, которому пришлось неожиданно повзрослеть, и он с этим справился... и Алисон, просто чудом спасшаяся от смерти... и если мы поженимся в декабре, дай-ка подумать... тогда ребенок родится через три с половиной — четыре месяца после свадьбы. Это же просто чудо! Трехмесячный младенец! — Он снова рассмеялся, но у нее по-прежнему был смущенный вид.

— Ты просто чудовище. Вспомни о детях — что они-то подумают о нас?

— Ничего. А если они не понимают, как нам всем повезло и что взрослые иногда тоже совершают ошибки, бог с ними. Во всяком случае, я бы не стал отворачиваться от такого подарка судьбы... или господь просто отвернется от нас, неблагодарных... Нет, я ухвачу этот подарок как можно крепче, вместе с тобой, и буду каждую ночь шептать благодарственную молитву... И мне кажется, что мы-таки опустошили рынок чудес, — с гордостью закончил он и поцеловал ее. Она думала о том, какой долгий путь они прошли, прежде чем оказаться на безопасном берегу, и как они счастливы.

Литературно-художественное издание
Даниэла Стил
ЖИТЬ ДАЛЬШЕ

Редакторы *Н. Крылова, А. Комогорова*
Художественный редактор *Е. Савченко*
Технический редактор *Н. Носова*
Компьютерная верстка *А. Щербакова*
Корректор *В. Назарова*

Налоговая льгота — общероссийский классификатор
продукции ОК-005-93, том 2; 953000 — книги, брошюры

Подписано в печать с готовых диапозитивов 14.03.2000.
Формат 84х108 $^1/_{32}$. Гарнитура «Нью-Баскервиль». Печать офсетная.
Усл. печ. л. 20,16. Уч.-изд. л. 15,59.
Тираж 10 000 экз. Заказ 4405.

ООО «Издательство «ЭКСМО-МАРКЕТ»
Изд. лиц. № 071591 от 10.02.98.

ЗАО «Издательство «ЭКСМО-Пресс»
Изд. лиц. № 065377 от 22.08.97.

125190, Москва, Ленинградский проспект, д. 80, корп. 16, подъезд 3.
Интернет/Home page— www.eksmo.ru
Электронная почта (E-mail)— info@ eksmo.ru

Книга — почтой:
Книжный клуб «ЭКСМО»
101000, Москва, а/я 333. E-mail: bookclub@ eksmo.ru

Оптовая торговля:
109472, Москва, ул. Академика Скрябина, д. 21, этаж 2
Тел./факс: (095) 378-84-74, 378-82-61, 745-89-16
E-mail: eksmo_sl@msk.sitek.net

Мелкооптовая торговля:
Магазин «Академкнига»
117192, Москва, Мичуринский пр-т, д. 12/1
Тел./факс: (095) 932-74-71

ООО «Дакс». Книжная ярмарка «Старый рынок».
г. Люберцы Московской обл., ул. Волковская, д. 67
Тел.: 554-51-51; 554-30-02

Всегда в ассортименте новинки издательства «ЭКСМО-Пресс»:
ТД «Библио-Глобус», ТД «Москва», ТД «Молодая гвардия»,
«Московский дом книги», «Дом книги на ВДНХ»

ТОО «Дом книги в Медведково»
Москва, Заревый пр-д, д. 12 (рядом с м. «Медведково»)
Тел.: 476-16-90

ООО «Фирма «Книинком»
Москва, Волгоградский пр-т, д. 78/1 (рядом с м. «Кузьминки»)
Тел.: 177-19-86

ГУП ОЦ МДК «Дом книги в Коптево»
Москва, ул. Зои и Александра Космодемьянских, д. 31/1
Тел.: 450-08-84

АООТ «Тверской полиграфический комбинат»
170024, г. Тверь, пр-т Ленина, 5.

Наталья КОРНИЛОВА
Криминальный цикл «ПАНТЕРА»

Когда смерть смотрит в упор, уйти от нее невозможно. Но сотруднице детективного агентства, красавице Марии, удается обмануть костлявую и с честью выйти из очередной переделки. Словно пантера, она умеет неподвижно сидеть в засаде, драться в кромешной тьме, переносить нечеловеческую боль. И если схватка с бандитами для нее обычное дело, то поединок с маньяком-убийцей выдержит не каждый... Что же помогает ей оставаться во всех схватках победительницей? Эту тайну знает она одна...

Дмитрий ЩЕРБАКОВ
Криминальный цикл «НИМФОМАНКА»

Публичные дома, воровские притоны, особняки «авторитетов», вокзалы и гостиницы – в этом мире приходится существовать и отчаянно бороться за выживание бандиту Северу и его подруге Миле. Они стремятся к нормальной человеческой жизни, но болезнь Милы, требующая «секса» на грани смертельного риска, не дает им вырваться из кровавого криминального хоровода. Вновь и вновь, как в кошмарном сне – сексуальные «сеансы», отчаянные схватки с подонками самых разных мастей, погони... И только чистая, подлинная любовь помогает им оставаться людьми.

Все книги объемом 500-600 стр., твердая, целлофанированная обложка, шитый блок.

НЯНЯ

Журнал рассчитан прежде всего на женщин, имеющих одного или более детей в возрасте от 0 до 12 лет, а так же на тех, кто только готовится стать матерью. Цель издания — помочь родителям вырастить психически и физически здорового ребенка.

В журнале несколько разделов, каждый из которых соответствует таким важным темам, как беременность, детское здоровье, питание, воспитание и обучение, взаимоотношения в семье, мода, театр, этикет, интервью со звездами.

Прекрасное иллюстративное оформление, строгая научная основа, хороший литературный язык, легкий юмор отличают большинство публикаций журнала и делают их доступными и понятными для широкого круга читателей.

Подписной индекс «НЯНИ» в каталоге «Роспечати»:

на полугодие
34001

на год
71677

Учредитель: Издательский Дом «**Karl Gibert**»
Россия, Москва, 101063, Армянский пер., д.11/2
Телефоны редакции: (095) 925-8577, 923-5267
Internet-версия: www.nanya.ru e-mail: nanya@aha.ru

ПОЭЗИЯ

Жизнь без поэзии бледна и уныла, как без пения птиц, благоухания цветов, без любви и красоты. Язык поэзии – язык возвышенного движения души, великой радости и светлой печали. Не все говорят на нем, но понять его может каждый. Для тех, кто хочет обогатить свою жизнь бесценными сокровищами поэтического слова, издательство «ЭКСМО» готовит серию книг, в которую войдут лучшие творения отечественных и зарубежных поэтов. Домашняя библиотека поэзии – это хлеб насущный для трепетных сердец и пытливых умов. Прислушайтесь к голосам Орфеев нашего века, и вы согласитесь, что жизнь без поэзии – просто не жизнь.

НОВИНКИ СЕРИИ:

М.Цветаева «Просто – сердце»,
А.Пушкин «Я вас любил...»,
В.Высоцкий «Кони привередливые»,
А.Ахматова «Ветер лебединый»,
Хафиз «Вино вечности»,
М.Петровых «Домолчаться до стихов»,
«Гори, гори, моя звезда» (старинный русский романс),
У.Шекспир «Лирика»,
Л.Филатов, В.Гафт «Жизнь – Театр»,
Г.Шпаликов «Пароход белый-беленький»,
А.Пушкин «И божество, и вдохновенье...» (подарочное издание),
А.Пушкин «Евгений Онегин».

В планах издательства:

Сборники стихотворений Б.Ахмадулиной, Э.По, Р.Киплинга, Камоэнса,
К.Бальмонта, Ф.Сологуба, И.Северянина, М.Петровых и др.

Все книги объемом 400-550 стр., золотое тиснение,
офсетная бумага, шитый блок.